LES PREMIERS MAGICIENS

4. Le baiser des morts

Maude Royer

LES PREMIERS MAGICIENS

4. Le baiser des morts

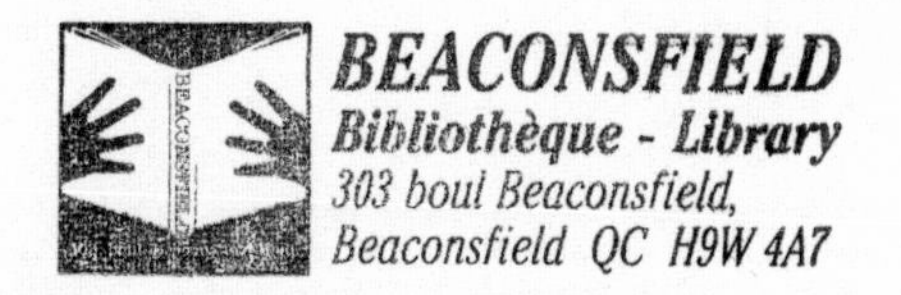

Hurtubise

Catalogage avant publication de Bibliothèque et Archives nationales du Québec et Bibliothèque et Archives Canada

Royer, Maude

Les premiers magiciens

L'ouvrage complet comprendra 5 v.
Sommaire : t. 4. Le baiser des morts.

ISBN 978-2-89647-559-9 (v. 4)

I. Titre. II. Titre : Le baiser des morts.

PS8585.O97P73 2010 C843'.6 C2010-941000-9
PS9585.O97P73 2010

Les Éditions Hurtubise bénéficient du soutien financier des institutions suivantes pour leurs activités d'édition :

- Conseil des Arts du Canada ;
- Gouvernement du Canada par l'entremise du Programme d'aide au développement de l'industrie de l'édition (PADIÉ) ;
- Société de développement des entreprises culturelles du Québec (SODEC) ;
- Gouvernement du Québec par l'entremise du programme de crédit d'impôt pour l'édition de livres.

Éditrice jeunesse : Sandrine Lazure
Illustration de la couverture : Marc Lalumière
Graphisme : René St-Amand
Mise en pages : Martel en-tête

ISBN 978-2-89647-559-9 (version imprimée)
ISBN 978-2-89647-560-5 (version numérique pdf)

Dépôt légal/3e trimestre 2011
Bibliothèque et Archives nationales du Québec
Bibliothèque et Archives Canada

Diffusion-distribution au Canada :
Distribution HMH
1815, avenue De Lorimier
Montréal (Québec) H2K 3W6
www.distributionhmh.com

Diffusion-distribution en Europe :
Librairie du Québec/DNM
30, rue Gay-Lussac
75005 Paris FRANCE
www.librairieduquebec.fr

Imprimé au Canada

www.editionshurtubise.com

Pour mes parents, mes frères et mes sœurs,
et un peu plus spécialement pour Ariane.

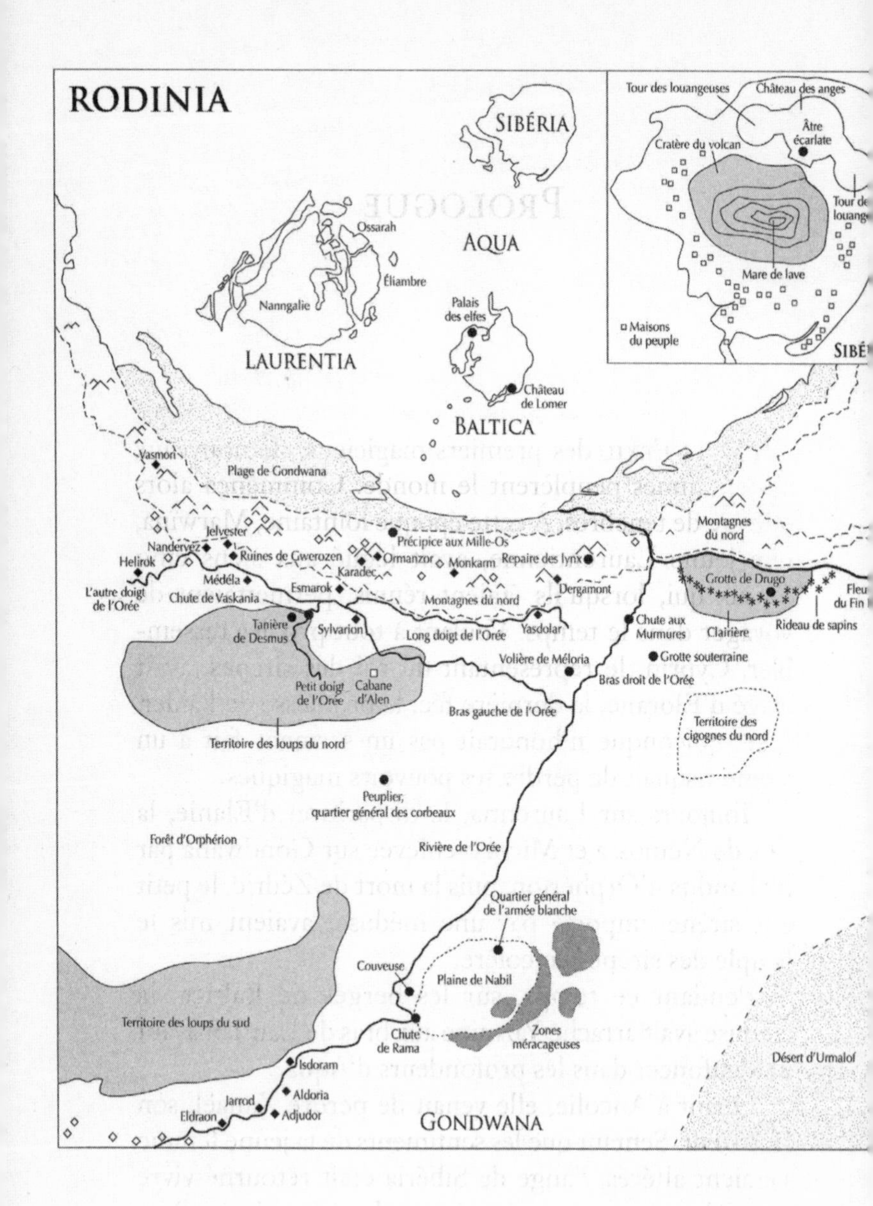
RODINIA
SIBÉRIA
AQUA
Ossarah
Éliambre
Nanngalie
LAURENTIA
Palais des elfes
Château de Lomer
BALTICA
Tour des louangeuses
Château des anges
Âtre écarlate
Cratère du volcan
Mare de lave
Maisons du peuple
Vasmon
Plage de Gondwana
Jelvester
Nandervez
Helirok
Ruines de Gwerozen
Précipice aux Mille-Os
Ormanzor
Monkarm
Repaire des lynx
Montagnes du nord
Karadec
Médéla
Esmarok
Dergamont
L'autre doigt de l'Orée
Chute de Vaskania
Montagnes du nord
Grotte de Drugo
Tanière de Desmus
Sylvarion
Long doigt de l'Orée
Yasdolar
Chute aux Murmures
Clairière
Rideau de sapins
Grotte souterraine
Volière de Méloria
Bras droit de l'Orée
Petit doigt de l'Orée
Cabane d'Alen
Bras gauche de l'Orée
Territoire des cigognes du nord
Territoire des loups du nord
Peuplier, quartier général des corbeaux
Forêt d'Orphérion
Rivière de l'Orée
Quartier général de l'armée blanche
Couveuse
Plaine de Nabil
Territoire des loups du sud
Chute de Rama
Zones méracageuses
Désert d'Urmalof
Isdoram
Aldoria
Jarrod
Adjudor
Eldraon
GONDWANA

Prologue

Après l'exil des premiers magiciens, de nouveaux hommes peuplèrent le monde. Commença alors une ère de ténèbres. À cette époque lointaine, Marwïna, une jeune Laurentienne, avait légué aux siens cinq joyaux qui, lorsqu'ils étaient réunis, permettaient de voyager dans le temps. Voulant à tout prix les rassembler, Cyprin, le représentant du roi des sirènes, avait exigé d'Élorane, la dernière fée, la promesse de l'aider. Mais quiconque n'honorait pas un serment fait à un sirène risquait de perdre ses pouvoirs magiques.

Toujours sur Laurentia, la disparition d'Ëlanie, la fille de Némossa et Micolas enlevée sur Gondwana par les bandits d'Orphérion, puis la mort de Zédric, le petit elfe-sirène emporté par une méduse, avaient mis le peuple des sirènes en colère.

Pendant ce temps, sur les berges de Baltica, la méduse avait arraché Yazmine aux bras de Laurian avant de s'enfoncer dans les profondeurs d'Aqua.

Quant à Ancolie, elle venait de perdre Xanaël, son âme sœur. Sentant que les sentiments de la jeune femme s'étaient altérés, l'ange de Sibéria était retourné vivre parmi les siens sur le continent de neige. Lui-même était loin de se douter que là-bas, une force enfouie depuis très longtemps allait bientôt s'éveiller…

Éventré par la dernière clochette du matin qui avait poussé en lui, le deuxième-plume Nil, à l'origine de la guerre entre les hommes et les cigognes, était mort. Le conflit entre les deux peuples prenait maintenant un tournant décisif. Bien des choses étaient sur le point de changer dans les villages de Gondwana ainsi que sur les autres continents.

Sur Rodinia, les jours les plus sombres étaient encore à venir.

Les sirènes

En laissant les humains emmener son neveu Zédric au-delà des frontières de Laurentia, Loristan n'avait pas honoré la parole qu'il avait donnée à son frère, ce qui eut pour conséquence de le priver de ses pouvoirs magiques. Grâce au don de Saphie, la fillette humaine adoptée par sa cousine Némossa, Loristan avait tout de même pu avoir la vision du petit elfe-sirène en train de se noyer dans l'océan. Déterminés à venger la mort de l'enfant, une délégation de Laurentiens était en route pour Gondwana, Cyprin à leur tête.

Voulant se reposer un moment sur le continent elfique, les hommes-poissons allaient atteindre les berges de Baltica quand une méduse fit irruption devant eux. C'est alors que les sirènes virent Laurian et Yazmine être arrachés l'un à l'autre par l'énorme monstre qui emporta la reine des elfes dans Aqua.

D'instinct, les sirènes plongèrent à la suite de la méduse, lui coupant le chemin vers les fonds océaniques. Les dizaines de tentacules de la créature géante s'agitaient dans tous les sens. Elle percevait les émotions qui remuaient ses assaillants, elle qui ne vivait qu'à travers les êtres qui croisaient sa route. La soif de vengeance des hommes aux queues de poisson était si forte que la méduse en oublia celle de la dame bleue et s'efforça de leur plaire. De toute façon, il était évident qu'ils feraient de l'elfe leur prisonnière, et la dame bleue s'en trouverait elle aussi satisfaite. La méduse délia ses tentacules. En quelques coups d'ombrelle, elle s'éloigna et disparut.

✦✦✦

Sur la côte de Baltica, Laurian n'était pas au bout de ses peines. Il criait encore sa rage lorsqu'une vingtaine de petites nageoires argentées fendirent la surface de l'eau comme autant de fines lames. La tête d'un homme surgit, puis ses épaules, et son torse puissant. Le sirène avait dans ses bras le corps inerte de Yazmine, qu'il déposa sur les rochers mouillés d'écume. Puis il sauta dans les airs, et sa queue se transforma en jambes avant qu'il n'atterrisse sur le récif. Il s'accroupit au-dessus de l'elfe inconsciente.

— Cyprin ? s'étonna Laurian en reconnaissant le représentant du roi de Laurentia.

— Recule-toi, Laurian ! Ne la touche pas !

Le sirène colla sa bouche contre celle de Yazmine et lui souffla de l'air dans les poumons. Quand ses lèvres forcèrent pour la troisième fois celles, toutes pâles, de la reine, sa poitrine se souleva puis elle s'étouffa, recrachant enfin un filet d'eau avant de reperdre connaissance. Par bonheur, elle était encore en vie.

— Merci, Cyprin, soupira Laurian. C'est une chance incroyable que vous soyez passés près d'ici.

— Tu crois ?

— Que peut bien nous vouloir cette méduse ?

— Cela dépend de ce que vous lui avez fait, à elle.

Laurian, à peine remis de ses émotions, commençait à entrevoir que les Laurentiens n'étaient peut-être pas là en amis. Sans doute avaient-ils eu la vision de la mort de Zédric et venaient-ils demander des comptes.

Cyprin fit un signe aux siens restés dans l'eau. Alvin monta alors sur la berge, s'empara de Yazmine et la déposa sur le dos d'un sirène qui fila immédiatement vers le large.

— Qu'est-ce qui vous prend ? protesta Laurian en tentant de s'avancer.

Mais Cyprin le repoussa sur les rochers.

— Zédric est mort par votre faute ! rugit-il.

— Quoi ? Mais non ! C'était un terrible accident ! Je vous assure que nous avons tout tenté pour le sauver. Si vous aviez laissé Clovis l'emmener, rien ne lui serait arrivé !

— Tu oses dire que nous sommes responsables ?

Un autre sirène bondit sur le récif et aida Laurian à se relever.

— Et ma fille ?

— Ta fille ? répéta Laurian en reconnaissant Micolas, qui leur avait donné un coup de main pour fuir Laurentia avec Zédric.

— Elle n'a que sept ans ! Quand la panthère noire s'en est prise à Ëlanie, Clovis a disparu de Nanngalie avec elle et n'est jamais revenu. Où est ma fille ?

L'homme avait la voix pleine de colère.

— Je l'ignore, Micolas, et j'en suis désolé, répondit Laurian, de plus en plus déboussolé. Clovis pourra sûrement la retrouver… Mais où emmenez-vous Yazmine ?

— Cette femme est la reine des elfes, n'est-ce pas ? intervint Cyprin.

— Oui, pourquoi ?

— Écoute-moi bien, maintenant, articula Cyprin de sa voix rauque et profonde, obligeant l'humain à centrer son attention sur lui. Tu reverras cette femme le jour où nous aurons Ëlanie et les deux joyaux manquants.

Confiant que sa menace porterait ses fruits, le sirène relâcha son envoûtement.

— Encore vos maudits joyaux ! s'emporta Laurian. C'est cette obsession qui a causé la mort de Zédric.

Cyprin le saisit par le collet. Le sirène était si musclé qu'il aurait pu lui briser le cou d'une seule main.

— Que devons-nous chercher en priorité ? ironisa Laurian. La fillette ou les joyaux ?

— Ëlanie, bien entendu ! s'écria Micolas.

— Je les veux tous les trois, s'obstina Cyprin. La fillette, l'aigue-marine et la perle.

— Nous avons déjà risqué nos vies plusieurs fois pour vos pierres ensorcelées ! Et vous, quel service nous avez-vous rendu ? Aucun !

— Je viens de sauver la reine des elfes d'une mort certaine, et c'est ainsi que tu me remercies ? Tu récupéreras ta belle le jour où tu te présenteras sur Éliambre pour m'apporter ce que j'attends. Tu connais le chemin.

— Vous rendez-vous compte de ce que vous faites ? Dès que les elfes l'apprendront, ils se rueront sur votre île pour reprendre leur reine de force.

— Comment ? À la nage ? Et même s'ils y arrivent, nous les ensorcellerons les uns après les autres et les convaincrons que cette femme n'est rien pour eux. Dans l'immensité du monde, tu seras le seul à te languir d'elle, Laurian.

— Mais votre pouvoir est sans effet sur les animaux.

— Et après ? s'esclaffa Cyprin. Les elfes sont-ils des animaux ?

— Depuis qu'ils se sont éveillés dans la grotte magique, ils portent en eux les corps des coujaras. Ces fauves ont l'allure et la force des pumas, mais aussi des dents de sabre et des ailes d'oiseau. Non seulement ils voleront jusqu'à vous, mais vous ne pourrez pas les dissuader de vous massacrer.

Cyprin ne resta silencieux qu'un bref instant.

— Règle ce problème, professeur, car si je vois ne serait-ce que le bout de la queue d'un coujara, ta Yazmine sera tuée dans la seconde qui suivra. Et que Clovis n'essaie pas d'apparaître chez nous pour l'emmener, car il n'en repartirait pas vivant lui non plus. D'ici à ce que tu m'apportes ce que j'exige, je ne veux voir aucun étranger sur mon île. Tu m'as bien compris ?

— Hum, maugréa l'humain.

— Laurian ! le supplia Micolas. Ne risque pas ta vie en te précipitant sur Laurentia ! Découvre où sont Ëlanie et les joyaux. D'ici là, je te promets que la reine des elfes ne sera pas maltraitée.

Laurian pensa alors à ce qu'Élorane lui avait appris au sujet des serments faits à un sirène.

— Tu devrais adresser cette promesse à Cyprin, Micolas, dit-il. Ainsi, si un seul d'entre vous s'en prend à Yazmine, tu perdras tes pouvoirs magiques !

Cyprin empoigna aussitôt Laurian à la gorge.

— Ça ne te suffit pas que mon ami Loristan soit privé de ses pouvoirs ? cria-t-il.

— Cyprin, déclara Micolas, aucun Laurentien ne maltraitera la reine Yazmine, je te le jure. Allez, Laurian ! Je t'en prie, va et ramène ma fille !

Cyprin lâcha Laurian et poussa un grognement satisfait. Amoureux depuis des lustres de Némossa, la femme de Micolas, la perspective de voir ce dernier être dépossédé de ses pouvoirs magiques ne pouvait que lui plaire.

Celui qui n'était autrefois qu'un simple professeur d'histoire rassembla ses anciens élèves, Clovis, Trefflé et Ancolie. Micolas ne retourna pas sur Laurentia avec Cyprin et les autres sirènes. Déterminé à trouver sa fille, il rallia le groupe de Laurian. Accompagnés de l'elfe

Zavier et de sa fiancée Zaëlie métamorphosée en coujara, tous partirent pour Gondwana. Ils y rejoignirent Amélisse, la clairvoyante, et Heztor, le plus valeureux des elfes, tous deux installés avec un bébé dans l'ancienne cabane d'Alen. Le couple était demeuré sur le vieux continent pour aider les humains encore aux prises avec les cigognes. Bientôt, Clovis amena aussi dans ce lieu Aymric et la dernière des fées, partis au-devant des loups.

Ceux qui, bien malgré eux, avaient vu échoir sur leurs épaules le rôle de gardiens du monde espéraient maintenant récupérer ce que les sirènes réclamaient, et cela, avant qu'une autre guerre n'éclate.

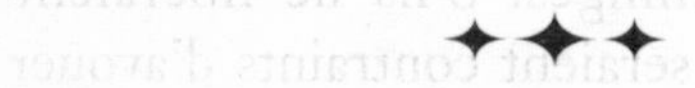

Depuis la disparition de sa fille, chaque jour de la vie de Némossa était plus douloureux que le précédent. Quand Cyprin revint de son périple avec la reine des elfes, mais sans Élanie ni Micolas, la sirène se résigna à prendre les choses en main. Elle réveilla Saphie, le bébé humain qu'elle avait adopté.

Saphie pouvait non seulement s'approprier les dons des magiciens qu'elle touchait, mais aussi en faire profiter les autres, le temps que durait le contact physique avec eux. Némossa savait que l'enfant avait acquis le pouvoir de Clovis lors de son passage sur Laurentia, et qu'il lui était donc possible de se déplacer d'un endroit à un autre en visualisant une personne ou un lieu. Si la sirène n'avait pas encore tenté l'expérience qu'elle s'apprêtait à mener, c'est qu'elle craignait qu'un long voyage ne fragilise la petite de six mois à peine. Mais ce qui guettait Élanie sur le vieux continent était sans doute bien pire encore…

Némossa serra Saphie contre elle et pensa très fort à son mari Micolas.

Les hommes

Dans la cabane d'Alen, devenue le quartier général des aventuriers, la dernière des fées et ses alliés se creusaient les méninges. S'ils ne libéraient pas Yazmine très vite, ils seraient contraints d'avouer aux elfes que leur reine, censée se reposer au bord de l'océan avec son prétendant, avait été enlevée par les sirènes. Il faudrait alors contenir leur fureur et les décourager d'attaquer les hommes-poissons.

La blessure à la jambe que s'était infligée Laurian dans la savane laurentienne était encore loin d'être guérie, mais elle ne l'empêchait pas de marcher d'un bout à l'autre de la cabane, qui ne comptait qu'une seule pièce. Trefflé, lui, tournait les pages du grand livre d'histoire du professeur, comme si la solution à leur problème pouvait y être inscrite noir sur blanc. Ancolie, de son côté, malmenait un bout de bois avec un poignard. Il régnait dans la pièce un silence pesant.

Soudain, la guerrière se redressa, pointant son arme sur une femme aux longs cheveux blonds et bouclés qui venait d'apparaître, un bébé dans les bras.

— Bon sang ! s'exclama Ancolie. D'où sort-elle, celle-là ?

— C'est mon épouse, se dépêcha de dire Micolas.

— Ëlanie ! se réjouit la femme aux larges iris turquoise.

Il y avait beaucoup de monde dans cette petite cabane, mais Némossa ne voyait que sa fille, debout dans le coin opposé. Un grand homme aux cheveux noirs et aux oreilles pointues la tenait par la main.

— Némossa ! l'interpella Micolas. Que fais-tu ici ? Je t'ai dit que je m'occuperais de retrouver Ëlanie.

— Et tu as réussi ! souffla la sirène en déposant Saphie dans les bras de son mari.

Puis elle se précipita vers Amélisse.

— Ne la touchez pas ! ordonna le grand soldat à la barbe tressée tout en cherchant à mettre Amélisse à l'abri derrière lui.

Mais Némossa étreignait déjà l'illusionniste, croyant dur comme fer qu'elle était sa fille. Micolas essaya de la convaincre de s'éloigner.

— Ma chérie, ce n'est pas Ëlanie.

Lui aussi avait eu l'impression de voir sa fille lorsqu'il avait fait face à la magicienne pour la première fois. Il faudrait un certain temps à Némossa pour assimiler ce qu'on lui disait, et sa déception serait immense. Quant à Saphie, elle gazouillait dans les bras de Micolas comme si rien ne s'était passé, alors qu'elle venait de changer de continent en une fraction de seconde.

— Némossa ! l'appela Clovis. J'ai bien entraîné Ëlanie sur Gondwana pour la sauver de la panthère. Mais j'étais persuadé que Saphie l'avait rejointe et ramenée auprès de vous…

— Qu'importe, puisqu'elle est ici…

— Ce n'est pas Ëlanie, lui répéta Micolas. Celle que tu regardes, c'est Amélisse, une magicienne qui prend l'apparence de la personne que nous souhaitons voir le plus au monde.

Élorane toucha le bras de Némossa. Se calmant au contact de la fée, la sirène comprit alors que sa fille avait bel et bien disparu, et que Clovis était incapable de la retracer. Elle s'effondra en larmes.

La confusion créée par l'arrivée de Némossa dans la cabane donna une idée à Aymric pour éviter un conflit entre les elfes-coujaras et les sirènes. Si Amélisse prenait la physionomie de la reine Yazmine et se rendait sur Baltica aux côtés d'Heztor, elle pourrait régner sur le peuple des elfes en attendant le retour de la véritable souveraine. La proposition fut accueillie avec un certain scepticisme.

— Je ne maîtrise pas ces illusions, dit Amélisse. Chacun des elfes verra en moi une personne différente, soit celle qui lui est la plus chère.

À quoi Aymric, qui avait déjà tout prévu, répondit :

— Heztor racontera d'abord à son peuple comment la reine Yazmine a été enlevée par une méduse. Quelques jours après, quand tous les elfes seront rassemblés pour les funérailles de leur reine, Heztor leur annoncera qu'elle est de retour. Et Amélisse fera son apparition. Les elfes seront si heureux de savoir Yazmine saine et sauve que tous croiront la voir.

— Mais je ne peux pas m'improviser reine, rétorqua Amélisse. J'ignore encore trop de choses sur le peuple des elfes !

— C'est pourquoi vous annoncerez votre intention d'épouser Heztor, compléta Aymric.

Ancolie approuva de la tête.

— Ce mariage ne surprendra pas les elfes, enchaîna la guerrière. Heztor est l'homme idéal pour régner sur Baltica.

— Mais plusieurs ont été témoins de ce qui se passait entre Laurian et Yazmine, rappela Heztor. Ils se demanderont où est passé ce Gondwanais de qui la reine semblait si éprise.

— C'était un amour impossible, lâcha Laurian, le visage fermé. Personne ne pourra dire le contraire. Et l'amour entre vous et Amélisse est palpable, Heztor. L'histoire tiendra la route.

— Mais si les elfes découvraient la supercherie ? s'inquiéta Trefflé. N'oubliez pas qu'ils peuvent lire dans les esprits.

— Uniquement dans ceux des elfes, précisa Ancolie. Ils ne pourront rien voir dans celui d'Amélisse. Et dès qu'Heztor sera roi, il leur sera interdit de lire ses pensées.

— D'ici là, soyez discrets, dit Trefflé aux amoureux.

— Il ne nous reste plus qu'à espérer que ce plan fonctionne et que nous trouvions rapidement ce que veut Cyprin, conclut Élorane.

Transformé en coujara, Heztor fit monter Amélisse sur son dos. Emmenant le petit Louyan, le bébé de six mois que Malco avait découvert dans le potager de la sorcière d'Isdoram, ils s'envolèrent pour Baltica. Dès leur arrivée, le projet élaboré dans la cabane d'Alen fut mis en branle avec tout le succès escompté.

Les cigognes

C'ÉTAIT LE DEUXIÈME-PLUME Nil qui avait convaincu leur chef Cyran de déclarer la guerre aux hommes. À la découverte de la carcasse écartelée du cruel officier borgne, plusieurs cigognes de l'armée blanche en avaient profité pour déserter et aller gonfler les rangs de la contre-armée. Le première-plume Cyran, embourbé dans sa folie, ne se rappelait même pas que son peuple était en guerre. Il ne quittait plus le marécage de Nabil, où il s'imaginait être le roi des grenouilles. De jour comme de nuit, il s'employait à sautiller et à imiter le chant des batraciens.

Promu deuxième-plume, Haka, dont l'ambition n'avait d'égal que la bêtise, essayait bien de reprendre les rênes de l'armée, mais il n'avait ni le charisme de Cyran ni la poigne de Nil.

C'est en parlant avec les animaux d'Orphérion qu'Élorane avait appris l'existence de la contre-armée des cigognes, qui s'était donné la mission de sauver l'humanité de l'extinction. Le jour où elle rencontra enfin Onès, le commandant de cette insurrection, il y avait déjà plus d'un an que ses compagnons et elle étaient en quête de ce clan, mais aussi des joyaux et de la petite sirène disparue.

Les échassiers avaient vu leur réserve de graines de choux détruite par un ours, mais ils n'avaient pas renoncé à en accumuler, et leur récolte était maintenant suffisante pour qu'ils puissent la distribuer sur tout le continent. Cependant, Onès et ses troupes hésitaient à passer à l'action, craignant que les villageois n'interprètent leur geste comme une attaque.

Élorane discuta longuement avec Onès, qui ne demandait qu'à aider les hommes. Puis Laurian se rendit à Isdoram, où il exigea d'avoir un entretien privé avec Naxime, le nouveau maître-régnant du village.

— Les cigognes s'apprêteraient donc à nous donner une grosse quantité de graines de choux. C'est bien ce que vous me dites, monsieur ?

De son fauteuil, un sourire sur les lèvres, le dirigeant d'à peine vingt-cinq ans dévisageait l'homme qui venait pratiquement de forcer sa porte.

— Oui, Maître.

Il n'avait fallu qu'un coup d'œil à Laurian pour s'apercevoir que l'intérieur de la chaumière allouée au maître-régnant avait beaucoup changé depuis la dernière fois qu'il y avait mis les pieds. Naxime devait posséder une fortune personnelle.

— Je n'étais qu'un enfant quand vous avez quitté Isdoram, Laurian, mais certains racontent que la guerre et la disparition de votre chou vous auraient rendu fou.

— Je sais que mon histoire est difficile à croire, mais…

— Pour en revenir à cela, expliquez-moi comment vous savez qu'une pareille chose se produira ? Êtes-vous magicien ? Votre femme l'était. On dit qu'elle avait un lien spécial avec les cigognes.

— Il n'est ici question ni de ma défunte femme ni de magie. J'ai beaucoup voyagé. Sur les sentiers d'Orphérion, nombreux sont ceux qui affirment avoir vu des cigognes déterrer des graines.

— Dans le but de les détruire, c'est évident !

Le maître-régnant ne perdit pas son air bienveillant, mais il n'avait pas la tête d'un homme qui prenait son interlocuteur au sérieux.

— Alors pourquoi entasseraient-elles ces graines dans un endroit frais et propice à leur conservation?

— De quel endroit parle-t-on exactement?

Naxime semblait soudain intéressé.

— Ce détail n'est pas venu à mes oreilles, continua Laurian.

— Votre histoire me paraît bien farfelue, mais il est vrai qu'elle soulève des questionnements. Qu'attendez-vous de moi, Laurian d'Ormanzor?

— Il serait sage de convenir avec les autres maîtres-régnants du sud qu'aucun mal ne soit fait aux cigognes qui approcheraient des terrains.

— Cela me semble raisonnable dans la mesure où ces oiseaux se tiennent tranquilles. Puis-je autre chose pour vous? s'enquit Naxime.

— Rares sont les villageois qui entretiennent encore leur potager. Il faudrait les encourager à le faire dès aujourd'hui.

— Cela va de soi. Ce sera tout?

Avec ses cheveux bruns, mi-longs et attachés sur sa nuque, son visage agréable, Naxime avait l'air honnête. Laurian le jugea digne de confiance.

— Oui, Maître. Je vous remercie de m'avoir reçu.

Mais dès que Laurian quitta sa chaumière, l'expression de Naxime changea. Le sourire crispé, il tapota la boucle de fer de sa ceinture, le symbole de tout le pouvoir qu'il détenait. Le maître-régnant ordonna à un de ses soldats de suivre l'ancien professeur. Ensuite, il alla trouver son beau-frère Démien, qu'il avait nommé chef des gardiens de l'ordre, et qui habitait la chaumière la plus luxueuse du village.

— Quelque chose me dit que les cigognes vont bel et bien venir, lui confia Naxime après l'avoir informé de sa discussion avec Laurian d'Ormanzor.

— Ce serait trop beau pour être vrai…

— Démien, pense à Ulvina ! Imagine sa réaction lorsque tu lui offriras une graine de chou pour votre premier anniversaire de mariage.

— Tu ne feras pas prévenir les autres dirigeants du sud, devina Démien.

— Je vois que nous envisageons les choses de la même manière, cher beau-frère. Rassemble les soldats. Qu'ils s'embusquent dans les boisés d'Isdoram, d'Adjudor, de Jarrod et d'Eldraon. Qu'ils y restent de jour comme de nuit. Je les veux discrets. Donne-leur l'ordre de décocher leurs flèches dès que les cigognes se pointeront. Quand elles auront fait demi-tour, il faudra les traquer. S'il est vrai qu'elles ont amassé une grande quantité de graines, il suffira d'aller nous servir.

— Tu ne penses donc pas que ce Laurian d'Ormanzor soit fou…

— Il a toute sa tête, et il en sait plus que ce qu'il m'a laissé croire. Cet homme ne peut être qu'un magicien. Je veux savoir ce qu'il cache.

— Si c'est le cas, il sera sûrement difficile de lui mettre la main dessus.

— Le soldat que j'ai lancé sur sa piste est un ancien délivreur. Il débusquera Laurian d'Ormanzor et enquêtera sur ses activités.

Les beaux-frères se regardèrent, les lèvres retroussées. On aurait dit deux prédateurs prêts à déchiqueter leur proie.

Mais l'espion engagé par Naxime avait très vite perdu la trace de Laurian. Une fois à l'abri dans le tunnel condamné du champ de maïs où l'attendait Clovis, les deux hommes avaient disparu. Au début de la guerre, ce tunnel servait à ceux qui voulaient traverser le village sans être vus des cigognes.

Quelques jours après l'entretien de Laurian et de Naxime, la contre-armée se préparait à prendre son envol.

— Nous devons nous montrer très prudents, dit Onès. Même si les villageois ont été prévenus de nos intentions, ont-ils cru ce qu'ils ont entendu ? S'ils se sentent attaqués, ils sortiront leurs arcs. Cinquante d'entre vous survoleront leurs terrains, tout en restant loin les uns des autres. Je ne veux aucun rassemblement. Une fois que les hommes auront compris que ce sont bien des graines de choux que nous leur envoyons, nous pourrons prendre le temps de localiser les potagers avant de lâcher les graines suivantes.

Ramaq se porta tout de suite volontaire pour s'envoler avec le premier groupe. Cette cigogne avait un jour défié les lois de son peuple en déposant une graine dans le potager de Laurian et Miranie, alors jeunes mariés. Envers et contre tous, elle avait ainsi permis à un petit garçon de venir au monde.

Ramaq ouvrit les ailes et prit son essor, suivie de son compagnon Rulik et de la cinquantaine d'échassiers éclaireurs. Et une pluie de graines de choux commença à tomber sur les villages du sud.

Mais l'armée blanche n'avait pas dit son dernier mot. Haka, dont l'unique but était d'impressionner le première-plume, avait été mis au fait du projet d'Onès par ses espions. La veille, après que le deuxième-plume lui eut expliqué son plan, Cyran s'était contenté d'attraper une mouche dans son bec.

— J'ai besoin de votre autorisation pour mettre cette opération en marche, première-plume.

— Vous ne l'aurez pas ! Mon peuple ne veut plus être dérangé par ces querelles.

Les yeux exorbités, Cyran avait sommé Haka de quitter le domaine des grenouilles. Le deuxième-plume n'avait pas l'habitude de désobéir à son chef, mais cette fois, l'occasion était trop belle. C'est pourquoi, dès que les premières graines touchèrent la terre, les soldats blancs se mêlèrent aux combattants de la contre-armée. Ils ne firent que planer au-dessus des jardins, sans menacer les hommes. Mais devant l'arrivée soudaine des oiseaux et vu leur nombre impressionnant, les villageois, persuadés d'être attaqués, prirent aussitôt les armes. Personne ne les avait avertis de quoi que ce soit.

Onès lâcha un glottorement, signalant aux siens de cesser leur distribution de graines et de battre en retraite. Mais les troupes de Cyran ne l'entendaient pas ainsi, et un combat sanglant s'engagea dans le ciel mauve. Les hommes abattirent de nombreuses cigognes, dont plusieurs qui n'étaient là que pour répandre le bien.

Les cigognes d'Onès fuyaient dans tous les sens. Cependant, les oiseaux qui étaient venus avec Haka partirent tous en direction de la Couveuse, le quartier général de la contre-armée. Il était évident qu'ils avaient découvert l'emplacement de cette cachette et qu'ils comptaient y mener les soldats humains. Sur les ordres de Démien, ces derniers, camouflés dans leur uniforme vert forêt et les yeux au ciel, les poursuivirent en zigzaguant entre les arbres.

Mais Ramaq refusa de se laisser intimider. Elle piqua du bec vers un terrain d'Isdoram et se mit en quête d'un potager. N'en trouvant aucun, elle se faufila d'un jardin à l'autre jusqu'à ce qu'un soldat la repère et la prenne en chasse. Ramaq attira cet homme et bien d'autres à sa suite hors des frontières du village. Volant vers le nord en demeurant juste au-dessus de la cime des arbres, elle s'assura qu'ils la pistaient. Moins il y aurait d'hommes derrière les cigognes qui filaient tout droit vers la Couveuse, plus la contre-armée aurait de chances de s'en tirer sans perdre trop de combattants.

Lorsque Ramaq échappait à la vue des soldats, elle se posait sur une branche et attendait d'être découverte avant de regagner le ciel. Mais quand l'un d'eux comprit le manège de l'oiseau, il s'enragea.

— Ce maudit volatile nous prend pour des imbéciles ! grogna-t-il.

Il décocha une flèche qui traversa la tête de la cigogne de part en part, l'épinglant au tronc du frêne où elle était perchée. Avant que son âme ne la quitte pour le néant, Ramaq aperçut son compagnon, les ailes déployées, qui fonçait sur son meurtrier. « Cher Rulik, pensa-t-elle. Tu as bien sûr deviné ce que je tentais de faire... » Rulik planta son bec dans le dos du soldat puis le libéra en repoussant le corps de ses pattes. Il donna quelques coups d'aile pour monter vers Ramaq, mais il fut saisi et tiré au sol. Trois soldats fermèrent son bec ensanglanté de leurs mains, pendant que d'autres lui attachaient les pattes, puis le bec. Rulik se débattait de toutes ses forces. Incapables de lui lier les ailes, les hommes le pendirent tête en bas à une branche.

— Cette cigogne finira bien par s'épuiser, dit un soldat. Alors, on la ficellera comme un saucisson et on la livrera à Naxime.

Un autre soldat grimpa au frêne. Arrivé devant Ramaq, il arracha un couteau de sa ceinture, leva le bras et trancha la chair, juste sous les yeux figés de la cigogne. D'où il était, Rulik vit le sang jaillir et le poitrail blanc de sa compagne devenir rouge. Son bec étant sanglé, le cri qu'il ne put émettre lui éclata dans le cœur. L'homme descendit de l'arbre et se dirigea vers le soldat que Rulik avait blessé, et qui ne vivrait plus bien longtemps.

— Regarde le superbe poignard que cela fera, souffla-t-il en lui brandissant le bec de Ramaq sous le nez. Je l'offrirai à ton fils en ta mémoire.

Plusieurs heures plus tard, alors que les soldats attendaient encore que Rulik ferme les yeux, des cris de douleur retentissaient sans répit dans la tête de la cigogne. La dépouille de Ramaq était toujours accrochée au frêne. Déjà, les mouches l'assaillaient et des asticots n'allaient plus tarder à s'en nourrir.

Constatant que les échassiers menés par Haka avaient conduit les soldats humains à leur quartier général, la contre-armée s'y était précipitée. Les hommes s'emparèrent de la réserve de graines et, ne percevant aucune différence entre les deux clans d'oiseaux, capturèrent la centaine de cigognes qu'ils découvrirent là. Le maître-régnant d'Isdoram, à la tête de cette opération, nomma ensuite cet événement le Jour blanc, en réponse à la Nuit blanche au cours de laquelle, treize ans plus tôt, les derniers choux du sud avaient été détruits par les cigognes.

Malgré les efforts d'Onès et sa bande, aucun chou n'entama sa croissance dans les villages du sud. Les potagers n'étant plus entretenus depuis longtemps, les graines que les cigognes eurent le temps de disperser se perdirent dans une terre peu propice au développement des choux. Mais quelque part entre les bras gauche et droit de la rivière de l'Orée, non loin de la chute aux Murmures, Naxime fit construire une immense volière. Tous les échassiers faits prisonniers y furent enfermés, dont Rulik et Onès. Les oiseaux qui avaient échappé à la rafle et qui restaient fidèles à l'armée blanche se terrèrent au plus profond des marécages avec Cyran et ses grenouilles.

Depuis que Naxime était maître-régnant d'Isdoram, l'armée des hommes s'était organisée et ne cessait de recruter de nouveaux soldats sur tout le continent. Or, lors du massacre de Gwerozen où le deuxième-plume Nil avait trouvé la mort, la sanguinaire meute de Chad avait aussi été décimée par l'extraordinaire plante meurtrière. Maintenant que les deux peuples ennemis des hommes étaient hors d'état de nuire, plusieurs soldats devenus oisifs quittèrent leur village pour travailler à la volière de Naxime et participer à la capture des cigognes. De simples citoyens se greffaient aussi à cette organisation. Affectés en général à la surveillance des oiseaux, ces derniers s'affublèrent eux-mêmes du titre ronflant de « protecteur ».

En quelques mois, toutes les cigognes du continent furent tuées ou attrapées et mises en cage. On comptait près de trois mille captives et leur prison fut appelée la volière de Méloria en l'honneur de l'épouse de Naxime, une très belle jeune femme. Mais l'endroit était particulièrement sinistre. Immense, la volière était divisée en cageots si étroits qu'un échassier ne pouvait s'y tenir debout en gardant le cou droit, et encore moins y voler. Les cigognes ne sortaient de leur cage que lorsqu'elles acceptaient, une chaîne au cou, de chercher et de déterrer des graines de choux pour le compte des hommes. Les oiseaux qui s'obstinaient à rester dans leur cage ne recevaient aucune nourriture. Quelques-uns périrent de cette façon, dont Onès, le chef des rebelles. L'ancien troisième-plume se faisait vieux et depuis la dernière bataille, il n'avait même plus la force de se demander de quel côté il était.

C'est ainsi que les bébés revinrent sur le vieux continent. Il fallait désormais être riche pour devenir parent, car une graine se vendait huit diamants. Le propriétaire de la volière s'enrichit rapidement. Ayant confié la gestion quotidienne de la Méloria au général Guychel, le maître-régnant d'Isdoram n'avait imposé qu'une règle : l'interdiction de vendre une graine de chou à quiconque était soupçonné d'être magicien. Naxime et ses collaborateurs, qu'on désignait maintenant sous le nom de Méloriens, voulaient ainsi s'assurer de voir les êtres blancs disparaître pour toujours du continent.

C'est à cette époque trouble que Weliot d'Isdoram eut quatorze ans, l'âge légal pour devenir soldat. Le jour de son anniversaire, il s'enrôla dans l'armée et rejoignit la volière de Méloria en compagnie d'une poignée de soldats. Une année plus tard, Weliot tirait une grande fierté de son travail avec les Méloriens. Même s'il était parfois nostalgique à la pensée de ses amis Jamélie et Naëtan, il ne regrettait pas sa décision.

Depuis un mois environ, Weliot avait un nouvel ami. Le garçon blond qui venait d'être engagé à la Méloria était un peu bizarre. Lorsqu'il se croyait seul, il parlait à voix haute avec des êtres invisibles. Il lui arrivait même de se fâcher contre eux. À seize ans, Yanni était grand comme un homme, mais conservait le corps frêle d'un adolescent. Weliot, bien qu'il n'ait pas encore eu la poussée de croissance qu'il attendait avec impatience, était cependant costaud. Même s'il n'en était pas conscient, c'était les yeux de Yanni qui lui avaient plu en premier. Ils étaient d'un vert brillant et remplis d'idées, de rêves et de soif d'aventures. Comme ceux de Jamélie.

Yanni n'était pas soldat, mais il avait quand même choisi de rallier la Méloria. Weliot se doutait bien que des événements tragiques avaient fait basculer la vie du garçon, mais il ne lui posait jamais de questions. Un jour, peut-être, Yanni se confierait-il. Ou alors, Weliot trouverait des indices dans ses discussions avec les créatures invisibles…

Le garçon gémissait aussi dans son sommeil. Un mot, ou plutôt un nom revenait fréquemment : Arilianne. Parfois, quand Yanni se mettait à crier et se réveillait en sueur, il ne fermait plus l'œil de la nuit. Alors il se levait pour s'enfoncer dans la forêt, grommelant entre ses dents. Une fois, Weliot l'avait suivi. Il avait surpris son ami en grande conversation avec une mouche. Elle bourdonnait contre sa joue. Et Yanni pleurait, implorant l'insecte de ne pas l'abandonner.

Les hommes

CELA FAISAIT MAINTENANT deux ans que les cigognes étaient en cage, et la reine des elfes avait, quant à elle, été enlevée par les sirènes depuis trois années déjà. Cependant, ni les joyaux ni Ëlanie n'avaient encore été retrouvés.

À Isdoram, l'air sentait la pomme, le pin et les vêtements propres. L'été qui venait de finir avait été merveilleux, juste assez chaud et mêlé de fines doses de pluie et de soleil. Enjôleur, l'automne semblait vouloir lui ressembler. «Le temps essaie de nous faire croire que tout va pour le mieux», pensa Amandrine en étendant une dernière robe sur la corde. Elle allait regagner sa chaumière lorsque sa voisine fit irruption devant elle.

— Très chère Amandrine! Je suis si heureuse que vous soyez chez vous!

«Tu savais très bien que j'étais ici. Tu es toujours à ta fenêtre à m'observer, espèce de petite fouineuse», se dit la femme en elle-même. Mais elle se força à sourire à Ulvina. L'importune était la sœur de Naxime, le maître-régnant qui avait succédé à Armand quand celui-ci avait mystérieusement disparu une seconde fois.

Ulvina prenait plaisir à venir mettre son bébé sous le nez d'Amandrine chaque semaine, tenant à rappeler à sa voisine à quel point elle était vieille et seule.

— Vous n'avez pas assisté à la fête des naissances?

« Pourquoi y serais-je allée ? Aucune de mes amies n'a eu d'enfant », eut envie de rétorquer Amandrine, mais là encore, elle tint sa langue.

Comme si rien ne s'était passé, ces hommes et ces femmes qui avaient pourtant cru, pendant les douze années de guerre, ne plus avoir d'avenir, s'étaient tous regroupés dans la plaine de Nabil pour célébrer les naissances. Pour la deuxième année consécutive, ils avaient plongé les bébés emmaillotés de blanc dans l'eau boueuse des marais. Une vieille légende voulait que lorsque les nouveau-nés se débattaient pour s'extraire de l'eau, de minuscules graines de choux se détachaient de leur corps et tombaient dans la boue du marécage où les cigognes les récupéraient. Même avant la guerre, rares étaient ceux qui croyaient à ce mythe, mais les parents accomplissaient le rituel comme autrefois.

Amandrine avait aujourd'hui cinquante-cinq ans. Du temps de sa jeunesse, avoir un enfant n'était pas un problème. Les cigognes ne s'étaient pas encore révoltées et, à seize ans, elle était déjà mariée. Mais parce que Malfred, son premier époux, voyageait souvent en l'emmenant avec lui dans ses déplacements, leur potager de Médéla était toujours envahi de mauvaises herbes. Aussi, aucun oiseau n'avait cru bon de les choisir.

Mais Amandrine avait tout de même élevé deux enfants : une fille et un garçon que son mari avait rendus orphelins.

Malfred de Médéla était un délivreur de la pire espèce. L'homme parcourait le continent dans le but avoué de débusquer les magiciens et de les assassiner. Courante à l'époque, cette pratique était encore tolérée aujourd'hui. Mais dans ce temps-là, le meurtre des êtres blancs était même encouragé.

Ulvina se mit à rire.

— Écoutez, très chère, il babille ! N'est-il pas particulièrement doué ? Un mois à peine et déjà il essaie de nous parler !

« Comme tous les bébés de cet âge », se moqua Amandrine en silence. Mais comment Ulvina, qui avait tout juste dix-huit ans, aurait-elle pu le savoir ? Elle n'était qu'une gamine quand les derniers bébés avaient vu le jour sur le continent.

— Il a les yeux de son père !

Plutôt que d'admirer les yeux du bébé, Amandrine leva les siens au ciel, exaspérée par l'entrain et l'arrogance de la jeune femme. Ne comprenait-elle pas que les choses n'auraient pas dû se dérouler de cette façon ? « Si tu avais vécu à mon époque, jamais tu n'aurais été mère. » Démien, le mari d'Ulvina, était prétentieux et malhonnête, et elle se montrait si égoïste ! Amandrine était persuadée que les cigognes n'auraient pas fait d'eux des parents. Subitement, elle se mit à décrocher ses vêtements de la corde.

— Chère amie, vos habits dégoulinent encore !

— Il va pleuvoir, Ulvina. Rentrez chez vous.

— De la pluie ? Mais le ciel est d'un beau rose bébé !

Amandrine foudroya sa voisine du regard.

— Vous avez raison, je suis fatiguée. Je ne suis plus toute jeune.

— Oh ! je comprends. Vous voulez me voir partir. Je vous laisse ! Allez faire une sieste. Je conçois qu'il est difficile pour une femme comme vous, qui ne peut plus avoir d'enfant, de voir un si joli bébé.

Ulvina ne songeait pas à l'âge d'Amandrine. Désormais, n'importe qui pouvait avoir un enfant. Pourvu qu'il eût les moyens de le payer.

Alors qu'Ulvina tournait les talons, un coup de vent s'engouffra dans sa robe hors de prix et défit sa coiffure.

Une goutte tomba sur le nez de son bébé. La jeune femme leva la tête vers Amandrine avant de s'enfuir en courant, la pluie à ses trousses. Plus jamais elle ne remettrait les pieds chez cette femme ! On lui avait bien dit qu'elle n'était pas normale. On racontait même que son mari, Alen, qui avait subitement quitté le village, était un loup-garou.

Aujourd'hui, soit dix-sept années après le départ d'Alen, Amandrine n'avait pratiquement plus un saphir en poche, comme l'avait si gentiment remarqué sa voisine. Pourtant, à l'instar de Démien, l'époux d'Ulvina, Amandrine venait d'une famille très riche. Au temps de sa jeunesse, un bel avenir se dessinait devant elle. Même si ses parents avaient toujours gardé sous silence qu'ils étaient magiciens, leur secret avait fini par être percé.

Une nuit, une dizaine d'hommes avaient fait irruption à Aldoria, chez les parents d'Amandrine, puis dans les chaumières avoisinantes, massacrant son père, sa mère, mais aussi ses frères et sœurs, ses oncles et tantes, ses cousins et cousines, sa grand-mère et son arrière-grand-mère.

Dans le noir, Amandrine avait retiré sa chemise de nuit et ses bijoux pour enfiler une vieille robe appartenant à une servante. En découvrant la jeune femme apeurée, un très bel homme à l'air cruel lui avait demandé où se trouvait la sorcière qui manquait à l'appel. Malfred ne partirait pas sans l'avoir tuée.

Excité, la chemise encore humide du sang de sa famille, Malfred avait soudain embrassé Amandrine devant sa maison en flammes. Morte de peur à l'idée de contrarier le bourreau ou d'éveiller ses soupçons, la jeune femme, qui avait dit s'appeler Mandy de Jarrod, ne l'avait pas repoussé. Avant que le soleil ne se lève, le délivreur l'avait choisie pour épouse.

Mandy n'eut pas l'occasion de pleurer les siens cette nuit-là, ni celles qui suivirent. Pendant longtemps, le chagrin enfoui en elle fut tout ce qu'elle avait au monde.

Après l'horreur qui avait secoué Aldoria, une loi fut votée pour rendre passible de pendaison le meurtre d'un être blanc, au même titre que n'importe quel autre assassinat. La loi était rarement appliquée, mais les délivreurs, de moins en moins nombreux, disparurent ensuite presque complètement. Aujourd'hui pourtant, les meurtres crapuleux se multipliaient de nouveau, et la rumeur courait que les délivreurs étaient de retour!

Amandrine ramassa tous ses vêtements et entra se mettre à l'abri. Prédire le temps était un pouvoir qu'elle n'étalait habituellement pas, bien consciente qu'il valait mieux que ne s'ébruite pas ce dont elle était capable. En cachant son pouvoir, elle avait choisi la vie. Mais elle n'en avait pas honte, au contraire. Elle chérissait ce don qui lui avait permis, vingt ans plus tôt, de sauver d'une mort certaine Jamuel, ce petit garçon qui allait devenir son fils.

Cette nuit-là, après avoir assassiné les parents de l'enfant, Malfred était bien décidé à le tuer lui aussi. Mais Mandy savait que la foudre tomberait d'une seconde à l'autre sur l'arbre sous lequel se tenait son mari. Elle n'avait rien dit et Malfred était mort sur le coup.

Mandy avait emmené le petit garçon, pas même âgé d'un an, jusqu'à Isdoram, le village le plus près. Elle y avait repris son nom, Amandrine, puis changé celui de Jamuel pour Trefflé, qu'elle avait élevé comme son propre fils. Elle avait ensuite épousé Alen, le meilleur chasseur de loups d'Isdoram, un homme généreux et discret. L'enfant avait grandi et Amandrine ne lui avoua jamais qu'elle et son mari n'étaient pas ses véritables parents.

Trefflé avait quatre ans quand Alen fut mordu par un loup enragé. Se transformant en loup-garou à chaque pleine lune, il avait dû fuir le village. Aujourd'hui, Trefflé avait vingt et un ans. Mais la dernière fois qu'Amandrine l'avait vu, il n'était qu'un adolescent. Il avait déserté Isdoram à son tour en ne laissant derrière lui qu'un mot précisant qu'on savait qu'il était un être blanc.

Amandrine avait donc perdu son mari et son fils, comme elle avait perdu sa première enfant, la petite Amélisse, que Malfred l'avait forcée à abandonner en forêt.

La pluie avait cessé et le soleil brillait de nouveau. Sur le petit sentier bordé d'hémérocalles, un homme et une femme avançaient vers la chaumière d'Amandrine. Tous deux étaient jeunes et blonds. Lui était plutôt grand et bien bâti. Malgré son étrange coiffure, de longues tresses qui lui tombaient jusqu'au milieu du dos, Amandrine le reconnut immédiatement. Trefflé marchait la tête haute : visiblement, son corps ne l'embarrassait plus. Personne n'aurait songé aujourd'hui à le surnommer l'épouvantail. Il avait même un charme que peu d'hommes du continent pouvaient se vanter de posséder. Et une assurance nouvelle illuminait ses yeux bleus.

Amandrine ne se souvenait pas d'avoir pris le pot à lait. Pourtant, il venait d'éclater à ses pieds en trois gros morceaux. Elle s'en débarrassa, puis alla ouvrir la porte. La jeune femme qui accompagnait son fils avait le visage fermé et l'air un peu farouche. Sa beauté était semblable à celle de Trefflé, indéfinissable, mais néanmoins captivante.

Sans rien dire, la mère et le fils s'étreignirent longuement. Quand Trefflé s'arracha enfin aux bras d'Amandrine, il fit signe à sa compagne d'approcher.

— Maman, je te présente Ancolie.

— Oh, Trefflé ! C'est ta fiancée ?

— Non. Ancolie est… une amie. Nous devons vérifier certaines choses dans les archives d'Isdoram. Peux-tu nous héberger quelques jours ?

— Bien sûr, toi et ton amie êtes les bienvenus.

Amandrine recula pour laisser entrer les jeunes gens. Mais quelque chose lui disait qu'elle n'était pas au bout de ses surprises.

Les anges

LE TERRITOIRE que s'étaient approprié les ancêtres des anges était une montagne recouverte de neige au sommet gelé en permanence. Avant l'exil, les graines de choux qui y avaient été portées par le vent s'étaient enfoncées dans la neige sans atteindre la terre. Pour les anges, les récupérer n'était donc pas un problème. Mais Sibéria n'était pas qu'une montagne de neige et de glace. L'île angélique était aussi un volcan endormi depuis plusieurs centaines d'années. En son cœur bouillait une lave visqueuse, agitée par une force mystérieuse que les anges étaient sur le point de contrarier.

Au pied de la demeure royale, tout en haut de la montagne, s'ouvrait la bouche béante du volcan. Les murs extérieurs du château avaient été façonnés dans une épaisse couche de glace qui ne fondait jamais, mais qui suintait sans cesse, telle une sueur glacée. Les magiciens de Sibéria avaient des ailes, ce qui contribuait à leur insuffler un sentiment de sécurité. Mais quelle altitude pouvait atteindre un ange ? Pouvait-il monter plus haut que le crachin d'un volcan habité par des êtres en furie qui avaient été laissés pour morts dans les profondeurs de la terre bien avant que Sibéria ne dérive jusque-là ?

Le château, comme toutes les habitations angéliques, s'avérait aussi chaud en dedans que froid au-dehors. Ses parois intérieures étaient constituées de magma figé, teintant le décor de rouge, d'oranger, de brun et de noir.

Derrière deux immenses portes de fer sur lesquelles scintillaient des particules d'or, une cérémonie solennelle rassemblait les Sibériens dans la chambre des Statues. Ce peuple ne comptait plus désormais que trois cent treize individus. Ce jour-là, les obsèques s'achèveraient par l'abandon du corps au plus profond du volcan, offrande rituelle aux dieux des profondeurs.

La princesse Anawëlle était morte au cours de la nuit précédente. Âgée de vingt-deux printemps à peine, elle avait succombé à une maladie héréditaire. Les ancêtres des anges étant tous issus de trois familles, la faiblesse du cœur était courante parmi les Sibériens. Du coup, si ceux qui en étaient atteints se trouvaient privés de l'amour de la personne dont ils s'étaient épris, ils s'affaiblissaient, se mettaient à chercher leur souffle et ne survivaient que rarement.

Pour sa part, la princesse Anawëlle était tombée éperdument amoureuse de Xanaël, le jeune homme que le roi avait accueilli au château trois ans plus tôt, à son retour de Baltica. Lui-même entiché d'une humaine, il n'avait jamais laissé croire à la princesse qu'elle avait la moindre chance de conquérir son cœur. Maintenant emprisonnée sous une couche de glace, telle une statue de cristal, la dépouille reposait sur un lit d'eau gelée. Des fleurs et deux magnifiques cygnes avaient été sculptés dans le bloc de glace, l'un au pied et l'autre à la tête de lit.

Tout à coup, les portes de fer s'ouvrirent. Deux anges s'avancèrent dans la chambre des Statues, où étaient gardés les morts avant qu'ils soient conduits sous terre. Ils soulevèrent le lit mortuaire, et un autre les suivit. Ce dernier tenait en laisse un hibou des neiges.

La vue du rapace blanc sembla troubler le couple royal. Mais après un signe du roi, le cortège se mit en route.

Les Sibériennes portaient toutes de longues robes de soie blanches, comme celle de la princesse Anawëlle. Le vêtement laissait leurs dos nus, où frémissaient de grandes ailes tout aussi blanches. Des ceintures, du même or pur que celui du collier des femmes, retenaient sur les hanches des hommes des jupes de plumes immaculées leur descendant jusqu'aux genoux. Leurs biceps étaient également cerclés de bracelets d'or. Les chevelures blondes, masculines ou féminines, étaient toutes remontées en une toque élégante. Le couple royal, quant à lui, était coiffé de lourdes couronnes d'or serties de diamants. Sous leurs ailes étaient attachées de longues capes brodées de fils d'or. Le roi était paré d'un plastron fabriqué lui aussi dans le précieux métal. Les femmes de ce peuple n'étaient guère plus grandes que les humaines, les elfes ou les sirènes, contrairement aux hommes, qui mesuraient aux alentours de sept pieds.

Lorsque le cortège funèbre sortit du château, il s'engagea dans le cratère du volcan. La route en colimaçon qui menait à son cœur était longue. La descente se faisait à pied, selon la tradition, et prendrait donc beaucoup de temps. Mais les habitants de Sibéria remonteraient ensuite en volant.

D'heure en heure, la chaleur devenait de moins en moins supportable, mais seul l'oiseau à la tête du cortège semblait en être conscient. Les anges étaient peu sensibles aux variations de température. Tout à leur chagrin, ils semblaient imperturbables. Tirant sur sa laisse, le harfang chuintait et tentait de rejoindre le ciel qui s'éloignait. Le cortège atteignit une mare de lave en fusion. Le hibou s'immobilisa et la reine Myrliam éclata en sanglots.

Les hommes qui transportaient le corps de la princesse installèrent son lit au-dessus de la mare orangée, la tête et le pied du lit reposant de part et d'autre du trou. Lorsque le bloc de glace léché par les flammes serait fondu, le corps d'Anawëlle glisserait dans la lave, puis sombrerait au plus profond du volcan.

— Grand Barchelas! appela le roi. Voici ma fille unique, la princesse Anawëlle. Je te donne son corps, mais t'implore de laisser son âme aux dieux de l'au-delà.

— Et mon amuse-gueule, Aménuel?

Les anges étaient habitués aux apparitions de Barchelas, mais ils tressaillirent tout de même à sa vue. Le maître des dieux des profondeurs s'était extirpé de la lave en fusion depuis les hanches, alors qu'autour de lui, six de ses sujets nageaient en silence. Leur chef à la peau noire comme la suie avait sur la tête des cornes longues et recourbées comme celles des capricornes. Ses sujets coupaient les leurs si courtes qu'elles ne formaient plus que deux bosses sur leurs têtes glabres. Parmi ceux qui escortaient leur maître, deux avaient la peau brune, l'un était d'un orangé aussi vif que les flammes qui les entouraient, tandis qu'un autre était rouge sang. Les deux derniers, dont une femme, étaient d'un gris granit. Ces corps aux couleurs de la terre et du feu avaient l'air aussi durs que les cuirasses de fer qui couvraient leurs torses. Tous les dieux des profondeurs, y compris Barchelas, avaient l'apparence d'hommes ou de femmes de vingt-cinq ans. De plus, les mains du maître se prolongeaient en de puissantes griffes, semblables à celles des taupes.

— Le voilà, Grand Barchelas.

Un ange traîna le hibou blanc devant le dieu. Sur le visage de Barchelas se manifesta l'incompréhension, qui se mua en colère. Les iris noirs s'illuminèrent, comme s'ils venaient de s'enflammer.

— Qu'est-ce que cette chose, Aménuel ? Te moquerais-tu de moi ?

— Cet oiseau est un harfang des neiges, Grand Barchelas. Une bête des plus majestueuses.

— Majestueuse ? Les cygnes sont majestueux. Où est celui que tu me dois pour que j'épargne l'âme de ta fille adorée quand j'avalerai sa chair ?

Le roi des anges jeta un regard inquiet au lit de la princesse qui fondait rapidement, ce qui amusa le maître des profondeurs.

— Le dernier cygne de Sibéria vous a été offert lors des funérailles de Mirien. Il ne reste plus un seul de ces oiseaux dans nos volières. Mais je vous assure que ce hibou…

— Cette poule ? rugit le dieu.

— Grand Barchelas, je vous en prie, permettez à l'âme de ma fille de rejoindre les dieux de l'au-delà dans l'espace étoilé.

— Me dicterais-tu ma conduite, Aménuel ?

Les flammes s'élevèrent, menaçantes, obligeant le cortège à reculer et accélérant la fonte du lit de la défunte.

— Bien sûr que non, Grand Barchelas, s'empressa de répondre le roi des anges. Mais la place d'une princesse, vous en conviendrez, est au ciel.

— Je ne conviendrai de rien du tout tant que vous ne m'aurez pas donné un cygne en sacrifice.

— Vous les avez tous dévorés ! Qu'y puis-je ?

— Comment as-tu pu être assez bête pour laisser cette race s'éteindre ?

— Cet été, il y a eu une épidémie. Nous n'avons pu sauver que très peu d'oiseaux. Ceux qui ont été réchappés étaient de jeunes cygneaux, qui ont survécu grâce à notre pouvoir. Vous savez que nous avons le don de protéger les bébés de toutes les espèces. Mais puisque beaucoup d'anges sont morts, nous avons dû vous sacrifier ces cygnes avant qu'ils n'aient pu se reproduire.

Lâchant un petit cri, la reine pressa le bras du roi, cherchant à attirer son attention sur le lit qui disparaîtrait bientôt sous la princesse. Mais son mari n'eut pas le temps de réagir. Le corps d'Anawëlle chuta dans la mare, où il ne flotta qu'un bref instant. La défunte fut engloutie dans la lave agitée.

Après un sifflement de satisfaction, les six dieux qui accompagnaient leur maître replongèrent dans les profondeurs. La reine tomba à genoux.

— Ne vous tracassez pas, mes anges, susurra Barchelas. Je garde l'âme de votre princesse au chaud. Revenez me voir lorsque vous aurez trouvé une offrande digne de ce nom !

Les forains

Les divertissements étaient rares à Monkarm, ce petit village juché tout en haut des montagnes du nord d'où on pouvait voir l'océan. La plupart de ses habitants travaillaient dans les mines d'émeraudes ou de diamants. Certaines années, des gitans montaient jusqu'à eux. Et alors, derrière les portes closes, les villageois médisaient de ces étranges nomades. Mais dès que les tentes étaient montées, tous sortaient leurs petits sacs de saphirs et de rubis pour se rendre à la foire qui s'organisait.

La rumeur était arrivée à Monkarm quelques jours avant les forains. Celle-ci laissait entendre que le spectacle de cette année était particulièrement captivant. Mais la rumeur disait aussi que Myrlande, la jolie danseuse contorsionniste qui en avait fait rêver plus d'un lors du dernier passage des gitans, n'était plus. Elle avait été assassinée pendant une représentation à Vasmori, affirmait-on.

L'un des meilleurs numéros était celui du dompteur d'ours. Malgré ses vingt-deux ans, l'homme qui avait remplacé le vieux dresseur était des plus impressionnants. Grand, mince, les cheveux et les yeux aussi noirs que la nuit, il avait l'air plus féroce encore que la bête qu'il dominait. Vêtu de tissus aux motifs et aux couleurs bigarrés, il manipulait l'animal si aisément qu'on aurait juré que l'ours brun comprenait vraiment ce qu'il lui murmurait à l'oreille. Son fouet claquait dans l'air, vif et coupant, au rythme de la queue de cheval qui se balançait sur le haut de sa tête. Une coiffure plus qu'insolite pour un homme.

Jamais le dompteur n'avait besoin de frapper l'ours, qui dansait, sautait, faisait le beau comme un chien ou miaulait comme un chat. Même quand il ouvrait la gueule de la bête avec ses mains et qu'il y enfonçait la tête, des deux, c'était l'homme qui donnait le plus la frousse. S'il était attirant, sa beauté singulière troublait, et ses yeux remplis de haine donnaient froid dans le dos.

Mais le clou du spectacle, cette année-là, était une fillette d'une dizaine d'années, jolie comme un cœur, mais plus étrange encore que le petit cheval aux pattes de chien qui ouvrait la soirée. À première vue, l'enfant avait l'air d'une humaine, mais elle ne l'était pas. Ses longs cheveux blonds, retenus par des peignes d'écaille, laissaient voir derrière ses oreilles deux branchies semblables à celles des poissons. La petite aux mains palmées était enfermée dans une grande cage aux barreaux dorés, montée sur quatre roues, tel le carrosse d'une princesse. La cage était entourée de verre épais.

Quand les forains commençaient à la remplir, les exclamations indignées du public déchiraient la nuit. Cela réjouissait toujours Charmène, la patronne de la troupe. Plus les spectateurs criaient fort, que ce soit de joie, d'admiration ou de colère, plus les saphirs pleuvaient à la fin du spectacle.

Dans la cage de verre, chaque fois que l'eau montait, c'était avec stupeur que les villageois voyaient les jambes de la fillette se transformer en une queue de poisson aux écailles argentées. Les éclats de voix de la foule cessaient alors brusquement. Par la suite, on n'entendait plus que des murmures. Si elle voulait manger, la sirène savait ce qu'elle avait à faire.

L'enfant bougeait des hanches dans l'espace restreint de sa prison. Au bout de quelques secondes, les cris reprenaient. Ëlanie était habituée à toutes ces réactions. Généralement, les adultes l'applaudissaient et les enfants lui souriaient. Mais parfois, on lui crachait aussi des injures. Il arrivait même qu'on lui lance des objets. Juste avant que les rideaux ne se ferment, la petite donnait un coup de queue qui éclaboussait les spectateurs, prouvant aux incrédules qu'elle n'était pas une illusion.

Ëlanie n'était pas l'unique enfant à travailler à la foire, mais elle seule était en cage. Les enfants des forains avaient tous plus de dix ans, et la plupart n'étaient que des voleurs à la tire qu'on envoyait faire les poches des villageois dans la foule. Ils ne montaient jamais sur scène. Ëlanie, elle, était acclamée. Les petits gitans lui en tenaient rigueur et, dès qu'ils en avaient l'occasion, se vengeaient de ce qu'ils considéraient comme une injustice.

Avant d'être capturée par les bandits d'Orphérion et d'être livrée à Charmène, Ëlanie était des plus heureuses. La fillette de sept ans avait toujours eu une imagination débordante et la tête remplie d'histoires merveilleuses. Trois années plus tard, la petite sirène n'avait plus de rêve pour enjoliver ses journées, ni même de joie de vivre. Elle n'avait pas perdu l'espoir d'être libérée un jour de cette cage, mais malgré son jeune âge, l'enfant avait déjà l'intuition qu'elle sortirait de là transformée, avec quelque chose de dur et de sec à la place du cœur. Parfois, elle pensait encore à

Éliambre, son île magnifique, à la chaleur du soleil sur sa peau et au sable entre ses orteils.

Ici, sur ce continent étranger, le climat était aussi cruel que les gens. Le premier hiver, la neige l'avait effrayée. Mais elle avait vite compris que le froid et l'accumulation de ces flocons blancs obligeaient les gitans à s'arrêter. Et elle appréciait ces petits répits.

Si les jambes des sirènes se changeaient en queue au contact de l'eau dès leur plus jeune âge, ils n'acquéraient leurs autres pouvoirs qu'à la puberté. Ils commençaient alors à avoir des visions quand un proche était en danger ou vivait un événement pénible. Puis, les sirènes devenaient incapables de mentir sans ressentir une vive douleur à l'abdomen, comme une lame qui leur lacérerait le ventre. Et si Ëlanie avait eu quelques années de plus, elle n'aurait eu qu'une phrase à dire pour envoûter ses agresseurs et les contraindre à la relâcher.

Saphie, la petite sœur d'Ëlanie, était une humaine qu'un pélican avait menée sur l'île des sirènes dans la poche de son bec. Elle n'avait que six mois quand son extraordinaire pouvoir s'était manifesté. La petite était capable de s'approprier les dons des autres magiciens, même si, à son âge, elle ne les maîtrisait pas. Parce qu'elle avait touché Clovis, un jeune magicien qui se déplaçait d'un endroit à l'autre par la pensée, Ëlanie et Saphie s'étaient retrouvées en pleine jungle. C'était à ce moment-là que, pour sauver Ëlanie des griffes d'une panthère, Clovis avait conduit l'enfant sur le vieux continent.

Croyant la fillette dans la grotte des âmes disparues, Clovis ne s'était même pas aperçu qu'elle l'avait accompagné dans la forêt, où un bandit menaçait de laisser tomber le petit Louyan dans une chute d'eau. En s'agrippant à Clovis, Ëlanie avait voulu s'assurer que le garçon retournerait sur Nanngalie pour y secourir sa famille aux prises avec le fauve. Mais Clovis s'était avancé pour combattre le malfaiteur tandis que l'enfant s'éloignait sans bruit.

Quand les bandits d'Orphérion s'étaient emparés de Clovis, Ëlanie les avait suivis jusqu'à leur campement. Le magicien s'était finalement échappé avec l'aide d'Ancolie, mais Ëlanie avait ensuite été capturée à son tour.

Plus tard, après s'être questionné sur le sort de la petite sirène, Clovis s'était convaincu que Saphie était réapparue dans les bras d'Ëlanie et qu'elle l'avait ramenée sur Éliambre. Mais lorsqu'il avait rejoint Laurian sur les berges de Baltica, il avait appris que l'enfant n'était pas rentrée parmi les siens.

« Pourquoi Clovis ne vient-il pas me chercher ? » se demanda Ëlanie, une fois de plus.

Les numéros étaient terminés, mais pour Charmène et sa troupe, la nuit commençait tout juste. Les esprits des spectateurs s'étaient échauffés, et nombreuses étaient les nouvelles distractions offertes aux Monkarmiens, dont de l'alcool illégal et des jeux de hasard. Sous une tente, on présentait même un spectacle « pour adultes seulement », qu'un forain se faisait un plaisir de rendre accessible aux adolescents en échange de quelques pierres.

Contrairement à la plupart des magiciens, Charmène n'essayait pas de cacher sa vraie nature. Elle utilisait même ses pouvoirs contre rémunération. Personne ne s'en vantait, mais nombreux étaient ceux qui, la nuit venue, se glissaient dans sa roulotte pour savoir ce que l'avenir leur réservait.

Les forains voyageaient sans cesse, en quête de nouveaux spectateurs, certes, mais aussi parce que certains villageois les prenaient parfois pour cibles. Si la plupart des forains n'avaient aucun pouvoir, la croyance populaire voulait qu'ils soient tous magiciens. Car il était facile de confondre magie et habileté. Le métier de forain n'était pas aussi dangereux qu'au temps des délivreurs, même s'il demeurait risqué. Dans le nord, on tolérait les magiciens qui savaient rester discrets, mais ceux qui étalaient leur pouvoir au grand jour étaient encore très mal vus.

Les hommes

À LA LUEUR d'un chandelier, Trefflé fouillait le grand livre d'histoire dans lequel Laurian et lui avaient ajouté des notes et des cartes au fil de leurs expéditions. Habitué à la façon qu'avait Clovis de se présenter chez les gens, Trefflé ne sursauta même pas quand son ami se matérialisa devant lui.

— Où sommes-nous ? demanda ce dernier.

— À Isdoram, chez ma mère.

— Tu as du nouveau ?

— J'ai lu un passage dans un livre qui confirme l'existence d'une aigue-marine ayant le pouvoir de garder un amour vivant à jamais, mais rien au sujet d'une perle blanche.

— Le coquillage d'or nous a révélé un secret qui nous a conduits à la pierre d'étoile. Puis celle-ci nous a montré le chemin jusqu'à l'ambre de mémoire. Et ce joyau qui ravive les souvenirs a fait en sorte qu'on puisse se rappeler la bague d'aigue-marine de Miranie volée par Armand, résuma Clovis.

— Nous devons trouver cette bague. Elle seule peut nous amener au dernier joyau, dit Trefflé.

— Ne voulais-tu pas terminer cette mission avant de revenir chez ta mère ? souligna Clovis en s'installant face à son ami à la table de la cuisine.

Chaque fois que les aventuriers étaient passés à Isdoram, Trefflé avait remis ses retrouvailles avec Amandrine à plus tard, de peur d'attirer la hargne des villageois sur elle. Le jeune guérisseur avait parcouru le continent à plus d'une reprise. Il savait que les délivreurs, disparus depuis près de vingt ans, étaient revenus en force. Il n'avait aucune raison de croire que sa mère ou lui seraient épargnés. Auparavant, les délivreurs agissaient en secret. Mais ils se déplaçaient aujourd'hui en plein jour, portant fièrement leur emblème sur leurs vêtements, un écusson sur lequel étaient brodés un crâne humain et deux longs os. À les entendre, tous les maux du monde étaient imputables aux magiciens, pourtant moins nombreux que jamais et généralement discrets. Dépassées par les événements, les autorités faisaient peu de choses pour arrêter ces meurtriers. « Qu'ils en finissent une fois pour toutes », se disaient sans doute les maîtres-régnants et leurs gardiens de l'ordre. Même l'armée refusait de s'en mêler. Désormais, les soldats s'occupaient exclusivement de l'entreprise la plus rentable de tous les temps : la volière de Méloria.

Trefflé émergea de ses pensées.

— Cette quête traîne en longueur, répondit-il, énervé.

Ancolie et Amandrine dormaient. Aussi, il s'efforça de parler à voix basse.

— On ignore toujours où est passé Armand, poursuivit le jeune homme. On sait qu'il est revenu à Isdoram alors que nous étions sur Laurentia, qu'il a été élu maître-régnant, puis qu'il s'est éclipsé aussi mystérieusement que la première fois. Depuis, plus rien. Son portrait est placardé dans tous les villages du continent, et une belle récompense est promise à qui pourra fournir des informations. Mais toutes les pistes n'ont mené nulle part. Le plus étrange, c'est qu'Armand s'est volatilisé le jour même où tes parents ont été assassinés.

— C'est préoccupant, en effet.

Clovis se perdit à son tour dans ses pensées, puis poussa un long soupir. Louka et Naisy avaient trouvé la mort trois ans plus tôt, mais l'enquête des autorités n'avait abouti sur rien. Tout ce que Clovis savait, c'était que ses parents avaient été découverts sur le plancher de leur chaumière, poignardés. L'arme du crime était vraisemblablement une lame de métal, et non un bec de cigogne. Le caveau de la maison avait aussi été vandalisé. S'il y avait eu un témoin de ces événements, il n'avait pas encore parlé.

C'était la première fois que Trefflé évoquait l'assassinat des parents de Clovis sans voir le visage de son ami se décomposer.

— Tu sais ce que je crois? On n'accorde aucune importance à cette enquête parce que ce sont des délivreurs qui ont fait le coup.

— Louka et Naisy ont toujours été plus que discrets. Même toi, tu ignores quels étaient leurs pouvoirs.

— Quelqu'un a peut-être imaginé qu'ils étaient responsables de la disparition d'Armand, continua Clovis. Je suis certain que Weliot sait quelque chose!

— Tu ne soupçonnes quand même pas ton frère d'être le coupable?

— Non, mais pourquoi a-t-il fui si loin du village? La dernière fois que je l'ai vu, il semblait avoir peur de quelque chose et il avait l'air en colère.

— C'est bien normal, non?

Clovis hocha la tête et retourna à ses réflexions.

— Si Armand est revenu à Isdoram pendant plusieurs semaines, pourquoi n'ai-je jamais réussi à le retracer? demanda-t-il enfin.

— En as-tu parlé à son fils? le questionna Trefflé.

— Naëtan n'était déjà plus au village quand j'ai voulu l'interroger, et Jamélie non plus. Ils sont apparemment partis de leur propre gré, mais les mots qu'ils ont laissés à leurs parents ne disaient rien sur leur destination.

— Est-ce qu'ils se seraient lancés à la recherche d'Armand ? Quand tu penses à eux, sens-tu une barrière magique qui t'empêche de les approcher, comme c'est le cas avec Armand et Ëlanie ?

— Non. C'est comme s'ils n'existaient pas. Encore une fois, Weliot fait celui qui ne sait rien, mais il ment.

— Crois-tu que Naëtan et Jamélie sont morts ?

— La mère de Naëtan et les parents de Jamélie ne vivent que dans l'espoir de les revoir vivants. Je préfère supposer qu'ils le sont.

— Et Weliot ? A-t-il quitté la volière de Méloria ?

— Non. Il tient à rester avec cette bande de criminels. Aussi longtemps que Naxime sera propriétaire de la volière, aucun maître-régnant ne déclarera ses activités illégales. Et nous ne pouvons rien contre l'armée…

— Avec ta magie, tu pourrais ramener Weliot au village.

— Que ferait-il ici ? Nos parents sont morts, ses amis ont disparu, et je n'ai pas le temps de m'occuper de lui. Et puis mon pouvoir n'a pas plus d'effet sur lui que sur Ancolie.

— Ton frère doit pourtant être un magicien. Tous les livres sur le sujet s'accordent pour dire que lorsque les deux parents sont des êtres blancs, l'enfant en est un aussi.

— Weliot a sans doute un pouvoir qu'il ignore. Mais je te signale que je ne voyage pas seulement avec des magiciens. Laurian et Aymric ne sont pas des êtres blancs ! De toute façon, j'ai l'impression que Weliot a surtout envie d'être là où je ne suis pas.

— Il t'en veut peut-être de ne pas avoir été là la nuit où vos parents sont morts…

Clovis haussa les épaules.

— J'ai besoin de ton aide pour identifier un village.

— Némossa et Micolas ont-ils eu une vision ? voulut savoir Trefflé.

— Oui. La nuit dernière a été particulièrement éprouvante pour Ëlanie, ce qui a permis à ses parents de la revoir...

— Quelle torture d'être ainsi témoin des souffrances de ceux qu'on aime !

— Mais cela nous permettra peut-être de retrouver Ëlanie. Elle serait dans un lieu où les vêtements des habitants sont couverts de particules vertes et brillantes.

— De la poussière d'émeraude... Ça ne peut être que dans les montagnes, conclut Trefflé en tournant les pages de son livre en quête d'une carte détaillée du nord de Gondwana.

— Les sirènes disent aussi avoir vu Aqua, mentionna Clovis, mais ils doivent se tromper.

— Pas du tout, regarde ! Il y a bien un village d'où on peut voir l'océan. Il s'agit de Monkarm. Je vais copier cette carte. Ce livre ne doit pas tomber entre de mauvaises mains.

— Dépêche-toi. J'ignore combien de temps ceux qui retiennent Ëlanie resteront là-bas.

— Tu pourras te rendre rapidement à Monkarm ?

— Je suis déjà allé à Esmarok. J'irai jusque-là grâce à ma magie, puis je gagnerai Monkarm comme je le pourrai.

— Passe plutôt par Yasdolar. Ça peut sembler plus éloigné, mais la montagne est beaucoup moins escarpée à cet endroit.

— Va pour Yasdolar, dit Clovis en se levant.

— La carte sera prête avant l'aube.

— Je sens qu'on touche au but, Trefflé.

— J'aimerais bien être aussi près des joyaux...

— Où sont les autres ? demanda soudain Clovis.

— Laurian, Aymric et Élorane sont avec Viko, Fani et leurs louveteaux dans une petite grotte non loin du village. Nous devons tous partir pour Adjudor bientôt.

— Et Ancolie ? Elle est ici ? Il y a longtemps que je l'ai vue…

— Elle dort. Tu veux rester pour la nuit ?

Clovis se leva.

— Je vais plutôt retourner auprès de Némossa et Micolas. Ils seront soulagés d'apprendre que nous avons identifié l'endroit où est retenue leur fille.

— Une fois à Yasdolar, fais-moi signe si tu as besoin d'aide.

Clovis salua son ami puis referma la porte de la chaumière derrière lui. Il marcha jusqu'à ce qu'il soit caché parmi les arbres. Le magicien entra alors en contact avec l'âme de l'animal disparu qui dormait en lui. Aussitôt, il devint un ours des cavernes. L'animal, trois fois plus gros que les ours bruns et muni d'énormes canines, agita son museau dans l'air de la nuit jusqu'à ce qu'il capte l'odeur de celle qui lui manquait tant. Le parfum de ses cheveux blonds, celui de sa peau…

Puis Clovis reprit son corps d'humain. Ne pouvant résister plus longtemps à son désir, il pressa ses paupières. Surgissant dans le lit d'Ancolie, il s'étendit doucement à côté d'elle pour la regarder dormir. Le visage de la jeune femme se relâchait dans son sommeil, comme si sa colère se reposait elle aussi. Ses cheveux blonds étaient défaits sur l'oreiller. Une main en l'air, le magicien s'apprêtait à toucher sa joue quand elle ouvrit les yeux.

— Pardon ! Je voulais seulement… te dire bonjour.

Au cours des derniers mois, ils s'étaient tout juste croisés. Mais curieusement, Ancolie ne semblait pas outrée de trouver Clovis dans son lit. À peine avait-elle sourcillé.

Contre toute attente, Ancolie tendit la main jusqu'à saisir la nuque de Clovis, l'obligeant à se rapprocher d'elle. Puis elle l'embrassa. Ébahi, Clovis glissa la main sous les couvertures pour découvrir que la belle ne s'embarrassait pas même d'une chemise de nuit…

Le loup-garou

TROIS ANS PLUS TÔT, Heztor et Amélisse avaient quitté la demeure du défunt loup-garou pour aller rejoindre le peuple elfique. Laurian, Ancolie, Trefflé, Clovis, Aymric et Élorane étaient partis de leur côté à la recherche d'Armand et d'Ëlanie. Et ceux qui étaient restés dans la cabane d'Alen y étaient encore. En effet, Némossa, Micolas et leur fille adoptive, la petite Saphie, n'étaient toujours pas retournés sur Laurentia. Sans jamais tenter d'envoûter les humains qui les avaient accueillis, les sirènes avaient convenu qu'ils attendraient leur fille Ëlanie au quartier général des aventuriers. Si les humains avaient besoin d'eux, ils viendraient les y chercher.

L'elfe Zavier avait décidé lui aussi de s'installer dans cette cabane isolée de la grande forêt d'Orphérion avec Zaèlie, sa fiancée. Alen y avait construit une machine qu'il avait perfectionnée au fil des années, et qui lui permettait de s'attacher solidement durant les nuits de pleine lune. Zavier, mordu par Alen lors de l'ultime combat dans l'antre des vampires, l'utilisait donc à son tour.

S'établir sur Gondwana, même au plus profond de la forêt, représentait un grand risque pour deux elfes. La machine d'Alen aurait sûrement pu être emportée sur Baltica ou y être reproduite. Mais Zavier avait proposé à Zaëlie de rester sur le vieux continent, car il n'existait plus de sorciers sur Baltica, ces magiciens capables de créer toutes sortes de potions aux effets inattendus. Gzil, Yasrid et Welzon étaient morts, et le don de sorcellerie ne s'était révélé chez aucun autre elfe. Zavier avait donc l'espoir qu'un jour, un sorcier du vieux continent mettrait au point une potion susceptible d'éliminer le sang noir qui affluait dans ses veines les nuits de pleine lune.

Ne voulant surtout pas être un danger pour les sirènes qui partageaient leur refuge ni pour ses amis humains, Zavier avait confié à tous son terrible secret. Si, dans leur périple, les aventuriers entendaient parler d'un antidote, ils le lui rapporteraient.

Zaëlie savait depuis longtemps que son amoureux était un loup-garou. Pourtant, elle n'avait pas hésité à l'accompagner sur Gondwana. De peur que Zavier la renvoie sur Baltica, elle ne lui avoua pas avoir vu, lors d'une transe étrange, ce jour où il s'en prendrait sauvagement à elle dans la cabane de la forêt d'Orphérion.

Les elfes voyaient dans l'obscurité, mais rares étaient ceux qui voyaient aussi au-delà des frontières du temps et de l'espace. Heztor était l'un d'eux. Il pouvait non seulement visualiser d'autres lieux, mais s'y rendre. C'était grâce à cette capacité extraordinaire qu'il avait pu autrefois guider la mère d'Ancolie la nuit où elle fut poursuivie par des délivreurs, permettant ainsi à ses enfants d'avoir la vie sauve. Et plus récemment, Heztor avait détruit l'immense plante qui avait surgi du ventre d'une cigogne et saccagé Gwerozen, sauvant, du coup, de nombreuses vies humaines.

Zaèlie, elle, pouvait voir des événements futurs. Mais comme Heztor, son don ne se manifestait que très rarement, et elle ne parvenait pas à réguler le flot d'images qui déferlaient en elle.

Tandis que la paix entre les Balticois et les Laurentiens ne tenait qu'à l'illusion que projetait Amélisse, dans la cabane d'Alen, deux sirènes, une enfant humaine et deux elfes se serraient les coudes. Se dérobant aux regards des humains, ils ne sortaient de leur refuge que pour aller se laver au ruisseau, puiser de l'eau et trouver de la nourriture.

Les sirènes

SUR LAURENTIA, la reine Yazmine attendait toujours d'être secourue. Sa hutte était gardée par deux serviteurs de Cyprin. Voyant Loristan approcher par sa fenêtre, elle lui fit signe d'entrer.

— Les pêcheurs ont ramené un requin dormeur, dit-il, tout sourire, en lui mettant un gros morceau de chair rosée sous le nez.

— On m'a déjà apporté à manger, Loristan.

— De la seiche et de l'eau ? la gronda-t-il doucement en déposant le poisson sur la table. Vous devriez être traitée avec les égards dus à une reine.

— Pourquoi vous fatiguer ?

— Cela me plaît.

Yazmine lui prit les mains.

— Vous me prouvez encore une fois à quel point vous êtes un homme bon, Loristan, et je vous en remercie.

La reine appréciait la compagnie de ce sirène. Il était le seul en qui elle avait confiance. Quand il avait permis aux humains de repartir avec Zédric, le petit elfe-sirène qui sauverait les elfes du néant, Loristan avait brisé la promesse faite à son frère Harmon et perdu tous ses pouvoirs magiques. Il ne lui était donc plus possible d'ensorceler Yazmine.

Loristan s'assit face à l'elfe et sépara la darne de requin en deux. Les habits de cuir de la reine n'étant pas adaptés au chaud climat de Laurentia, elle portait désormais la courte tunique blanche des femmes-poissons. Même qu'une ceinture de perles entourait sa taille fine. Cette magnifique ceinture n'était pas qu'une parure. Depuis que Yazmine hébergeait en elle l'âme du grand Naznil, le chef des coujaras, elle pouvait voler. C'est pourquoi une sorcière sirène, que les Laurentiens appelaient une enchanteresse, avait envoûté de ses potions une huître qui avait cristallisé ses perles de nacre incassable tout autour des hanches de la prisonnière. Si Yazmine tentait de se changer en coujara, la ceinture étoufferait l'animal en lui broyant les flancs. Seule l'enchanteresse avait le pouvoir de lui retirer la ceinture, et elle ne le ferait que si les huit membres du Conseil du Calmar géant, les sirènes les plus influents de Laurentia, le lui ordonnaient. Les autres continents étant trop loin de leur île pour que leur otage puisse s'y rendre à la nage, les sirènes ne craignaient pas de voir Yazmine s'enfuir. Aussi, il lui était permis de se promener sur Éliambre à son gré, même si les gardes n'étaient jamais loin.

— Votre neveu vous manque-t-il ? s'enquit l'elfe.

— Un peu moins maintenant que je vous vois. Vos traits me rappellent ceux de Zédric.

— Vous passez beaucoup trop de temps ici. N'avez-vous pas envie d'avoir une épouse et des enfants ?

— Je n'ai plus aucun charme aux yeux des sirènes, Yazmine.

— Et que ferez-vous lorsque je ne serai plus là pour vous tenir compagnie ? Laurian viendra me chercher. Je ne resterai pas ici éternellement.

Pour la première fois, Loristan tenta de la raisonner.

— Voilà plus de trois ans que vous êtes ici, Yazmine. Laurian ne viendra pas.

— Laurian m'a sauvée du néant ! Quoi que fasse votre peuple, il saura me retrouver et me ramener chez moi.

Les forains

AUX DERNIÈRES HEURES de la nuit, le dompteur d'ours entra dans la caravane de la patronne. Il déposa un lourd sac, les gains de la soirée, sur la table. Se plaçant derrière Charmène, il souleva ses longs cheveux noirs, qui étaient frisés avec de larges mèches grises. Il détacha le collier au bout duquel pendait le lourd cristal dans lequel elle faisait mine de lire l'avenir. Comme chaque soir, la femme prit le temps de ranger le collier dans un coffret avec le sac de pierres précieuses, avant de s'asseoir avec Sachan. Elle repoussa les bottes que le jeune homme s'entêtait à poser sur sa table.

La femme avait été belle, mais elle ne l'était plus. Elle recouvrait toujours son corps grassouillet de châles de dentelles mauves, roses et jaunes, alors que Sachan, aussitôt son spectacle terminé, troquait ses vêtements gitans contre ceux qu'il portait lorsqu'il détroussait les voyageurs dans la forêt d'Orphérion. Le jeune homme était habillé de noir de la tête aux pieds. Seul le bandeau qui entourait sa tête était d'un rouge sang.

Après avoir avalé deux verres d'alcool, Charmène servit Sachan, puis frappa son verre contre le sien.

— Cette fille-poisson, c'est une vraie mine d'or ! s'exclama-t-elle. Encore ce soir, les gens n'en croyaient pas leurs yeux. Richmon a passé le chapeau deux fois, et deux fois il est revenu plein !

De faibles coups se firent entendre et la porte de la roulotte s'entrouvrit sur un petit homme. Il baissa la tête pour éviter de croiser le regard de la patronne.

— En parlant du loup ! ricana Charmène. Entre, mon gars ! Viens boire un coup.

Richmon s'avança, saisit le verre que lui tendait la gitane et prit une bonne gorgée.

— Oustave est mort, déclara-t-il en fixant ses pieds.

Charmène lui arracha le verre, alors qu'il tentait d'y retremper les lèvres.

— Qu'est-ce que tu me chantes ?

— Il était chétif, ce magicien.

— Combien de fois t'ai-je dit de passer ta colère sur autre chose que sur mon gagne-pain ? Que lui as-tu fait, cette fois ?

— Rien du tout, c'est juste qu'il aurait peut-être eu besoin de plus de nourriture. Mais je devais le nourrir avec mes gages, alors…

— C'est toi qui te transformeras en petit cheval pour amuser les enfants, Richmon ?

— Je ne suis pas magicien, moi, Charmène.

— Eh bien, tu peux oublier ta part du butin pour cette nuit. Et tu n'auras rien tant qu'on sera à Monkarm. Nous allons rester un moment, du moins le temps que tu te rendes là où tu dois aller pour y chercher de quoi remplacer mon petit cheval.

— Quoi ?

— Tu m'as très bien comprise, Richmon. Le nord est rempli d'êtres blancs. Prends Nario et Maxieu avec toi. Et cette fois, ramenez-moi quelque chose d'un peu plus… exotique !

Richmon, les yeux encore au sol, sortit de la roulotte en s'accrochant dans ses bottes. Le dompteur rafla le verre des mains de Charmène et le vida d'un trait.

— Sachan ! Quand ce taré sera de retour, assure-toi qu'il ne s'approche pas de la fille-poisson. Il pourrait bien décider de la faire frire pour son dîner.

Trois ans plus tôt, lorsque sa bande avait mis la main sur l'étrange petite fille aux mains palmées, le jeune brigand qu'était Sachan avait décidé qu'il était temps pour lui de quitter les sentiers d'Orphérion et de retourner parmi les gitans. À son arrivée, Charmène lui avait alors servi ce même alcool.

— Par les deux mondes ! Sachan de Vasmori ! Si j'avais pensé te revoir un jour !

Il n'aurait pu dire si elle s'en réjouissait ou pas.

— Pourquoi est-ce que tu m'appelles comme ça ? Je ne suis pas plus de Vasmori que d'un autre village. Et si quelqu'un le sait, c'est bien toi.

— Parce qu'on jase à ton sujet à Vasmori, Sachan. À croire ce qu'on dit là-bas, tu serais un bandit d'Orphérion.

— Peu importe ce que je suis.

— Un assassin, voilà ce que tu es ! avait rugi Charmène en lançant sa bouteille contre un mur. Tu as tué ma Myrlande…

— C'est vrai, avait déclaré Sachan. J'ai une dette envers toi, et je suis venu l'acquitter.

— Qu'est-ce que tu connais de l'honneur, misérable ?

— Ce que tu m'en as appris. Et j'ai besoin d'un charme.

— Tu as besoin d'un charme ! avait répété la sorcière avec condescendance. J'ai déjà jeté un sort pour toi, et je n'aurai pas assez de ma chienne de vie pour le regretter !

— C'est que ce charme-là n'était pas assez puissant ! s'était emporté le brigand. Myrlande aurait dû m'aimer, moi, et personne d'autre !

— Ma sorcellerie a des limites, Sachan, et tu le savais ! Si encore tu avais été quelque peu aimable !

C'est là que Sachan avait livré la sirène à Charmène. Si la patronne avait été impressionnée par ses branchies et ses doigts palmés, elle n'en avait rien laissé paraître. Mais quand le bandit avait rempli le bassin d'eau et que les jambes de l'enfant s'étaient transformées en une large queue de poisson, la foraine était restée bouche bée. Puis elle avait accepté que Sachan se rachète ainsi de la mort de sa fille unique, à condition qu'il réintègre aussi la troupe.

— Le vieux dompteur qui a repris ton numéro vient tout juste de mourir et personne ne peut approcher ton maudit ours. Mais toi, il t'écoutera. Comme dans le temps. Il est vrai que vous avez beaucoup de choses en commun tous les deux.

La gitane avait lâché un rire gras.

— Je vais payer ma dette, Charmène. Je resterai jusqu'à ce que tu embauches un nouveau dompteur.

— Tu vas rester jusqu'à ce que je décide que je t'ai assez vu. J'ai perdu ma fille, qui était la meilleure danseuse de la troupe, mais aussi Samir, le trapéziste. La mort de Myrlande l'a anéanti.

Sachan avait serré les dents en entendant le nom de l'homme qui lui avait ravi le cœur de Myrlande. Dans ses yeux, la lueur qu'alimentait la haine s'intensifia.

— Bien, avait-il fini par dire. Jette un charme sur la cage de la fille-poisson au plus vite. Elle a pour ami un magicien qui peut apparaître où bon lui semble. Il ne faut pas qu'il puisse la retrouver.

Depuis son retour chez les forains, Sachan ne craignait pas que Charmène l'assassine dans son sommeil. Elle avait profondément aimé sa fille Myrlande, mais elle aimait tout autant les pierres précieuses qu'il pouvait lui rapporter. Une question brûlait les lèvres de Sachan, mais aujourd'hui encore, il n'osait pas la poser. Malgré ses humeurs changeantes, Charmène semblait apprécier le travail qu'il accomplissait. Même que souvent, après un spectacle, ils buvaient ensemble jusqu'à l'aube. Bien sûr, il arrivait à la patronne de s'emporter contre lui. Mais jamais plus elle ne lui avait reparlé de Myrlande.

Les hommes

À L'AUBE, quand Clovis sortit de la chambre des invités sur la pointe des pieds, il vit Trefflé en train de fignoler sa carte. Devant le foyer, sa mère préparait le petit-déjeuner.

— Clovis ! Tu as passé la nuit ici ?

Trefflé souriait à l'idée de ce qui avait pu se passer entre son ami et Ancolie.

Après un signe d'Amandrine, Clovis s'attabla.

— Je n'ai pas eu l'occasion de t'en parler avant, mais je suis navrée pour tes parents, lui dit la femme. Louka et Naisy étaient des gens bien.

— Merci, madame. Certains pensent que les délivreurs sont les responsables.

— J'espère que non, mon petit. J'espère que non…

— Mais cela expliquerait… commença Clovis.

— Cela n'expliquerait rien du tout ! le coupa Amandrine.

Un silence tomba comme une masse.

— Es-tu passé voir Maleine et Malco depuis qu'ils se sont établis à Nandervez ? finit par se renseigner Trefflé.

Leurs amis avaient fui le village avec Louyan, le bébé de la sorcière d'Isdoram. Puisqu'on les prenait depuis pour des êtres blancs, il aurait été très étonnant qu'ils remettent les pieds chez eux.

— Je ne les ai pas revus après leur mariage. Je ne peux pas leur divulguer où est Louyan, alors nous sommes un peu en froid.

— Il faut les comprendre, les défendit Amandrine. N'ont-ils pas sauvé ce petit des griffes des villageois ? Ils se considèrent un peu comme ses parents.

— J'ai arraché Louyan à un bandit d'Orphérion et cela ne fait pas de moi son père ! rétorqua Clovis.

Amandrine soupira. Comme elle le craignait, la vie de son fils et de ses compagnons était plus dangereuse encore que ce que Trefflé lui avait laissé croire.

— Je vais puiser de l'eau, dit-elle. L'un de vous prendra bien un thé ?

— Je dois partir, indiqua Clovis.

— Ancolie voudra sûrement une tisane d'ortie, répondit Trefflé.

— À propos... fit Clovis dès qu'Amandrine fut dehors. Sais-tu qui sont les parents de Louyan ?

— Non...

— Malco l'a découvert dans le jardin de monsieur Laurian, alors qu'il n'y avait pas mis les pieds depuis plus de dix ans. Et sa femme était morte depuis tout aussi longtemps. L'apparition de ce bébé est un véritable mystère.

Trefflé se demanda soudain quelle était la probabilité qu'il soit, lui, le père de cet enfant aux cheveux pâles. Il se rappelait comme si c'était hier le jour où il avait offert à Miranie les trois graines de choux qu'il avait reçues d'un couple de cigognes. Cette fois-là, il avait serré la défunte épouse de Laurian contre lui. Les sensations qui l'avaient submergé ne s'étaient toujours pas effacées de son esprit, non plus que de son corps. Aujourd'hui encore, quand il s'abandonnait à ses rêveries, il lui arrivait de la sentir entre ses bras...

À cette pensée, Trefflé se mit à rougir.

— Pour avoir un bébé, ne fallait-il pas être marié, et que mari et femme vivent sous le même toit ? questionna-t-il Clovis en évitant de le regarder en face.

— C'était bien le cas avant la guerre. Mais ce n'est sans doute pas une cigogne qui a planté cette graine dans le potager...

— Mais pourquoi me parles-tu de ce bébé ?

— Malco prétend qu'il y en avait un autre dans le potager de Miranie. Il aurait été emporté par les cigognes qui ont tué Gameth.

Trefflé ouvrit de grands yeux.

— Il pourrait s'agir de Saphie, non ? suggéra Clovis.

Trefflé hocha la tête. Sans même savoir que Louyan avait un jumeau ou une jumelle, il s'était déjà posé cette question en observant la petite humaine qu'avait adoptée Némossa.

— Elle est née il y a quatre ans, comme Louyan, poursuivit Clovis. Les cigognes l'ont peut-être jetée dans l'océan où un sirène l'aura trouvée et emmenée sur Laurentia...

« J'ai donné trois graines à Miranie, songea Trefflé. Serait-il possible qu'il existe un troisième enfant du même âge ? »

— Au fond, l'origine de ces enfants importe peu, trancha Trefflé. Au fait, sais-tu ce qu'est devenu Jérémien ? Je ne l'ai jamais revu.

— La dernière fois que je l'ai croisé, c'était avant notre départ pour Laurentia. Mais on m'a dit qu'il s'était établi à Dergamont, dans le nord. Personne ne sait ce qu'il y fabrique. Il doit tremper dans des affaires louches.

— Il a toujours eu un don pour ça.

— Mais là, il n'a plus douze ans...

— Mon Trefflé, tu es bien là ! s'émut Amandrine en faisant irruption dans la chaumière, un seau d'eau dans une main et quelques pousses d'ortie dans l'autre. Je n'arrive pas à y croire !

La veille, Trefflé avait raconté à sa mère quelques-unes des aventures qu'il avait vécues ces trois dernières années. C'est là qu'il lui avait annoncé qu'Alen avait été enlevé par des vampires et qu'il était mort sur la terre des elfes. En apprenant cette triste nouvelle, Amandrine avait pleuré longtemps. Elle avoua à Trefflé qu'elle savait que son mari était un loup-garou, mais d'apprendre qu'il était aussi un défunt blanc l'avait laissée stupéfaite.

— Alen n'était pas mon père, avait alors soufflé Trefflé.

— Mon chéri…

— Et tu n'es pas ma mère.

Mais la façon dont Trefflé avait serré Amandrine dans ses bras l'avait tout de suite rassurée.

— Comment l'as-tu appris ?

— L'illusionniste dont je t'ai parlé, celle qui est partie sur Baltica… elle a vu mes souvenirs.

— Que dis-tu ? Cette femme serait clairvoyante ?

L'enfant dont elle avait pris soin autrefois l'était aussi… Le charmant visage de la petite fille rousse lui revint aussitôt en tête.

— Oui, Amélisse a vu ce qui s'est passé la nuit où Malfred, ton premier mari, s'en est pris à ma famille.

En entendant le nom d'Amélisse, Amandrine avait dû s'asseoir. Celle qu'elle avait recueillie quelques années avant Trefflé était donc toujours en vie ? Cette fillette que son cruel époux l'avait obligée à abandonner une fois qu'il eut découvert son pouvoir ?

Trefflé repensa à sa conversation avec la clairvoyante.

✦✦✦

Ce jour-là, Amélisse n'avait parlé qu'après avoir retiré les mains de la tête du jeune homme.

— Ta vraie mère, Aubeline, a été assassinée par Malfred, un délivreur.

— Ma vraie mère ? N'avez-vous pas dit exactement la même chose à Ancolie ?

Amélisse avait approuvé d'un mouvement de la tête.

— Mandy, la femme de Malfred, était magicienne elle aussi. Bien sûr, son mari l'ignorait. Épouser Malfred n'avait été qu'une façon de se protéger de lui. Cette femme avait le pouvoir de prévoir le temps qu'il ferait.

« Comme Amandrine… » s'était dit Trefflé.

— Aubeline venait tout juste d'être assassinée. Mandy savait qu'un orage violent allait bientôt éclater. Elle savait aussi que l'arbre sous lequel se tenait son mari, qui menaçait maintenant de tuer Jamuel, le petit garçon d'Aubeline, serait touché par la foudre d'un instant à l'autre. Mais l'éclair risquait de foudroyer à la fois le tueur et l'enfant. Mandy attendit jusqu'à la dernière seconde, suppliant Malfred d'épargner le bambin, qui avait à peine un an. L'homme mourut sur le coup et Jamuel subit de graves blessures. Mais ses brûlures disparurent presque instantanément. On aurait juré que la foudre l'avait épargné.

— Les brûlures sont parties d'elles-mêmes… comme lorsque je me sers de mon pouvoir de guérison et que mes paumes s'enflamment, avait bredouillé Trefflé. Ce petit garçon… est-ce que c'était moi ?

Amélisse avait hoché la tête.

— Mandy a ensuite commencé une nouvelle vie. Elle s'est installée à Isdoram avec toi. Elle a changé ton nom et a repris le sien : Amandrine. Puis elle a épousé Alen, et ils t'ont élevé comme leur fils.

— Et mon véritable père ?

— Aubeline était ta mère et celle d'Ancolie. Mais l'homme avec qui elle fuyait les délivreurs, Louwis, qui est lui aussi mort cette même nuit, était le père d'Ancolie uniquement. Le tien avait déjà été assassiné par Malfred quelques mois plus tôt.

— Mes parents ont-ils été enterrés ? Est-ce qu'ils ont rejoint le sous-continent ?

— Ton père a été mis en terre à Jelvester. Mais Aubeline, je l'ignore... avait déploré la clairvoyante.

Trefflé avait rapporté toutes les paroles d'Amélisse à Amandrine. Les souvenirs de cette nuit terrible remuèrent profondément sa mère adoptive.

— C'était pour mettre un chou en sûreté qu'Aubeline est montée dans cet arbre, dit-elle à mi-voix. Ton amie Ancolie serait donc... ta demi-sœur ?

— Oui. Et Amélisse aussi, d'une certaine façon.

— Tu... Tu sais que j'ai pris soin de cette enfant après la mort de sa mère ?

— En te voyant dans mes souvenirs, Amélisse t'a reconnue. Elle n'a eu que de bons mots pour toi. Si elle n'avait pas dû s'envoler si vite pour Baltica, elle serait venue te voir.

Amandrine avait serré la main de son fils en retenant ses larmes.

— Je voudrais savoir ce qu'est devenu le corps de ma mère, avait dit Trefflé.

— Après t'avoir mis en sécurité à Isdoram, je suis retournée sur les lieux pour enterrer les corps. Ceux de Louwis et Malfred n'avaient pas bougé. Mais Aubeline n'était plus là.

— Est-ce que je l'aurais sauvée en la touchant ?

— Non, Trefflé. Tu as bien essayé, mais elle est morte.

En posant enfin la question qui l'avait gardée éveillée presque toute la nuit, Amandrine ramena Trefflé à la réalité.

— Cet elfe qu'Amélisse a suivi sur son continent, Heztor… est-ce quelqu'un de bien ?

— Le meilleur des hommes, maman. Ancolie te le confirmera. Elle le connaît depuis toujours.

— Je dois vous laisser, fit Clovis en avalant une dernière bouchée. Vos histoires de famille sont… disons… compliquées ! Je vais aller dire au revoir à Ancolie, puis je partirai pour Yasdolar. J'irai ensuite récupérer Ëlanie à Monkarm. Une fois que je l'aurai ramenée parmi les siens, il ne nous restera plus qu'à trouver l'aigue-marine et la perle.

— Toi, tu ne t'en vas nulle part ! s'objecta Ancolie en entrant dans la cuisine.

La jeune femme attachait sa ceinture de poignards autour de ses hanches.

— Tu dois me conduire auprès de Xanaël immédiatement !

— Ton ange est de retour sur le continent ? s'étonna Trefflé.

Clovis attira la jeune femme contre lui.

— Cette nuit, tu…

Ancolie se dégagea brusquement en foudroyant Clovis du regard, comme si le souvenir de ces heures passées ensemble ne lui inspirait que mépris.

— Ce matin, Xanaël est venu dans mes rêves. Les anges ont besoin d'aide. Bougez-vous !

Les amis de Xanaël connaissaient l'existence de Sibéria, mais aucun n'y avait jamais mis les pieds. L'ange lui-même n'avait que très peu de souvenirs de son peuple.

— Il se passe quelque chose de grave sur Sibéria ? demanda Trefflé.

— Je n'en sais rien, s'impatienta Ancolie. Je n'arrivais pas à bien entendre Xanaël. J'ai eu l'impression qu'il était très faible. Nous devons y aller sans tarder.

Amandrine ne posa pas de questions. Déjà, elle s'affairait à emballer ses maigres provisions pour les donner aux jeunes aventuriers.

— Et Élanie ? s'inquiéta Clovis.

— Voilà plus de trois ans que tu lui cours après, lui répondit Ancolie sèchement. Elle attendra bien quelques jours de plus. Va vite prévenir Laurian, Aymric et Élorane.

— Doucement ! fit Clovis.

Mais Ancolie était déjà dehors, Trefflé sur ses talons.

— Je te rappelle que tu ne peux pas voyager avec Clovis.

— Je sais ! Il n'a qu'à aller chercher Zaëlie à la cabane d'Alen. Elle m'emmènera sur Sibéria. Grâce au coujara, nous serons vite rendues.

— Commence par te calmer, insista Clovis en les rejoignant. Je vais d'abord aller voir ce qui se passe chez les anges.

Clovis pensa à Xanaël, puis disparut.

Trefflé se raidit.

— Devant la chaumière ! Quelqu'un aurait pu le voir. Décidément, tu lui fais faire n'importe quoi !

Les anges

Tout de suite après avoir songé à Xanaël, Clovis se retrouva dans un endroit sombre où des flammes crépitaient dans un foyer de pierre. Pendant que ses pupilles s'habituaient à la pénombre, une voix le pria de s'identifier. Le magicien s'avança vers le lit camouflé par un baldaquin de voiles blancs. Il entrouvrit les rideaux et se pencha vers l'ange alité. Xanaël était amaigri, à peine reconnaissable. Ses yeux gris étaient cernés comme s'il n'avait pas fermé l'œil depuis des lustres. Il avait la pâleur d'un fantôme.

— Xanaël, que se passe-t-il ? s'écria Clovis en tombant à genoux.

— Chandrile… articula l'ange d'une voix rauque, allez prévenir le roi de l'arrivée de mon ami.

Une femme sortit de l'ombre. Vu la taille de Xanaël, Clovis fut étonné de constater que la Sibérienne n'était pas plus grande que lui. Après avoir coulé un regard vers le visiteur, Chandrile quitta la chambre sans le moindre bruissement d'ailes.

— Ancolie dit que tu as besoin d'aide.

— Elle viendra ?

— Elle sera ici dans quelques jours. Elle t'aime toujours, tu sais.

Xanaël avait déserté Baltica de son plein gré trois ans plus tôt, mais Clovis avait tout de même le sentiment de l'avoir trahi.

— Tu te trompes, Clovis. C'est d'ailleurs pour ça que je suis dans cet état. J'ai vu qui habite ses rêves, et ce n'est plus moi.

— C'est pour cette raison que tu t'es manifesté ?

— Il y a longtemps que tu m'as remplacé, Clovis. Dès que vous êtes revenus ensemble de la chute aux Murmures, j'ai commencé à sentir une douleur au cœur. Et si je suis parti, c'est surtout pour qu'elle ne me voie pas souffrir.

— Et là, tu voulais lui faire tes adieux avant de… mourir ? bafouilla le jeune magicien, bouleversé par l'état de l'ange.

— Non. Si je vous ai appelé à l'aide, c'est parce que le roi Aménuel est désespéré. Sa fille, la princesse Anawëlle, s'est éteinte, et son âme est retenue prisonnière chez les dieux des profondeurs. Élorane doit tenter quelque chose.

— Élorane ? Les dieux des profondeurs ne parlent donc pas le même langage que nous ?

L'ange transpirait. Les quelques phrases qu'il venait de prononcer l'avaient déjà exténué.

— Ils nous comprennent très bien…

Xanaël s'arrêta un peu pour reprendre son souffle.

— Mais seule une fée saura les amadouer… ou leur faire entendre raison, poursuivit-il. Élorane est notre seul espoir.

L'ange gémit, s'efforçant de rester conscient.

— Si ces êtres capturent chaque âme qui trépasse, tous les anges… seront condamnés… à souffrir pour l'éternité.

— Tu ne dois pas mourir avant que cela soit réglé. Si tu veux, je me tiendrai loin d'Ancolie.

— Ça ne changerait rien, Clovis. Promets-moi plutôt… de prendre soin d'elle.

— Ça risque d'être difficile. Si tu venais à mourir, elle serait bien capable de m'accuser de t'avoir assassiné !

L'ange esquissa un sourire.

— C'est pourquoi elle ne doit pas connaître… la source de mon mal. Tu lui diras seulement que j'ai été emporté… par la même maladie que la princesse. Une faiblesse au cœur. C'est le lot de beaucoup d'anges.

— Repose-toi. Je vais chercher Élorane et les autres.

— Merci, Clovis.

Le magicien posa sa main sur l'épaule de l'ange. Xanaël s'y cramponna quelques instants, puis s'endormit.

Quand Xanaël avait mis le pied sur Sibéria, la maladie le rongeait déjà, même si cela ne paraissait pas encore. Le voyage avait aussi contribué à l'affaiblir. Amené devant le roi Aménuel, celui-ci avait tout de suite su qui il était.

— Xanaël, c'est bien toi ?

— C'est bien mon nom, Majesté.

— Liomel, allez prévenir Hübel et Jiolaine sans tarder !

— Qui sont-ils ?

— Tes parents ! Ta disparition leur a causé une telle douleur…

— Comment me suis-je retrouvé sur un autre continent ?

— Ton père et ta mère pensent que tu t'es aventuré dans le cratère du volcan et qu'un dieu des profondeurs s'est emparé de toi. Il t'aurait obligé à voler très loin d'ici. Tu n'avais que sept ans… Mais quelle joie de te revoir aujourd'hui !

Le roi avait attiré Xanaël dans ses bras, coupant court à ses questions.

— Ne t'inquiète de rien ! Tes parents vivent ici, au château, et tu y es le bienvenu ! Quel séduisant jeune homme tu es devenu !

Anawëlle s'était éprise de Xanaël au premier regard. Mais le cœur du bel ange n'était pas à prendre…

Avant de quitter Ancolie, Xanaël lui avait dit que les anges n'aimaient qu'une fois. L'humaine avait répliqué que l'amour qu'il lui vouait n'était peut-être rien à côté de celui qu'une Sibérienne pourrait lui inspirer. Mais elle avait tort. Incapable d'oublier Ancolie, Xanaël avait rapidement dépéri.

Les jours où le père et la mère de Xanaël ne pouvaient pas se rendre à son chevet, la princesse Anawëlle s'en chargeait. Mais le roi mit rapidement fin à ces visites. « Ma fille, détache-toi de lui pendant qu'il est encore temps », lui répétait-il souvent.

C'était donc le roi Aménuel lui-même qui allait tenir compagnie au malade dans sa chambre. Il se passionnait pour les récits de Xanaël sur les elfes, les sirènes et les humains. Un jour, l'ange lui parla de la jeune femme qu'il aimait. Puis, l'état de Xanaël s'était aggravé, et il n'avait presque plus ouvert la bouche.

Le dément

LE VILLAGE SACCAGÉ de Gwerozen avait été laissé à l'abandon. Les survivants étaient partis pour aider à la reconstruction d'Esmarok et de Sylvarion, partiellement détruits par les loups de Chad, puis s'y étaient établis. Les morts avaient vite été enterrés, et les cadavres des loups et des animaux domestiques avaient servi de pâture aux charognards de la forêt.

La rumeur disait que Gwerozen avait subi un tremblement de terre. Les plus superstitieux croyaient même que c'était les magiciens morts qui avaient fait frémir la terre depuis le sous-continent, manifestant ainsi leur colère en réaction à la réapparition des délivreurs. Mais c'était bien une plante, jaillie du ventre d'une cigogne, qui avait tout ravagé.

Après avoir aidé les hommes à se reproduire en apprenant aux siens à déterrer et à distribuer les graines de choux, Huk avait vu les humains proliférer exagérément. Du coup, son peuple avait été repoussé au fin fond des marécages. La cigogne en voulut alors aux fées qui l'avaient incité à provoquer ce déséquilibre. Pourtant, en échange de ses services, les fées l'avaient rendu immortel. Si Huk, dont la dernière identité avait été celle du deuxième-plume Nil, était à l'origine de l'alliance entre les hommes et les cigognes, il était aussi la cause de la guerre qui déchirait aujourd'hui ces deux peuples.

Jusqu'au jour de sa destruction, on trouvait à Gwerozen le seul asile du nord du continent. Il était un peu en retrait du village, sur le versant sud de la montagne. Cette grande bâtisse abritait les quelques orphelins et les vieillards dont personne ne voulait s'occuper, ainsi que de pauvres hères qui avaient perdu l'esprit.

Lors de l'effondrement du bâtiment, presque tous ses résidants furent expédiés dans l'autre monde. Aussi avait-il été reconstruit sur le même flanc de montagne, mais sur le territoire d'Esmarok. Les enfants du nord ayant tous au moins onze ans, il n'y avait guère d'orphelins dans ce nouvel asile. Cependant, les fous, eux, arrivaient en grand nombre, comme si la folie était désormais contagieuse. Même que certains venaient de leur propre chef cogner à la porte de l'établissement, se disant perturbés par des êtres mystérieux ou des phénomènes inexpliqués.

Parmi les internés, le plus atteint avait été trouvé dans les montagnes puis traîné de force à l'asile. Appréhendé alors qu'il errait de village en village, il clamait à qui voulait l'entendre qu'il avait vu des félins plus gros que des ours quitter Gondwana en volant au-dessus d'Aqua. Il jurait que ces créatures étaient des sorciers qui pouvaient se métamorphoser en animaux, et qu'ils reviendraient un jour pour anéantir les hommes. « Et les loups sont de leur côté ! » répétait ce dénommé Dénis à longueur de journée. « Quand les sorciers seront de retour, ce sera la fin du monde, vous m'entendez ? Je suis le seul à voir clair dans leur jeu ! Libérez-moi ! Je dois regagner leur antre pour empêcher le dragon d'en sortir ! »

Le dément se débattait, tel un blaireau enragé, sur la chaise où il était ligoté en permanence. Avant qu'il ne la renverse et ne s'ouvre le crâne une fois de plus, une femme en uniforme gris s'approcha avec une tasse fumante. Chaque fois que Dénis évoquait le dragon, on l'obligeait à boire cette tisane infecte. La plupart du temps, cette décoction le réduisait au silence.

Aujourd'hui, Dénis était particulièrement bavard. Il prit une gorgée qu'il recracha au visage de la femme. Il éclata d'un rire sardonique, propre à faire frémir même les plus fous d'entre eux. Il dévoilait ainsi ses dents noires et crispait de façon grotesque la moitié de visage qui lui restait. L'autre n'était que chair à vif, un amas de cicatrices mal guéries, séquelles d'une bagarre avec un loup. Un de ses yeux avait aussi été abîmé, et tremblait sans cesse dans son orbite.

Chaque fois que Dénis croisait son propre reflet, son visage mutilé lui rappelait que cette fois-là non plus, on ne l'avait pas écouté. On l'avait même accusé de sorcellerie, puis chassé de Yasdolar. On disait qu'il était un loup-garou, lui, Dénis d'Esmarok, alors qu'il s'efforçait de sauver les âmes de tous ces mécréants !

Nombreux étaient ceux qui avaient vu le dragon dans cet endroit maléfique où il les avait conduits. Certains étaient morts piétinés ou écrasés contre les parois de la grotte quand tous avaient voulu fuir le monstre. Pourtant, nul ne prenait son histoire au sérieux. Le pelage caméléon des bêtes ailées se confondait certes avec la couleur du ciel, mais il n'était sûrement pas le seul à les avoir vues partir vers le nord. Ces sorciers se comptaient par centaines ! Pourquoi personne n'intervenait pour confirmer qu'il disait vrai et exiger sa libération ?

— Dénis d'Esmarok n'a peur de personne ! hurla-t-il à la face de deux hommes qui venaient prêter main-forte à l'aide-soignante.

Une fois encore, on lui fit boire la potion de force. Il arrêta de se démener, et l'asile devint presque silencieux. Mais le délire ne cessait jamais de tourmenter l'esprit de Dénis.

—Je dois empêcher le dragon de rugir, maugréait-il dans son coin.

Dénis ignorait qu'on allait bientôt s'en charger à sa place.

Les anges

Clovis allait sortir de la chambre de Xanaël, quand un homme d'âge mûr aux longs cheveux blonds y pénétra. Il portait une jupe blanche qui lui allait jusqu'aux genoux, une cape et une couronne sertie de diamants. Un médaillon en forme d'étoile pendait à son cou et reposait contre son plastron d'or.

— Vous êtes un humain ? demanda l'ange d'emblée.

— Et un ami de Xanaël.

— Je suis le roi Aménuel. Vous avez fait vite. Je suppose que vous êtes le magicien qui peut se déplacer d'un endroit à un autre.

— Oui…

— Laissez-moi un moment, puis venez me rejoindre à mes appartements.

Le roi freina son vol en voyant la porte de fer devant laquelle se tenaient deux anges veilleurs. Ils avaient le corps droit, les ailes soulevées et à demi déployées. L'un des gardiens se déplaça vers la droite et l'autre vers la gauche, ouvrant la double porte d'un même mouvement. Le souverain venait de s'asseoir dans un fauteuil de cuir blanc quand Clovis apparut face à lui.

La pièce était étroite et chaleureuse. Il ne se trouvait rien d'autre en son centre que deux fauteuils incrustés de topazes et, entre les deux, une petite table fabriquée d'un alliage de fer et d'or, sur laquelle reposait une clochette dorée. Dépouillé, l'endroit n'en était pas moins somptueux.

— J'aurais pu marcher à vos côtés, dit le magicien.

— Marcher prend du temps, répondit le roi de Sibéria, et nous n'en avons pas. Aujourd'hui, tous les anges qui meurent sont condamnés à souffrir éternellement. Mais assoyez-vous, je vous en prie.

Clovis s'exécuta, et Aménuel lui expliqua en quelques mots le drame qui secouait son continent.

— Après leur décès, les anges ne vont-ils pas sur Rhéïqua, le domaine des morts ?

— Le sous-continent n'est pas un endroit pour les anges ! répliqua Aménuel, indigné. Et encore moins pour une princesse ! L'âme de ma fille Anawëlle doit se rendre dans l'espace étoilé, au-delà des nuages.

— Et… quel est le problème ?

— Les dieux de l'au-delà attendent son âme, mais ceux des profondeurs la retiennent. Ils ont trahi notre confiance.

L'incompréhension surgit de nouveau sur le visage du Gondwanais. Le roi des anges saisit la clochette et l'agita. Aussitôt, un serviteur se présenta avec une carafe remplie d'un liquide transparent. Il remplit deux coupes, les tendit au roi et à son invité, puis s'éclipsa.

— À l'origine, ceux qu'on appelle les dieux habitaient tous un lieu secret du ciel. La paix régna dans leur monde jusqu'au jour où, il y a peut-être un millier d'années de cela, une dizaine d'entre eux voulurent s'emparer du territoire des vivants.

— Les dieux ne sont donc pas vivants ? le coupa Clovis.

— Oui et non… Ce sont des magiciens immortels. Salvarus, leur maître, refusa qu'un projet aussi fou soit mis à exécution. Menaçant de n'en faire qu'à leur tête, les dieux qui complotaient furent jetés hors du ciel. Ils tombèrent de si haut qu'ils traversèrent Aqua et atteignirent les profondeurs de la terre.

— À quoi ressemblent ces dieux de l'au-delà ?

— Ce sont des êtres de chair, de sang, mais aussi de lumière. Ils n'ont pas d'ailes, mais ils pratiquent la lévitation.

— Les dieux des profondeurs aussi ?

— Cela leur est désormais impossible, et c'est là un de leurs problèmes. Après leur chute, ils ne se sont plus manifestés pendant des siècles. Les dieux de l'au-delà ont même fini par les croire morts. Ils ne l'étaient pas, seulement ils n'avaient aucun moyen de s'extraire de terre.

Le roi se leva et s'avança à sa fenêtre, pointant la bouche béante du volcan qui s'ouvrait aux pieds du château.

— Lors de l'exil des magiciens, Sibéria a dérivé jusqu'au-dessus du territoire des dieux des profondeurs. Maintenant, ils peuvent émerger de terre par la mare de lave qu'il y a tout au fond de ce cratère. Ils rassemblent leurs forces en les tirant de la chair des morts que nous leur fournissons et dont ils se nourrissent. Ils se reproduisent entre eux et seraient aujourd'hui plus d'une centaine. Ces créatures n'ont qu'un objectif, retourner au ciel. D'ailleurs, ils nous ont longtemps harcelés pour qu'on les y conduise.

— Avez-vous cédé ?

— Les anges ne peuvent pas franchir les nuages. Au-delà, il nous est impossible de respirer.

— Mais ne craignez-vous pas qu'ils sortent du cratère pour vous envahir ?

— Les dieux de l'au-delà leur ont jeté un sort. Ceux des profondeurs ne peuvent s'extirper de la mare de lave que si un mortel les touche, ce que j'ai évidemment interdit à mon peuple.

— Et pourquoi ces dieux gardent-ils l'âme de la princesse prisonnière ?

— C'est une longue histoire… Il y a trois siècles, lorsque la montagne de Sibéria s'est immobilisée ici, les dieux de l'au-delà seraient venus souhaiter la bienvenue à nos ancêtres. C'est là qu'ils auraient proposé, en bons voisins, de prendre avec eux les âmes des morts dans l'espace étoilé. Puis, ils auraient dit aux Sibériens qu'il fallait se méfier de ce qui pouvait jaillir du volcan.

— Les dieux de l'au-delà sont revenus vous voir, depuis ?

— En de rares occasions. À l'époque, les dieux des profondeurs avaient tout de suite compris que s'ils parvenaient à monter dans ce cratère, ils finiraient par atteindre l'air libre. Peu de temps après, ils ont effectivement appelé nos ancêtres depuis la mare de lave du fond du volcan. Les Sibériens ont bien essayé d'ignorer leurs cris, mais ils vociféraient à toutes heures du jour et de la nuit. Une première expédition a donc été organisée. Quand Axoriël et ses hommes sont arrivés jusqu'à eux, leur chef, Barchelas, a décrété que les âmes des anges défunts rejoindraient le ciel si les dépouilles leur étaient livrées. Sinon, ces âmes seraient aspirées jusque dans les profondeurs et brûleraient éternellement.

— Vous ne leur avez pas remis le corps de la princesse ?

— Oui, mais pour chaque mort, ils exigent aussi de recevoir un cygne.

— Un cygne ?

— Ils s'imaginent, je suppose, que la chair de ces oiseaux leur fera un jour pousser des ailes. L'ennui, c'est qu'il ne reste plus l'ombre d'un cygne sur Sibéria et que les dieux déchus refusent de les voir remplacer par d'autres offrandes, comme le harfang des neiges que nous leur avons proposé aux funérailles de ma fille. Barchelas en a été profondément offusqué. C'est pourquoi il retient encore son âme.

— Le sort de votre fille est préoccupant. Mais pour les anges qui mourront dans le futur, Rhéïqua ne serait-il pas un lieu convenable pour le repos de leurs âmes ?

— Que savez-vous du domaine des morts, jeune homme ? rétorqua le roi de Sibéria en regagnant son fauteuil. Est-ce réellement un endroit beau et paisible ? Connaissez-vous quelqu'un qui en soit revenu ?

— Eh bien, oui ! La femme d'un ami. C'est, je crois, très agréable.

— Agréable ? se vexa Aménuel. Qu'ai-je à faire d'un endroit agréable, quand l'espace étoilé est fabuleux ! Tout y est lumineux. C'est une éternité d'extase qui attend mon peuple là-bas.

— Vous connaissez quelqu'un qui en soit revenu ? le taquina Clovis.

— De l'espace étoilé ? Bien sûr que non ! Qui voudrait quitter un lieu pareil, ne serait-ce que le temps d'un battement de cœur ?

— Vous n'êtes donc certain de rien !

— Les dieux de l'au-delà nous ont toujours décrit le ciel ainsi.

— Et qui vous dit qu'ils ne sont pas aussi fourbes que ceux d'en bas ?

— Xanaël m'avait prévenu que les humains posaient beaucoup de questions.

— Vous servez un peuple dénué de pitié pendant toute votre vie dans le but d'intégrer, à votre mort, un endroit dont vous ne savez rien du tout ?

— C'est long, l'éternité, Clovis. Les anges ont choisi de croire qu'elle pouvait receler quelque chose d'extraordinaire. Mais pour l'instant, l'âme de ma fille brûle dans les profondeurs. Chaque seconde compte. Aurons-nous l'aide de votre peuple ?

— Et pourquoi les dieux de l'au-delà ne vous portent-ils pas assistance ?

— Ces dieux ont la faculté de voir ce qui se passe dans notre monde, mais encore faut-il qu'ils y jettent un œil… Il y a plus de dix ans que Salvarus n'est pas venu nous rendre visite. Nous ne pouvons pas attendre que l'envie lui en prenne.

— Avez-vous une idée des pouvoirs que possèdent les magiciens des profondeurs, roi Aménuel ?

— Ils sont nombreux, j'en ai bien peur. En les chassant de chez eux, les dieux de l'au-delà ont voulu les en priver, mais ils n'ont réussi qu'à les modifier. Salvarus prétend que les dieux déchus seront immortels aussi longtemps qu'ils resteront dans leur monde. S'ils entraient dans le nôtre, ils finiraient, au bout d'un certain nombre d'années, par perdre leurs pouvoirs, vieillir, puis mourir. Aussi, ils savent toujours où trouver la personne qu'ils cherchent.

— Vous voulez dire qu'ils se déplacent d'un endroit à l'autre, comme moi ?

— Leur pouvoir est plus grand encore, Clovis. Seules des chaînes forgées dans un alliage d'or, d'argent, de fer, de titane et de diamant noir sont aptes à les empêcher d'aller et venir à leur guise. Ils possèdent aussi une mémoire phénoménale. Ils ont beau vivre depuis des siècles, ils se souviennent de tout. Et ils voient dans le monde des morts. De plus, vous n'aurez jamais aucun secret pour un dieu, car il peut, s'il le désire, s'introduire dans votre corps et dans vos pensées. S'il est très fort, il prendra même possession de votre esprit. Et lorsqu'un amour naît dans le cœur d'un dieu, rien ne saurait le rendre impossible. Vous savez, Clovis… Clovis ?

Mais Clovis avait disparu.

Les cigognes

Les corbeaux tenaient à préserver la magie des humains. C'est pourquoi deux ans plus tôt, alors que les cigognes venaient d'être capturées, un de ces oiseaux noirs, sous les ordres du chef de la vigie, avait conduit Élorane et Clovis à mi-chemin entre la cabane d'Alen et la grotte de Drugo. Le temps qu'ils y arrivent, la volière avait déjà été construite et les activités des Mélориens allaient bon train. Petite comme un papillon, la fée s'était faufilée sur ce territoire pour proposer son aide aux cigognes.

— Pour que les hommes vous laissent en paix, il serait sage de vous remettre à leur service, avait-elle recommandé à Onès.

Le chef des rebelles refusait d'en discuter. Élorane avait volé d'un cageot à l'autre, mais tous les échassiers lui tournaient le dos.

— Où est la cigogne qui a planté le dernier chou du sud ? s'était renseignée la fée, persuadée que l'oiseau qui avait autrefois défié son propre peuple serait prêt à l'écouter.

— Ramaq est morte ! avait craqueté un grand mâle en se jetant contre les barreaux de sa cage. Elle a été tuée alors qu'elle s'efforçait d'éloigner les hommes de la réserve de graines !

— Calme-toi, Rulik, avait glottoré sa voisine de cellule. Tu vas te blesser.

Afin que sa magie atteigne assez de puissance pour amadouer les cigognes, la fée aurait dû prendre sa taille humaine, mais la volière était trop bien gardée pour qu'elle s'y risque. Elle était donc retournée auprès de Clovis, à l'affût dans les fourrés. Puis, tous deux étaient réapparus dans la cabane d'Alen, où leurs amis les attendaient.

— Les cigognes ne veulent plus être mêlées aux affaires humaines, leur avait rapporté Élorane. Même celles de la contre-armée.

— Nous devrions quand même essayer de les libérer, avait dit Aymric.

— Non ! s'était opposé Laurian. Elles ne tarderaient pas à se faire massacrer. Nous ne mettrons ni nos vies ni les leurs en danger. Le maître-régnant d'Isdoram n'a pas tenu parole. Il a profité de l'information que je lui avais donnée pour capturer les cigognes et s'enrichir aux dépens de tous. C'est un homme fourbe, mais il est rusé, et tout Isdoram est derrière lui.

— Micolas et Némossa pourraient nous aider en ensorcelant les soldats le temps qu'Élorane négocie avec les cigognes, avait suggéré Aymric.

— Nos pouvoirs ne suffiront pas à envoûter tous ces bandits ! l'avait contredit le sirène.

Némossa s'était énervée.

— Vous devriez être en train de chercher ma fille !

— Elle a raison, avait renchéri Laurian. Les bébés ne sont-ils pas revenus sur le continent ? Nous avons plus urgent à régler.

— Tu te réjouis de ce qui arrive, non ? avait demandé Aymric à son père. Je sais que maman a été tuée par une cigogne, mais…

Laurian avait interrompu son fils d'un geste agacé, puis Trefflé avait tranché :

— Ramenons d'abord Ëlanie et Yazmine chez elles. Nous verrons ensuite ce que nous pouvons faire pour les cigognes.

Depuis quelques jours, un nouveau venu avait enfilé l'uniforme des employés de la volière de Méloria, un pantalon marron et une longue veste vert sombre permettant de se fondre dans la forêt. Les Méloriens comptaient plusieurs soldats ainsi que des protecteurs. Tout ce qui distinguait les civils des soldats était un petit insigne d'étain accroché à la veste de ces derniers.

Celui qui venait d'être engagé était un homme dans la vingtaine. Il avait été affecté à une tâche qu'on réservait aux protecteurs débutants : ramasser les déjections de cigognes. Il ne s'en était pas offusqué. Comme s'il avait un plan derrière la tête, Colim souriait la plupart du temps d'un air narquois.

— Ce gars-là prépare quelque chose, grommela Weliot en lorgnant vers lui.

Il avait le nouveau à l'œil depuis son arrivée.

— Cesse de te préoccuper de Colim, lui conseilla Yanni en s'envoyant une claque derrière la nuque, importuné par des moustiques invisibles. Tu sais à quoi s'expose un type qui vole une cigogne ? Si ce crétin veut finir au bout d'une corde, c'est son problème.

Parfois, des Méloriens corrompus vendaient des cigognes à des malfaiteurs, qui les négociaient ensuite sur le marché noir. Les soldats pris la main dans le sac étaient aussitôt renvoyés ou emprisonnés. Mais les Méloriens qui n'avaient d'autre titre que celui de protecteur, à l'instar de Colim et Yanni, risquaient tout bonnement d'être pendus.

De plus, on enlevait, sans autre forme de procès, leur progéniture aux parents soupçonnés d'avoir un bébé de contrebande. Celui-ci était alors vendu au plus offrant. Il valait évidemment bien moins cher qu'un enfant légitime, car la plupart des hommes et des femmes préféraient cultiver eux-mêmes, et dans leur propre potager, un petit à leur image.

— C'est notre travail de protéger les cigognes, répliqua Weliot.

Pour une raison qui lui échappait, Yanni balayait l'air de ses bras.

— Protéger les cigognes ? ricana ce dernier. Tu prends tes tâches beaucoup trop à cœur.

Soudain, Yanni se figea. Il frissonnait, et Weliot vit ses yeux se remplir de crainte.

— Yanni ?

Mais le malaise passa et Yanni redevint aussi nonchalant et cynique qu'à l'habitude.

— Weliot, le travail à la Méloria n'est qu'une façon de gagner notre croûte. Nos patrons sont une bande de criminels au même titre que ceux qui essaient de les flouer. Regarde ce pauvre bougre.

Yanni pointa le corps d'un homme d'une quarantaine d'années qui pendait au bout d'une corde.

— Quand ce gars-là s'est marié, la guerre avec les cigognes était sur le point de commencer. Comme bien d'autres couples, sa femme et lui n'ont jamais pu avoir d'enfants. Ils y avaient renoncé, jusqu'à ce que des centaines de cigognes dispersent des graines de choux sur les villages du sud.

— Qu'est-ce que tu racontes ?

— L'armée a caché cette information aux villageois, Weliot, mais certains ont compris ce qui se passait. Les cigognes étaient prêtes à faire la paix et à reprendre du service, mais c'est par une pluie de flèches que les soldats leur ont répondu.

— D'où tiens-tu cela ?

— J'ai mes sources.

— Même si c'était vrai, qui pourrait en vouloir aux soldats ? Personne n'aurait pu prévoir cette volte-face !

— Je te l'accorde. Mais après s'être aperçus de leur méprise, les soldats ont continué à décocher des flèches aux oiseaux. Ils les ont même pourchassés jusque sur leur territoire, où ils découvrirent les graines de choux. Puis ils ont capturé les cigognes qui se trouvaient là et toutes celles qu'ils débusquèrent ensuite. Si au moins ces hommes distribuaient les graines gratuitement, mais non, ils les font payer un prix qui ruinerait un riche commerçant !

Yanni se tut un moment, se pencha et saisit un crapaud brun à peine visible dans la terre. Il le tendit à une cigogne, qui n'en fit qu'une bouchée. Devant la forme gesticulante du batracien qui glissait dans le long cou de l'oiseau, Weliot grimaça de dégoût. Yanni releva les yeux vers le pendu.

— Cet homme n'a réclamé qu'une seule graine au général Guychel. Il était prêt à payer sa dette en travaillant pour la Méloria. Mais il a essuyé un refus. Il est donc reparti en direction de chez lui. Sur son chemin, il a croisé une cigogne évadée. Une chance, a-t-il cru. Mais quelques minutes plus tard, il était pris avec l'oiseau et condamné à mort. Viens par ici !

Yanni empoigna son ami par le bras et le mena jusqu'à un autre supplicié, celui-là un rouquin dans la trentaine.

— Tu veux connaître son histoire, à lui aussi ?

— Non.

Yanni agrippa les cheveux de Weliot, l'obligeant à regarder le mort.

— Cet homme s'appelait Fredard de Sylvarion, cracha-t-il. Ses deux filles ont disparu lorsque les loups se sont mis à attaquer les villages du nord. Fredard s'est dit qu'un bébé les aiderait, sa femme et lui, à reprendre goût à la vie. Il a vendu sa chaumière et donné tout ce qu'il possédait aux Méloriens en échange d'une graine. Jugeant ses cinq diamants insuffisants, nos patrons ont tout de même gardé les pierres et prié Fredard de revenir quand il en aurait trois de plus. Je t'épargne la suite.

Yanni relâcha Weliot pour caresser une cigogne à travers les barreaux.

— Pourquoi cajoles-tu ces oiseaux comme s'ils étaient des nouveau-nés ? explosa Weliot. Ce sont nos ennemis !

Sur ces mots, il frappa la cage, arrachant un craquètement à la cigogne.

— Des ennemis que tu te vantais à l'instant de protéger, le railla Yanni. Réveille-toi, Weliot ! Nos ennemis, ce sont ceux qui sont à la tête de la Méloria. Tu ne joues pas au soldat, tu es un soldat ! Ton rôle est d'empêcher tous les pauvres gens comme Fredard d'être assassinés !

— Je devrais rapporter tes propos au major sur-le-champ !

— Tu es vraiment un bêta de la pire espèce, Weliot d'Isdoram ! En réalité, ta place est ici. Mais un jour, quelqu'un viendra demander des comptes aux Méloriens. Tu auras bien de la chance si tu ne finis pas de la même façon que tous ceux que tu auras laissé mourir au bout d'une corde !

— Toi, où seras-tu ce jour-là ? se rebiffa Weliot. Et comment sais-tu autant de choses ? Tu n'es qu'un protecteur !

—Je te l'ai dit, j'ai mes sources, fit Yanni à voix basse.

— Hé ! Vous deux ! les semonça un sous-officier en marchant vers eux, l'air contrarié. Que faites-vous là ? Pourquoi avez-vous quitté votre poste ?

—J'ai entendu un bruit, mentit Yanni. Ce n'était qu'un raton laveur.

— Nous y retournons tout de suite, caporal, enchaîna Weliot.

— Inutile, je vous ai déjà remplacés. Décrochez-moi plutôt ce voleur, leur ordonna-t-il en frappant le corps de Fredard de son arc. Enterrez-le avant qu'il ne se mette à empester. Qu'il ne rate pas le départ pour Rhéïqua. Vous ne voudriez quand même pas qu'il revienne nous hanter, n'est-ce pas ?

Weliot s'empressa de répondre.

— Bien sûr que non, caporal.

À la nuit tombée, Yanni creusait toujours. Weliot pestait contre son ami, qui lui avait embrouillé les idées, et se contentait de soulever une pelletée de terre ici et là. Curieusement, Yanni ne semblait pas contrarié de se taper tout le boulot. Il y mettait même un zèle inhabituel.

— Quoi ? lâcha-t-il en se braquant vers Weliot.

—Je n'ai pas ouvert la bouche.

Yanni fouilla les environs des yeux, puis jugeant la fosse assez profonde, il y descendit en traînant la dépouille de Fredard. C'est alors que les cheveux de Weliot se dressèrent sur sa nuque. Un nuage de brume blanche avait suivi Yanni jusque dans le trou. Il chuchotait. Weliot ne comprenait pas les mots qu'il disait. Une fois le cadavre recouvert de terre, Weliot arracha la pelle des mains de Yanni, bien décidé à regagner la Méloria au plus vite.

En se retournant pour voir si son ami lui avait emboîté le pas, Weliot constata que le nuage de brume s'était dissipé. Mais Yanni n'avait toujours pas bougé. Il sondait la nuit, comme s'il cherchait quelqu'un. Il parlait aussi. Et cette fois, Weliot entendit très bien ses paroles.

— Ça y est, les filles, votre père est enterré. Allez-vous me laisser en paix, maintenant ?

Alors que rien, ni feuille ni branche, n'ondoyait dans les arbres, les cheveux blonds de Yanni s'agitèrent, comme si le vent venait de s'y engouffrer.

Les hommes

SUR LE TERRITOIRE des loups du sud, dans une petite grotte non loin d'Isdoram, Aymric était étendu contre Viko, comme si son frère loup avait été un gros oreiller. Fani et leurs louveteaux somnolaient aussi. En compagnie de Laurian et d'Élorane, ils attendaient le retour de Trefflé et d'Ancolie. Les humains et la dernière des fées projetaient de se rendre à Adjudor, où des livres de magie avaient apparemment été sauvés de la destruction et mis à l'abri quelque part dans le village. Peut-être contenaient-ils quelques informations sur les précieux joyaux ?

Soudain, les oreilles de Fani se redressèrent, pour s'abaisser aussi vite. Clovis et Trefflé venaient d'apparaître. Quittant la chaleur de la louve albinos, trois petites boules de poils, deux grises et une noire, se précipitèrent vers eux pour les accueillir. Clovis prit les louveteaux dans ses bras. Après avoir été assailli par leurs coups de langue affectueux, il rendit Mia, Rok et Canik à leur mère.

Laurian salua son ancien élève, qu'il n'avait pas vu depuis des semaines.

— Y a-t-il des développements dans l'affaire de la petite sirène ? se renseigna-t-il.

— Je suis sur une piste, dit Clovis. J'ai bon espoir de la retrouver à Monkarm. Mais je dois d'abord vous transporter sur Sibéria.

— Sur Sibéria ? répéta Laurian, que plus rien n'étonnait. Les joyaux seraient-ils là ?

Le professeur, qui avait toujours eu l'air particulièrement jeune, paraissait aujourd'hui un peu plus vieux que ses trente-quatre ans. Des rides entouraient ses yeux, rendant son visage grave. Dix ans après avoir perdu son épouse, Laurian était enfin tombé amoureux d'une autre femme. Mais on la lui avait arrachée. Depuis, il semblait souvent absent. On aurait pu croire qu'il était lui aussi captif d'Éliambre, l'île des sirènes.

— Les anges ont de graves ennuis, répondit Clovis.

— Nous allons sur Sibéria ! s'emballa Aymric. Enfin un peu d'action !

— Te réjouirais-tu du malheur des anges ? le questionna Élorane en fronçant ses sourcils roses. Nous essayons déjà d'éviter une guerre entre les elfes et les sirènes !

— Nous ? Mais c'est sur *toi* que repose le sort du monde, petite !

— Ne m'appelle pas comme ça, grimaça la fée.

En trois ans, Aymric avait beaucoup grandi. Élorane, qui aurait toujours l'apparence d'une fillette de dix printemps, lui arrivait tout juste aux épaules. Les cheveux du garçon descendaient le long de son cou en vagues brunes, tout comme ceux de son père. À bientôt quinze ans, Aymric n'avait plus rien de l'enfant maigrichon qui vivait parmi les loups. Il ressemblait de façon frappante à Laurian.

— Xanaël est entré en contact avec Ancolie, leur apprit Clovis. D'ailleurs, elle vient de partir pour Sibéria sur le dos de Zaèlie.

Laurian se renfrogna. Il n'aimait pas que ses compagnons empruntent les corps peu discrets des animaux disparus, alors que des humains étaient susceptibles de les apercevoir. Mais il ne fit aucun commentaire.

— Tu sais ce qui se passe là-bas ? demanda-t-il à Clovis.

— J'ai fait un saut sur Sibéria. Xanaël est gravement malade.

— Qu'a-t-il ? s'attrista Élorane.

— Un problème au cœur. Il y a toujours eu plusieurs victimes de ce mal sur Sibéria. La princesse des anges vient même d'en mourir. J'ai rencontré le roi Aménuel. Si Xanaël rend l'âme prochainement, il pourrait bien souffrir dans les flammes du fin fond de la terre pour l'éternité.

Clovis expliqua à ses amis quels malheurs frappaient le continent de neige, puis il dressa un portrait détaillé des magiciens qu'ils auraient peut-être à affronter.

— Ces pouvoirs ne vous évoquent rien ? les interrogea-t-il ensuite.

— Devraient-ils ? fit Aymric.

— Ils ressemblent à ceux des joyaux ? suggéra Élorane.

— Oui ! s'exclama Clovis. Les dieux peuvent tout connaître de nos secrets, alors que le coquillage d'or nous a révélé le sien. Ces puissants magiciens se déplacent comme bon leur semble, tandis que la pierre d'étoile nous a montré l'endroit que nous voulions atteindre. Aucun souvenir n'échappe à ces dieux...

— ... et l'ambre est une pierre de mémoire, le coupa Trefflé.

— Oui ! De plus, quand un de ces immortels ressent de l'amour pour quelqu'un, ce sentiment devient aussitôt réciproque et impérissable.

— L'aigue-marine garde un amour vivant à jamais... se rappela Élorane.

— Et ces créatures arrivent à voir dans le monde des morts, compléta Clovis.

— La perle permettrait donc de voir dans un autre monde... comprit Aymric. Les pouvoirs des joyaux d'Éliambre sont ceux que possédait Marwïna. Elle les a emprisonnés dans ces objets pour les léguer à son peuple.

— C'est bien ce que Cyprin m'a raconté, acquiesça Élorane. L'ancêtre des sirènes avait donc les mêmes facultés que les dieux…

— Voilà ! s'écria Clovis, triomphant.

— Attention, intervint Trefflé. Ces dieux savent-ils voyager dans le temps comme le faisait Marwïna ?

— Je ne sais pas… J'étais si excité d'avoir découvert ce lien entre les joyaux et les dieux que j'ai quitté Sibéria alors que le roi parlait encore. Mais cela ne peut être qu'une simple coïncidence.

— Je suis d'accord, approuva Trefflé.

Laurian n'avait pas pris part à la conversation.

— Professeur ? le héla Clovis.

L'homme secoua la tête.

— Qu'est-ce que vous vous imaginez ? grogna-t-il à ses anciens élèves. Que les anges ou ces mystérieux magiciens qu'on appelle des dieux nous aideront à mettre la main sur les deux joyaux manquants ?

— C'est probable, dit Clovis.

Devant l'air perplexe de Laurian, Trefflé renchérit :

— C'est une piste ! Ici, nous tournons en rond. Personne n'a revu Armand depuis ce fameux soir où les parents de Clovis ont été assassinés, et sans l'aigue-marine, inutile d'espérer trouver la perle.

Si Trefflé était suffisamment convaincant, le professeur, qui ne rêvait que du jour où il reverrait la reine des elfes, accepterait de les accompagner là-bas.

— Nous avons déjà une piste, le contredit Laurian. Les livres de magie d'Adjudor contiennent peut-être des informations sur les joyaux.

— Vous y croyez vraiment ? Et si cela n'était qu'un piège tendu par des délivreurs pour capturer des magiciens ?

— Xanaël nous a demandé notre aide, s'impatienta Élorane en glissant sa main dans celle de Clovis. Partons pour Sibéria.

Aymric ramassa son sac et saisit l'autre main du magicien. Puis il se tourna vers son frère loup. Depuis que Viko était venu lui apprendre la mort de leur mère Miacisse et de son compagnon Malrok, ils ne s'étaient guère quittés. Chad et ses mercenaires ayant été tués le même jour, alors qu'ils s'apprêtaient à foncer sur les habitants de Gwerozen, les attaques des loups contre les hommes étaient devenues choses du passé. Mais un loup tuait maintenant en solitaire. Celui-là s'en prenait à ceux de sa propre race. Les loups l'appelaient l'Égorgeur, car il ne tuait que de cette façon. Il faisait durer les combats, même s'il était évident que ses victimes n'avaient aucune chance contre lui. Il s'amusait à les torturer avant de les achever en leur ouvrant la gorge et en les laissant se vider de leur sang. Quelques loups l'avaient surpris à l'œuvre, entre les branches, mais aucun n'avait pu l'identifier.

— L'Égorgeur court toujours, rappela Aymric à Viko. Soyez prudents.

— Ne t'inquiète pas, frérot, jappa le loup noir. Dès que les petits cesseront de s'emmêler les pattes, nous irons rejoindre la nouvelle meute d'oncle Desmus. Il a repris la tanière de notre enfance, à quelques lieues de la chute de Vaskania.

— On s'y reverra. Dis à notre sœur Joïe que j'ai hâte de connaître ses louveteaux.

Clovis, Aymric et Élorane se volatilisèrent en un instant. Trefflé dévisagea alors Laurian, un sourcil levé.

— Mais oui, soupira le professeur dans un demi-sourire, je serai du prochain voyage. Allons sauver les anges !

Un jour pas si lointain, Laurian avait lancé sans guère plus d'enthousiasme : « Allons sauver les elfes ! » Et les elfes avaient été sauvés.

Les forains

En observant les trois forains s'éloigner avec le jeune magicien, une bouffée de haine monta en Sachan. Il tira les rideaux sur la fenêtre de sa caravane, mais cela ne suffit pas à l'isoler de ce monde qu'il exécrait. Il déboucha une bouteille d'eau-de-vie, cadeau de la patronne, qu'il vida de moitié en trois gorgées. Le jeune dompteur d'ours enleva ses bottes et s'étendit sur sa paillasse infestée de puces. Il sombra presque instantanément dans un sommeil agité. Les mauvais rêves ne tardaient jamais à s'immiscer en lui.

Depuis six ans, le cauchemar commençait toujours de la même manière. Myrlande dansait devant les spectateurs en délire, ondulant de tout son corps avec une grâce qu'elle seule possédait. Puis la foule disparaissait, et la fille de Charmène se retrouvait dans les bras de Sachan. Elle avait dix-huit ans. Lui avait l'air plus âgé, mais il n'en avait que seize. Myrlande l'embrassait de ses lèvres rouges. Elle lui disait qu'elle l'aimait. Sachan la pressait tout contre lui. Accroché à son trapèze et filant dans les airs, Samir arrachait soudain Myrlande à son étreinte, l'attirait à lui et la faisait valser au-dessus du sol. Sachan n'existait plus. La colère l'envahissait. Il s'apercevait alors que son ours brun était là, à ses côtés. Comment était-il sorti de sa cage ? Sans même que Sachan ne l'ait vu bouger, l'ours se mettait à danser avec la contorsionniste. Où était passé le trapéziste ? La belle et l'ours riaient à gorge déployée. Puis, la bête levait une patte et…

Sachan avait beau faire ce rêve toutes les nuits depuis la mort de Myrlande, il s'imaginait à chaque fois que son ours voulait seulement tournoyer avec la danseuse. Mais le songe ne prenait pas fin sans que le cou blanc de la jeune femme s'ouvre sous les longues griffes et qu'un flot de sang en jaillisse. Myrlande se tournait alors vers Sachan. Sa tête appuyée contre l'épaule de l'ours, la gorge fendue, la jeune femme dansait encore. Ses yeux ne quittaient plus ceux de Sachan. Il s'éveillait toujours en sursaut et couvert de sueur.

Le dompteur se leva, attrapa la bouteille et but ce qui lui restait d'eau-de-vie. Il remit ses bottes et, avant de sortir, s'assura que son bandeau était bien ajusté sur ses oreilles. Il savait qu'il n'aurait pas de mal à dénicher une montagnarde encore sous le charme de sa performance de ce soir et toute disposée à lui faire oublier, du moins pour quelques heures, son amoureuse morte.

Les trois forains étaient sur le point d'atteindre leur destination. Après avoir traversé le bras droit de l'Orée, ils avaient mis un sac de jute nauséabond sur la tête d'Exandre. Aveuglé, le jeune magicien trébuchait sur les racines et butait contre les arbres, ce qui amusait Richmon et Nario.

— Pourquoi ne puis-je pas voir où nous allons ? demanda l'adolescent.

Seuls des ricanements lui répondirent.

En assistant au spectacle des forains ambulants, Exandre y avait vu l'occasion unique de quitter enfin Monkarm et ses mines d'émeraudes dans lesquelles il travaillait comme un forcené depuis ses onze ans. Le lendemain, Exandre avait croisé la route de trois hommes à la recherche de nouveaux talents pour leur prochain spectacle, et il n'avait pas hésité à les suivre dans la forêt.

— Tu dois passer une audition, avait dit Nario.

— Vous ne voulez pas savoir quel est mon pouvoir ?

— Tu es bien magicien ? C'est surtout ça qui importe.

Quand Exandre se frappa violemment contre un arbre, Maxieu s'emporta.

— Ça suffit ! gueula-t-il. Aidez ce pauvre gars à avancer ou on n'y arrivera jamais ! Pendant qu'on se balade en forêt, nos gages ne nous sont pas versés !

— C'est quand même honteux ! grogna Nario. Si Oustave est mort et que l'âme du petit cheval qui l'habitait est perdue, c'est la faute de Richmon et de personne d'autre !

— Puisque je vous dis que je n'ai rien à me reprocher ! À peine quelques coups de fouet par-ci par-là.

Maxieu fit taire Richmon d'un coup de poing en pleine figure, puis il attrapa Nario par le collet.

— Tu es aussi demeuré que lui, ou quoi ? Charmène nous prive de nos gages en espérant qu'on s'en prenne à Richmon. Elle veut qu'il se souvienne longtemps de ce voyage !

Maxieu relâcha Nario et se tourna vers Richmon.

— Conduis le magicien jusqu'à la grotte, et en silence, ou la patronne aura de quoi me féliciter !

— Où m'emmenez-vous ? gémit Exandre.

Pour la première fois, sa voix était empreinte d'inquiétude.

— Tu le sauras bien assez tôt, lui répondit Maxieu en le bousculant vers Richmon, qui épongeait de sa manche son nez ensanglanté.

« Ils n'ont même pas voulu connaître mon pouvoir », se dit Exandre. Les forains n'avaient sans doute pas l'intention de l'embaucher dans leur troupe. Ces hommes allaient-ils le tuer après avoir obtenu ce qu'ils attendaient de lui ?

Exandre aurait pu jurer qu'à Monkarm, personne n'était parti à sa recherche. Au mieux, si quelqu'un s'apercevait de son absence, on croirait sûrement qu'il s'était perdu dans une mine.

Malgré le sac puant sur sa tête, une forte odeur de sapin envahit les narines du garçon.

— Nous y sommes, annonça Maxieu.

Le forain retira le sac et poussa Exandre dans une grotte. L'adolescent s'écrasa sur le sol qui, étrangement, était couvert de glace. Il se mit à hurler, et les trois hommes semblèrent satisfaits.

— Il est là ! s'excita Richmon.

— Là... il... il y a un... un dragon ! bégaya Exandre en tentant de fuir la grotte.

— Regardez, il l'a attiré, confirma Maxieu. Ce gamin est bien un magicien. Drugo ! appela-t-il. Nous sommes là pour offrir à une de tes âmes le corps de cet être blanc. Choisis-nous quelque chose de coloré, mais de pas trop gros, exigea le forain en retenant Exandre par le bras.

Le garçon fut une fois de plus projeté au sol et on lui maintint le visage contre la glace.

— Ouais, de coloré, répéta Richmon. Charmène va aimer.

— Et alors ? s'enquit Maxieu au bout d'un moment en braquant ses yeux dans ceux du dragon sous le sol translucide. Pourquoi ne se passe-t-il rien ?

— Je ne suis pas à tes ordres, homme sans magie, gronda Drugo. Dis-moi d'abord où est l'âme du petit cheval des cavernes que je vous avais confiée.

— Le pauvre Oustave est mort, l'informa Richmon sur un ton plus humble que celui de Maxieu. Pour ce qui est de cette âme… elle est retournée d'où elle venait, je suppose.

— Vous aviez promis d'en prendre soin ! rugit le maître du néant en balançant son énorme queue dans les entrailles souterraines de la grotte.

Les murs tremblèrent et une poussière argentée et dorée s'agita dans l'air. Exandre, pétrifié, était blanc comme un linge.

— Qu'est-ce qu'il nous fait, ce reptile ? râla Nario.

— Sors d'ici tout de suite, jeune magicien, tonna le dragon en s'adressant à Exandre.

Le garçon ne se le fit pas dire deux fois. Il se dégagea de la poigne de Maxieu et repoussa Richmon qui lui barrait la route, puis courut hors de la caverne. Maxieu se lança à ses trousses, mais Drugo donna un autre coup de queue qui détacha une stalactite de la voûte. La colonne de calcaire traversa le dos de l'homme, l'empalant dans la glace telle une sauterelle sur la planche d'un collectionneur. Tandis que des cailloux tombaient du plafond comme des grêlons, Nario et Richmon se ruèrent vers la sortie. Mais une immense roche roula devant eux, bloquant la seule issue.

— Qu'allons-nous faire ? cria Richmon, paniqué.

Nario n'eut pas le temps de trouver une réponse à cette question.

La grotte s'écroula.

Les loups

La première fois que Viko avait proposé à Fani de s'unir à lui, la louve albinos avait refusé. Dans la meute où elle était née, seuls les loups alpha pouvaient fonder une famille. Les autres devaient se consacrer au bien-être du groupe et à la progéniture du couple dominant.

— Nous sommes des hors-la-loi, lui avait rappelé Viko en léchant son museau rose.

À vrai dire, la louve n'avait jamais songé à avoir des enfants. Mettre au monde des créatures à son image aurait été absurde. Elle n'aurait pas imaginé qu'un loup puisse la vouloir pour compagne. Et voilà que le fils d'un chef lui faisait la grande demande.

— Et si nos louveteaux étaient comme moi ? s'était inquiétée Fani.

— Nos enfants seront les plus beaux du monde, avait répliqué Viko.

— Ils nous suivraient dans notre vie de nomades ?

Tranquillement, la louve s'ouvrait à l'idée.

— Par respect des conventions, ma mère a vécu une grande partie de sa vie avec mon père, qu'elle méprisait. Je ne ferai pas la même erreur. Je t'aime, Fani, et c'est avec toi que je veux faire ma vie.

— Viko…

— Sauf, bien sûr, si tu ne partages pas mes sentiments.

Quand Malrok et Miacisse avaient admis la louve blanche dans leur meute, elle s'était enfin sentie chez elle. Mais, depuis, Fani avait été durement éprouvée. Miacisse, Malrok, Conok et Bass étaient morts lors du terrible massacre de Gwerozen. De ses anciens compagnons, il restait le vieux Joalak, L'Ami dont la bande n'avait jamais su quoi penser, et Wess qui avait disparu depuis que sa compagne Yoa avait été tuée par les sous-fifres de Chad. Fani voulait-elle que ses enfants connaissent une vie aussi dangereuse et marginale ?

Viko lui avait alors parlé de son oncle Desmus, qui veillait toujours sur ses frères et sœurs, et de ses efforts pour constituer une nouvelle meute.

— Ton oncle ne tolérera pas une louve albinos dans son clan. Tu pourrais même en être banni parce que tu t'es uni à moi !

— Tu te trompes. Desmus est le jumeau de ma mère. C'est lui qui l'a convaincu de quitter Chad et de fuir avec Malrok. Il sera ravi de nous accueillir. Joalak les a déjà rejoints. Sorg, le conjoint de ma sœur Joïe, se prend pour le mâle alpha, mais il ne l'est pas. La meute de Desmus fonctionne comme celle qu'avaient fondée Miacisse et Malrok. Il n'y a ni supérieurs ni inférieurs. Nous y serons acceptés tels que nous sommes.

— Et Wess ? avait insisté Fani. Et L'Ami ? Celui-là, nous ne l'avons pas revu depuis qu'il a fui Gwerozen dans un piteux état. Ne devrait-on pas essayer de les retrouver ?

La question était restée sans réponse.

— Tu crois qu'ils ont été victimes de l'Égorgeur ?

Ce que Viko croyait, Fani n'était pas prête à l'entendre.

Le loup noir avait réitéré sa demande, et la louve blanche avait consenti.

Une fois unis, Viko et Fani avaient accompagné leurs amis humains dans certains de leurs déplacements. Mais leurs louveteaux étant maintenant assez forts, ils se mirent en route pour aller s'établir avec Desmus.

Le couple était constamment obligé de dévier de son chemin pour rattraper Mia, Rok et Canik. Indifférents aux dangers qui les guettaient, les louveteaux ne songeaient qu'à leurs prochaines aventures. Mais quand un loup gris se dressa sur leur passage, les petits revinrent en courant vers leurs parents. Une tache noire entourait l'œil gauche du canidé. Son dos et sa queue étaient couverts de sang.

— L'Ami ? s'étonna Fani en rassurant ses enfants de quelques coups de langue.

— Excusez mon allure, mais j'ai dû résister à l'assaut de l'Égorgeur.

— Tu es blessé ! s'alarma la louve blanche.

— Quelques égratignures. Ce sang, c'est surtout le sien.

— Tu sais donc qui est l'Égorgeur ! jappa Viko.

— Détrompe-toi. J'ai à peine eu le temps de l'entrevoir.

Viko, qui s'était placé devant sa progéniture, ne lâchait pas L'Ami des yeux.

— Qu'est-ce que tu fais par ici ?

— J'ai entendu dire que vous alliez bientôt rallier notre meute. J'ai pensé que vous auriez peut-être besoin d'une escorte. Mignons, les loupiots.

Canik s'avançait de nouveau vers l'étranger. Viko le rappela auprès de lui d'un grondement sourd.

— Je ne vais quand même pas manger ton fils, Viko.

— Mon oncle Desmus t'a accepté dans sa meute ?

— Je t'ai déjà expliqué pourquoi j'avais aidé Chad à se sortir des griffes de Wess. Si Chad avait été tué à ce moment-là, ses sbires auraient massacré Wess avant même que nous puissions pousser un grognement.

— Et si Wess était l'Égorgeur ? suggéra Viko.

— Voyons ! s'offusqua Fani. Wess était le meilleur d'entre nous !

Sans donner son avis sur la question, L'Ami se mit en route.

« Ce traître veut me laisser croire que Wess est le tueur, pensa Viko. Et il ne peut y avoir qu'une raison à cela... »

— Pardonne à Viko, L'Ami, le pria Fani en s'élançant derrière lui. Nous sommes tous un peu à cran. C'est très gentil d'être venu à notre rencontre. Avec l'Égorgeur qui court toujours...

L'Ami s'arrêta. Très lentement, il tourna la tête et braqua son regard dans celui du loup noir.

— Si tu crois que je suis l'Égorgeur, Viko, pourquoi ne viens-tu pas me le dire en face ?

Une rumeur courait à propos du passé de L'Ami. Le loup solitaire aurait autrefois commis un meurtre... Celui de sa propre sœur !

Les hommes

Dehors, Exandre fixait la montagne de roches d'un air hébété. Le nuage de poussière argentée et dorée qui flottait au-dessus des débris se dissipa rapidement, dévoilant un paysage de pierres grises et ternes.

N'ayant aucune idée de l'endroit où il était, l'adolescent examina les alentours pour tenter de se repérer. Il avait déjà été dans une situation semblable. Avant d'aboutir à Monkarm, il avait dû survivre seul au cœur d'Orphérion. C'est ainsi qu'il avait appris à chasser pour se nourrir. Il connaissait les plantes qu'il pouvait manger sans danger et celles qui rendaient malade.

« Et si je restais en forêt ? se dit-il. Pour un gars comme moi, sans famille ni instruction, la vie ne sera pas plus douce ailleurs. »

Quand il avait emboîté le pas aux forains, Exandre avait cru partir pour un avenir meilleur. Mais ce n'était vraisemblablement pas le cas. Debout devant la caverne effondrée, le magicien se sentait aussi nauséeux que le jour où, alors qu'il n'avait que cinq ans, sa mère l'avait laissé devant le lugubre asile de Gwerozen. « Va, avait-elle dit en le poussant doucement vers la porte. Ici, ils sauront te protéger de toi-même. » Mais personne n'avait réussi à chasser ceux qui s'approchaient d'Exandre et qu'il était le seul à voir.

Sa vie ne serait pas la même s'il s'engageait vers le sud ou vers le nord, à l'est ou à l'ouest. Différente sans doute, mais aussi misérable. Exandre hésitait encore quant au chemin à prendre, lorsque deux jeunes filles traversèrent le rideau de sapins. Elles venaient vers lui. Toutes deux portaient des manteaux beaucoup trop chauds pour ce début d'automne. L'une devait avoir douze ou treize ans, l'autre moins de dix. Il les interpella :

— Pouvez-vous me dire où nous sommes ?

En courant à la rencontre des fillettes, Exandre remarqua que leurs vêtements étaient déchirés et salis par ce qui semblait être du sang.

Le magicien s'arrêta.

Quelque chose n'allait pas. Le vert de leurs iris était trop vif, le sang et leurs cheveux trop rouges… et un flou éthéré enveloppait leurs silhouettes !

Les jeunes filles s'avançaient vers lui. Leurs visages minces et pâles étaient couverts de taches de son. La plus jeune était belle comme le jour. Le magicien ne remarqua qu'après quelques secondes qu'elle avait la peau du cou arrachée. Il vit aussi que l'œil gauche de la plus âgée pendait légèrement hors de son orbite.

— Tu peux nous voir ? s'étonna la plus petite.

La plus grande la retenait contre elle. À l'instar du garçon, elle se méfiait. Depuis que toutes deux étaient mortes, elles semblaient invisibles aux yeux de tous, et cela, même si elles foulaient toujours le sol des vivants.

— Comment peux-tu nous voir ? insista-t-elle. Es-tu mort, toi aussi ?

— Je m'appelle Exandre de Gwerozen. Je suis magicien. Mon pouvoir me permet de voir les revenants.

— Mon nom est Arilianne de Sylvarion, et voici ma sœur, Amira. Tu peux peut-être nous dire pourquoi nous n'avons pas encore rejoint Rhéïqua ?

— Soit on vous a jeté un sort, soit vos corps n'ont pas été enterrés.

Exandre s'était accoutumé à tomber sur des revenants, mais c'était la première fois qu'il en croisait d'aussi jeunes, dans des corps aussi abîmés.

— Les loups sont des sorciers, affirma Amira. Celui qui nous a tuées nous a sûrement jeté un sort.

Arilianne leva son œil valide au ciel.

— Amira ! Tu sais bien que nous n'avons pas été enterrées.

— Vous avez été tuées par un loup ? Quelle fin atroce !

— Une fin ? fit la jeune fille, sarcastique. Nous ne connaîtrons jamais de fin puisque nous sommes condamnées à errer en ce monde.

— Les revenants que j'ai l'habitude de rencontrer ne se voient pas entre eux. Aussi, ils s'ennuient à mourir.

— Ils s'ennuient à mourir, très amusant, grommela Arilianne.

— Êtes-vous mortes en même temps ? Vous deviez être en contact… Quoi qu'il en soit, vous êtes deux. Votre sort n'est donc pas insupportable.

— Que sais-tu de ce que nous vivons ? continua de râler Arilianne.

— À vrai dire, vous ne vivez pas vraiment, tenta de la dérider Exandre.

— Cesse de faire le pitre, ça n'a rien de drôle !

— Arilianne ! la sermonna la petite Amira. Ce garçon nous voit ! Il est peut-être le seul à avoir ce pouvoir sur tout le continent. Sois donc un peu gentille !

Arilianne considéra le magicien avec plus d'attention. Il avait les yeux marron et les cheveux bruns coupés très courts, et il n'était pas grand.

Amira lui tendit la main.

— Je ne peux pas te toucher, dit Exandre en passant ses doigts à travers la paume de la jeune fille.

— Je n'ai rien senti ! déplora Amira. C'est exactement comme lorsqu'on essaie de saisir des objets ou de caresser des animaux.

— Si vous m'indiquez où sont vos corps, je pourrais m'occuper de les enterrer pour vous permettre de rejoindre le sous-continent, proposa Exandre.

— Nos cadavres ont pourri quelque part entre Sylvarion et la chute de Vaskania, fit Arilianne. Mais pourquoi ferais-tu cela pour nous ?

— Elle est aussi méfiante qu'elle l'était de son vivant, soupira Amira. Comme si on pouvait encore nous faire du mal !

— Je m'interrogeais justement sur ce que j'allais devenir, dit le magicien. Je vais donc me mettre au service des revenants ! Je retrouverai leurs dépouilles, puis je les mettrai en terre.

— Et je suppose que tu penses t'enrichir ainsi ? Tout le monde sait que les revenants se baladent avec les poches remplies de rubis et d'émeraudes, le nargua Arilianne.

— Tu ne comprends pas. Je ramènerais les os aux familles et réclamerais quelques pierres en échange d'un enterrement digne de ce nom. Et je transmettrais un dernier message à leurs proches.

— Ma mère ne possède rien ! Je t'interdis de l'approcher, tu m'entends ?

Le garçon l'apaisa tout de suite.

— Pour vous deux, je le ferai gratuitement.

— Y a-t-il beaucoup de revenants sur le continent ? voulut savoir Amira.

— Je l'ignore, mais je sais où plusieurs se cachent. J'en ai souvent vu dans les profondeurs des mines des montagnes. J'en ai aussi croisé quelques-uns qui errent en forêt, comme vous deux.

— Eh bien, ironisa Arilianne. Je te souhaite de devenir riche avant de tomber sur un délivreur qui te brûlera vif.

Exandre répondit à cette raillerie par un adorable sourire qui désarma Arilianne. Elle se dit alors que ce garçon était décidément bien étrange…

Quand l'adolescent se mit en route vers l'ouest, une douce brise le suivit dans son voyage. Ce vent ne soufflait qu'autour de lui, et s'évanouissait lorsqu'il s'arrêtait.

Si Drugo avait accepté de confier une nouvelle âme aux forains, Exandre aurait été mis en cage et il n'en serait sorti que pour s'exhiber dans le corps d'un animal insolite devant une foule en délire. En quittant les alentours de la grotte magique, Exandre se doutait qu'il venait d'échapper à un sort affreux, mais il n'y songea bientôt plus.

Les anges

Redoutant l'état dans lequel il découvrirait Xanaël, Clovis préféra penser au roi Aménuel. C'est donc dans le cratère du volcan qu'il apparut en compagnie d'Aymric et d'Élorane. En face du roi des anges, un être brun comme la terre et couvert d'une armure de fer flottait au milieu d'une mare de lave. Autour de lui fusaient des flammes.

Inquiet, Clovis se hâta d'emmener le garçon et la fée en lieu sûr auprès de Xanaël. Ensuite, il retourna aux côtés du roi des anges et l'attrapa par la main. Avant qu'Aménuel ne se rende compte de ce qui se passait, il se retrouva avec Aymric et Élorane dans la chambre sombre de Xanaël. Clovis vit alors Élorane s'avancer vers le lit du mourant. Il l'arrêta au moment où elle allait écarter les rideaux de voile blanc, puis il l'entraîna avec Aymric et le roi dans le couloir.

— Qui était cet être au milieu des flammes ? demanda-t-il, frissonnant encore.

— Ashlar, un dieu des profondeurs, lui répondit le roi.

Clovis prit une grande inspiration et présenta ses amis :

— Roi Aménuel, voici Aymric d'Isdoram et Élorane, la dernière des fées.

— Soyez les bienvenus ! Je vous remercie d'être venus aussi vite.

Le souverain déposa un baiser galant sur la main rosée de la fée.

— N'y a-t-il pas une certaine Ancolie avec vous ? Xanaël nous a tellement parlé d'elle !

— Ancolie ne peut pas voyager avec moi. Ma magie n'a aucun effet sur elle. Elle est tout de même en route. Où en êtes-vous dans vos négociations avec le peuple d'en bas ?

— Au même point que lors de notre dernière rencontre, malheureusement. Ces maudites créatures ! Oh, pardon, je ne devrais pas m'exprimer de cette façon devant cette si belle enfant.

— Élorane n'est plus une enfant, précisa Aymric. Elle a quatorze ans, tout comme moi.

Le garçon retenait un sourire. Il savait qu'Élorane n'aimait pas être traitée comme une petite fille.

— Barchelas, leur maître, refuse de se montrer, poursuivit Aménuel. Il m'envoie ses sous-fifres, à moi, le roi ! Mais maintenant que vous êtes là, ne perdons plus de temps et redescendons voir Ashlar.

— Laissez-moi quelques secondes encore, Aménuel.

Clovis disparut pour revenir au bout d'un instant avec deux autres humains. L'un d'eux avait sensiblement le même âge que lui, et ses longs cheveux tressés étaient presque blancs. L'autre avait la mi-trentaine et ressemblait beaucoup à Aymric. « C'est son père », se dit le roi, à qui Xanaël avait longuement parlé de ses amis du vieux continent.

— Allons-y ! déclara le Sibérien. Si une fée n'arrive pas à amadouer ces créatures, personne n'y parviendra.

— Roi Aménuel, intervint Laurian. Je sais qu'il vous tarde de libérer l'âme de votre fille, mais si j'en crois ce que nous a rapporté Clovis, ces magiciens sont aussi irritables que redoutables. Ne voulez-vous pas nous donner plus de détails sur la requête que devra formuler Élorane ? Comprenez que nous ne savons pas grand-chose sur votre peuple, et encore moins sur ces magiciens que nous allons affronter dans ce cratère.

— Tout cela est complexe et le temps me manque pour tout vous expliquer. Xanaël est au plus mal. Il faut régler cette affaire avant qu'il ne meure !

— Mais imaginez qu'Élorane prononce une parole qui contrarierait les dieux…

Le roi garda le silence pendant un moment.

— Vous savez être convaincant, Laurian d'Ormanzor. Suivez-moi.

— Je dois retourner sur Gondwana pour retrouver Ëlanie, annonça Clovis à ses amis. Je reviendrai dès que possible.

— Bien sûr, maugréa Laurian.

Après avoir serré la main de tous, Clovis repartit comme il était venu. Le roi des anges appela l'un de ses serviteurs et le somma d'aller chercher son premier conseiller, l'inspirateur Liomel, ainsi que sa femme, la reine Myrliam. Il conduisit ses invités dans la pièce dite de l'âtre écarlate, un lieu où crépitait un immense feu au centre d'un foyer de pierre incrusté de gros grenats. Les flammes, d'un orange vif, léchaient le plafond en noircissant les galets. Tout autour du foyer étaient disposés de vastes fauteuils, semblables à des pétales rouges. Le souverain s'installa dans l'un d'eux et fit signe aux visiteurs de l'imiter.

— Il y a donc un roi ou une reine sur les trois nouveaux continents, réfléchissait Trefflé à voix haute. C'est étrange qu'il n'y en ait pas sur Gondwana.

— Il fut une époque où les humains avaient un roi, précisa Laurian.

— C'est vrai, confirma Aménuel. Un demi-siècle environ avant l'exil des magiciens, les Rodiniens avaient élu un roi qui se révéla par la suite être un magicien. Parce qu'il refusait d'abdiquer, il fut brûlé. Et de peur qu'il ait ensorcelé son trône, le siège fut détruit. Si je comprends bien, il ne fut jamais remplacé.

L'inspirateur royal entra dans la pièce. Il esquissa une révérence devant Aménuel et prit place dans le fauteuil à ses côtés. Comme le roi, il devait avoir une quarantaine d'années, et il était particulièrement grand, même pour un ange.

— Ma femme se joindra-t-elle à nous, Liomel ?

— Je crains que non, Votre Majesté. La reine Myrliam n'est pas dans ses appartements.

— Sans doute est-elle encore quelque part à pleurer notre fille.

À la demande du roi, le premier conseiller brossa alors aux Gondwanais un tableau aussi précis que possible de la situation. Mais rapidement, le roi s'impatienta et coupa court aux questions des humains.

— Je ne vois toujours pas comment m'y prendre, soupira Élorane, angoissée à l'idée de devoir parlementer avec les dieux des profondeurs.

— Tu te débrouilleras très bien, déclara Laurian en se levant.

Une fois hors du château, le roi fit venir trois serviteurs. Ils se placèrent derrière les humains et entourèrent leur taille de leurs bras puissants. Après s'être envolés au-dessus de la montagne de neige, les géants ailés et leurs invités plongèrent dans le volcan.

Au fond du cratère, la reine Myrliam s'entretenait avec Ashlar. Celui-ci était immergé jusqu'au nombril dans la mare de lave enflammée. L'ange s'était mise à genoux sur le sol pour être à sa hauteur.

— Ayez confiance, Myrliam, lui murmura-t-il d'une voix suave. Vous savez bien que je ne suis pas comme eux. Vous aviez promis que…

— C'était avant la mort d'Anawëlle et la capture de son âme, le coupa la reine.

— Laissez-moi essuyer les larmes qui coulent sur vos joues.

Myrliam ferma les yeux, tentée. Mais elle secoua la tête.

— Si vous quittez votre monde pour le nôtre, Barchelas sera furieux. Il verra cela comme une trahison et refusera d'épargner l'âme de ma fille.

— Je vous assure que je ne sortirai pas des profondeurs maintenant, Myrliam. Je veux seulement vous toucher, sentir la fraîcheur de votre joue blanche contre ma peau…

La reine était sur le point de s'abandonner. La chaleur insoutenable du cratère lui faisait tourner la tête. Caresser la peau sombre du dieu, se serrer contre lui, contenter ce besoin d'amour qui consumait son cœur et effleurer les cicatrices noires, vestiges de ce jour où il s'était engouffré dans la terre. Comme des tatouages tribaux, ces stigmates parcouraient son visage et ses bras, et sans doute aussi ses épaules, son torse et son ventre sous l'armure de fer. L'ange pouvait voir que les sentiments du dieu étaient sincères. Le cœur d'Ashlar n'était pas entouré d'une aura dorée, mais bien d'un feu ardent.

— Libérez ma fille, reprit-elle, et si tel est votre désir, je vous suivrai sous terre !

— L'âme d'Anawëlle est gardée prisonnière derrière la porte de flammes des profondeurs. Seul Barchelas peut l'ouvrir.

— Mais pourquoi votre maître agit-il ainsi ? Seulement dans l'espoir de recevoir un cygne ?

— N'oubliez pas que Barchelas veut que nous regagnions le ciel. Pour cela, nous devons passer par votre monde, ce que vous nous avez toujours refusé.

— Nous avons peur pour notre sécurité.

— Nous serions, j'en suis sûr, beaucoup moins dangereux que vous ne le craignez. Quoi qu'il en soit, j'ai déjà dit plusieurs fois à Barchelas qu'il n'était pas sage de se mettre les anges à dos, mais…

C'est sur ces entrefaites que le roi Aménuel arriva dans le cratère, suivi de l'inspirateur Liomel, de la fée et de ses amis, ainsi que des serviteurs. La reine se retourna, alarmée.

— Myrliam ! s'emporta Aménuel en empoignant sa femme par un bras pour l'obliger à reculer. Que faites-vous ici ? Le chagrin vous égare ! Vous savez pourtant qu'il ne faut pas approcher ces êtres infâmes ! Celui-là n'aurait eu qu'à tendre le bras pour…

— Roi Aménuel ! s'interposa Ashlar d'une voix ferme. Je suis un gentilhomme. Je ne toucherais jamais la reine sans son assentiment.

Sur ces mots, le dieu déchu s'enfonça dans la lave et disparut.

— Reculez derrière les serviteurs, ordonna Aménuel à Myrliam, sans même lui adresser un regard. Ashlar ! cria-t-il. Revenez ici ! Nous devons discuter !

Mais c'est un autre dieu qui s'extirpa de la lave, un être dont la peau rouge sang était bosselée sur tout le corps, comme si d'anciennes cloques s'étaient durcies et fossilisées. Son armure, qui n'entourait que son ventre, était couverte de pointes métalliques.

— Marcias, le salua Aménuel en cachant difficilement son dégoût. Voici Élorane, la dernière des fées de l'univers. Elle désire s'entretenir avec votre maître.

— C'est avec moi qu'il faut parler. Barchelas ne remontera que si tu as un cygne à lui offrir. As-tu dépêché des explorateurs de par le monde pour en dénicher un ?

— Bien sûr, mais les humains nous assurent qu'aucun cygne n'a été vu sur Gondwana depuis des années. Les elfes de Baltica tiennent le même discours.

— Tu disais cela aussi des fées. Pourtant, en voilà une qui se tient juste devant moi.

La chaleur qui émanait des profondeurs contraignait les humains à demeurer en retrait de la mare. Entourée des anges, Élorane essayait de négocier avec Marcias, mais il s'emportait à la moindre occasion et ne la laissait jamais finir ses phrases. La fée se mit alors à battre des cils au même rythme que des ailes pour accentuer la puissance de sa magie. Ses iris violets brillèrent si fort que les flammes qui entouraient Marcias devinrent pourpres. La fée tremblait de tous ses membres et il fut vite évident que son pouvoir de persuasion n'agissait pas sur l'être des profondeurs. Elle serait tombée à terre, exténuée, si Liomel ne l'avait pas rattrapée. Marcias émit un rire et plongea dans la lave. Élorane sortit du cratère dans les bras de l'inspirateur, le couple royal, leurs invités et les serviteurs à sa suite.

— Comment ai-je pu y croire ? se sermonna le roi des anges, une fois assis dans un des fauteuils entourant le foyer de l'âtre écarlate. Ces rustres sont sourds au langage de la bonté et de la compassion. Marcias n'a même pas remarqué à quel point cette petite fée est exceptionnelle !

— Auriez-vous un autre plan, Majesté ? s'enquit Trefflé.

— Eh bien, non ! Et tout cela est en train de me rendre fou !

Apparaissant tout près de Trefflé, Clovis les fit sursauter.

— Clovis ! Ne devais-tu pas te rendre à Monkarm ? l'interrogea son ami.

— J'ai déposé Zavier à Yasdolar. Il est en route pour Monkarm. Je n'ai jamais mis les pieds là-bas, mais je pourrai le rejoindre quand il y sera. En attendant, je veux vous aider.

— Il n'est guère prudent pour un elfe de voyager seul sur Gondwana, pesta Laurian.

— Ses oreilles bien cachées, Zavier peut passer pour un humain. Tout ira bien, affirma Clovis.

— Tant que la lune n'est pas pleine ! précisa Trefflé.

— Majesté, murmura Liomel à l'oreille du roi, ne serait-il pas plus sage de renvoyer les humains chez eux avant qu'un autre malheur ne se produise ?

— Un malheur ? répéta Élorane, qui avait l'ouïe fine.

— Aussi longtemps que les dieux des profondeurs resteront sous terre, il ne vous arrivera rien, belle enfant. Mais mon inspirateur a raison. Non seulement vous ne nous êtes plus d'aucun secours, mais vous mettez mon peuple en danger.

— Nous ? fit le professeur.

— Vous savez que votre ami Xanaël se meurt d'une maladie qui affecte certains anges privés de l'amour de la personne qu'ils chérissent le plus au monde…

— Nous savions qu'il était malade, mais… commença Laurian, stupéfait, en se tournant vers Clovis.

— Je ne vous ai pas donné ces détails pour éviter qu'ils ne viennent aux oreilles d'Ancolie, se défendit le magicien.

— Mais c'est absurde, puisqu'elle seule peut le sauver !

Laurian dévisagea Aménuel.

— Les anges ne peuvent aimer qu'une fois, n'est-ce pas ? C'est ce que Xanaël a prétendu le jour où il a quitté Ancolie.

— C'est effectivement le cas, répondit le roi des anges.

— Et Xanaël aime toujours Ancolie.

— Oui, mais…

— Alors dès qu'elle sera là, il se remettra ! l'interrompit Laurian, visiblement soulagé.

— Non, le contredit Clovis dans son dos. Il est trop tard.

Laurian continua à fixer le roi des anges.

— Xanaël aurait pu guérir si Ancolie avait partagé son amour, précisa ce dernier, mais d'après ce qu'il m'a raconté…

La phrase d'Aménuel resta en suspens.

— Clovis ? Que t'a dit Xanaël ? demanda alors Laurian, agressif, en faisant face au magicien.

— Il n'a pas eu besoin de me dire quoi que ce soit, avoua Clovis.

— Quoi ? s'énerva Laurian. C'est donc toi le responsable de tout ça ? J'ai bien vu comment tu regardes Ancolie, mais je n'ai jamais imaginé qu'elle partageait tes sentiments !

Puis, sans prévenir, le professeur se jeta sur le magicien et l'attrapa par le collet.

— J'aime Ancolie, monsieur Laurian, se défendit Clovis. Je n'y peux rien.

— Xanaël va mourir !

— Je n'y peux rien ! répéta-t-il plus fort.

Tous pensèrent un instant que Laurian allait frapper le jeune homme, mais il le relâcha.

— Elle aimait Xanaël depuis toujours ! Qu'avais-tu besoin de te glisser entre eux ? Est-ce à cause de toi qu'il est parti ?

— Laurian, souffla Élorane en posant une main sur le bras du professeur, cette discussion ne nous mènera nulle part. Vous savez très bien que les sentiments ne se commandent pas.

Laurian se laissa choir dans un fauteuil.

— Quand est-ce que tout cela prendra fin ? gémit-il, la tête entre les mains.

— Pour en revenir à ce que nous disions tout à l'heure, messieurs, enchaîna Aménuel, vous comprendrez que si l'une de mes anges s'éprend de l'un de vous, votre départ pourrait la condamner à mort. Alors, partez avant qu'un nouveau drame ne se produise.

— C'est hors de question, le défia Trefflé. Nous n'abandonnerons pas Xanaël et nous ne quitterons pas cette île avant que votre problème ne soit réglé. Et pour être tout à fait honnête, nous aussi avons besoin de vous.

— De nous ? fit le roi, surpris.

— Nous cherchons deux joyaux qui appartiennent aux sirènes. Nous avons de bonnes raisons de croire qu'ils sont sur Gondwana, mais la magicienne dont les pouvoirs sont enfermés dans ces pierres avait apparemment un lien avec le peuple des dieux.

— Une déesse de l'au-delà serait descendue sur Laurentia ? avança Liomel en fronçant les sourcils.

— Ses pouvoirs étaient similaires à ceux des dieux des profondeurs, précisa Clovis avant de révéler au roi quels étaient les dons de Marwïna.

— Et que comptez-vous faire des joyaux quand vous les aurez retrouvés ? voulut savoir Liomel.

— Les rendre aux sirènes pour éviter qu'une guerre n'éclate, entre autres choses... répondit Laurian.

Le roi ouvrit de grands yeux, puis jeta un regard à son inspirateur, qui lui fit un signe de tête.

— Je ne vois pas d'objection à ce qu'on vous ramène au fond du cratère, si c'est ce que vous voulez, consentit Aménuel. Mais jusqu'à votre départ de Sibéria, je vous interdis d'approcher mes anges, est-ce bien clair ?

— Compris, assura Clovis. Je vais redescendre dans le cratère et attendre qu'un dieu se montre. Pendant ce temps, vous avez sûrement des ouvrages quelque part que mes amis pourraient consulter ? Ils y dénicheront peut-être des informations sur les joyaux.

— Mes serviteurs iront quérir tous les livres susceptibles de vous être profitables.

Sur ces mots, Clovis disparut et le roi sortit de la pièce, son premier conseiller à sa suite.

— Vous savez ce que vous avez à faire, lui dit Aménuel.

Liomel hocha la tête d'un air entendu, et les deux hommes empruntèrent des couloirs différents.

Les cigognes

WELIOT ET YANNI n'avaient quitté leur poste qu'un instant, mais il n'en avait pas fallu davantage à Colim pour s'emparer d'une cigogne et se fondre dans la nature. Punis pour leur incartade, les garçons ramassaient les excréments des oiseaux à la place du fuyard.

Weliot travaillait en ronchonnant. C'est alors qu'une mouche, qui ne cessait d'aller et venir de son nez aux déjections, finit par attirer son attention sur une petite chose ovale et brunâtre. Quelques mois plus tôt, le jeune homme n'aurait pas su reconnaître une graine de chou.

— Vilain oiseau, dit-il en plongeant ses doigts dans les excréments. Tu avales les graines de choux ?

Le premier réflexe de Weliot fut de courir en informer un officier pour que la cigogne soit punie. Mais après avoir essuyé la graine sur sa veste, il la glissa dans sa poche. Il ignorait ce qu'il allait en faire, mais grâce à cette découverte, il prenait conscience que Yanni avait raison : sa place n'était pas ici.

Toute la journée, Weliot hésita à montrer sa trouvaille à son ami. Il se demandait ce que Yanni ferait à sa place. Mais ce dernier savait déjà ce que Weliot cachait dans la poche de sa veste, même s'il n'avait pas été témoin de la scène. Il n'en laissa toutefois rien paraître. Yanni sifflotait en retirant la fiente des cages, attendant la suite.

Assis sur ses pattes et le cou tordu à cause de l'étroitesse de sa cage, Rulik guettait les protecteurs. À un moment ou à un autre, l'un des gardes ferait bien une erreur. Des cigognes s'étaient déjà échappées à quelques reprises. Quand un jeune homme blond s'approcha en chantonnant et qu'il se pencha pour nettoyer sous la cage de Rulik, les yeux de la cigogne se mirent à briller. La clef qui ouvrait le cadenas des cageots pendait à la ceinture du protecteur. Rulik savait bien qu'il n'arriverait pas à se servir de cet objet. Mais s'il pouvait s'en emparer et le cacher dans ses plumes… Un jour, Élorane reviendrait auprès d'eux. Il lui confierait la clef et elle lui rendrait sa liberté.

Rulik étira le bec et essaya d'attraper l'objet. Mais le protecteur comprit tout de suite son manège. Accroupi, il se tourna vers l'oiseau et braqua son regard dans le sien. Le protecteur était à peine plus vieux que l'enfant que Ramaq avait donné au monde juste avant la guerre. À cette pensée, la colère envahit Rulik et il ne put retenir son geste. Son bec se planta dans le front du protecteur.

— Yanni ! s'écria un jeune soldat en courant vers lui.

Rulik profita de l'effet de surprise pour agripper la ceinture du garçon et la tirer de toutes ses forces. La courroie de cuir se brisa et la clef tant convoitée tomba dans la terre, hors de portée de la cigogne.

Le coup avait été violent. Le protecteur était sonné et son front saignait beaucoup, mais la blessure semblait superficielle. Tandis que son collègue l'aidait à s'asseoir et pressait un mouchoir sur sa plaie, un autre soldat ouvrit la cage de la cigogne, la saisit par une patte et la projeta sur le sol, où il lui écrasa le cou de son pied.

Suffocant, Rulik se tortilla et saisit la clef d'une griffe. Quand le soldat eut bandé son arc, il relâcha la pression sur le gosier de l'oiseau et lui envoya son pied dans les flancs. Rulik roula sur le côté, puis bondit sur ses pattes et s'envola.

Une première flèche frôla le croupion de Rulik et une deuxième l'atteignit à l'aile droite. Il s'éloigna autant qu'il put avant de s'écraser dans la terre. L'oiseau laissa alors choir la clef au sol pour la prendre ensuite dans son bec. Il entendait les cris des Méloriens qui se lançaient à sa poursuite. Malgré son cou douloureux, il avala la clef. Puis il se mit à courir.

Rulik devait retrouver la dernière des fées, et vite !

Le lendemain, quand une jeune femme en pleurs fut chassée de la Méloria, Yanni sifflotait, un bandage autour de la tête.

— Par pitié ! implorait l'inconnue traînée de force hors des quartiers du général Guychel. Je suis prête à tout pour obtenir une seule graine ! Vous m'entendez ?

— Si je t'en donne une, toutes les souillons dans ton genre, déterminées à vendre corps et âme, viendront salir mon tapis de leurs pieds crasseux ! Tu as une minute pour disparaître ou j'ordonne ton emprisonnement dans la cage d'une cigogne !

La malheureuse s'enfonça dans la forêt en sanglotant. Sans bruit, Weliot la suivit, comme au temps où il espionnait la sorcière d'Isdoram avec Naëtan et Jamélie. Ses supérieurs remarqueraient bientôt qu'il n'était plus à son poste. Cette nouvelle incartade lui coûterait cher, mais cela lui importait peu maintenant.

Weliot surgit devant la jeune femme, lui arrachant un cri aigu.

— Je m'en vais, monsieur, geignit-elle.

Weliot était subjugué par sa beauté. Avait-il déjà vu une chevelure aussi longue, aussi bouclée et d'un roux aussi vif ? Tombant en désordre sur son visage, une bouclette cachait l'un de ses yeux marron. L'autre fuyait le regard de Weliot. Les petites taches sombres qui couvraient son nez et ses pommettes semblaient y avoir été peintes tant elles étaient joliment disposées. Sa robe était non seulement sale et déchirée, mais trop légère pour ce temps-ci de l'année.

— D'où venez-vous ? demanda enfin Weliot.

— D'Absulon.

— Absulon ? Jamais entendu parler.

— C'est un village tout au bout de l'autre doigt de l'Orée.

La voix de l'inconnue s'était adoucie.

— Vous… Vous retournez chez vous ? bredouilla le jeune homme.

— Vous êtes soldat ? lança plutôt la demoiselle en louchant vers le petit insigne d'étain qui décorait la veste de Weliot.

Ses yeux posés sur sa poitrine firent un drôle d'effet à l'adolescent. Son cœur s'emballait.

— Je ne suis pas un haut gradé, balbutia-t-il.

Soudain, Weliot se sentit bête. Il puait les excréments. En plus, il avait tout juste quinze ans. Il était évident qu'il n'avait aucun grade.

— Pourquoi m'avez-vous suivie ?

La jeune femme n'avait que quelques années de plus que Weliot. Il aurait voulu la réconforter, mais les mots lui échappaient. Il glissa donc la main dans sa poche et lui tendit la graine de chou.

— Une graine ! s'extasia-t-elle.

— Prenez-la, dit Weliot.

— Qu'attendez-vous de moi en retour ?

— Laissez-moi vous suivre.

— Pardon ?

Pendant une fraction de seconde, elle le regarda droit dans les yeux.

— Je dois quitter cet endroit. Montrez-moi le chemin jusqu'à Absulon.

— Vous ne voulez rien d'autre ? fit la rouquine, sceptique.

— Rien d'autre, affirma Weliot.

La main du garçon était toujours là, ouverte. La jeune femme prit la graine.

— Emparez-vous d'eux ! hurla un soldat en s'élançant vers les contrevenants.

D'instinct, Weliot se précipita dans la forêt, une dizaine de soldats à ses trousses. Il ne s'arrêta qu'une fraction de seconde, le temps de vérifier si la fille avait besoin d'aide, et il se retrouva encerclé par les soldats. L'inconnue, elle, n'était nulle part.

Personne n'avait vu ce que le jeune soldat avait donné à cette femme que les Méloriens venaient de chasser de leur territoire, mais ils n'avaient pas besoin de preuves pour appliquer leurs lois. Parce qu'il était soldat, Weliot évita la pendaison. Mais il fut renvoyé de l'armée et de la Méloria.

— Ne fais pas cette tête d'enterrement, le pria Yanni quand il pénétra dans le dortoir où le garçon ramassait ses affaires. C'est ce qui pouvait t'arriver de mieux. Vas-tu retourner auprès de tes parents ?

— Mes parents sont morts, grogna Weliot. On les a assassinés.

— Oh ! je suis désolé, dit Yanni. Moi, ma mère a disparu. Elle a sans doute été tuée par un loup.

Depuis qu'ils se connaissaient, c'était la première fois que Yanni se confiait à lui.

— Mes parents étaient magiciens, poursuivit Weliot. Ils me l'ont toujours caché. Ils comptaient partir à la recherche d'une fée. Une fée, tu imagines ?

— Oui, murmura Yanni en se rappelant le sourire d'Élorane. Et pourquoi tes parents voulaient-ils trouver une fée ?

— Va savoir !

— Et tu ne sais pas non plus pourquoi ils ont été assassinés ?

— Parce qu'ils étaient magiciens, bien sûr !

— Ils ont été tués par des délivreurs ?

— Oui. Mes amis et moi avons tout vu.

— Vous les avez dénoncés aux autorités ?

— Pour attirer sur nous la vengeance de ces fous furieux ? Non, merci !

Yanni y alla d'une autre question.

— Et tes amis ? Où sont-ils ?

Weliot haussa les épaules.

— Nous avons pris des directions opposées.

La nuit où Naisy et Louka avaient été tués, Weliot avait une douzaine d'années. Dans le caveau de ses parents, il buvait du vin de framboise avec Jamélie. Naëtan, lui, surveillait l'entrée. Il craignait que Naisy et Louka ne reviennent plus tôt que prévu, et il ne s'était pas trompé. En entrant dans sa chaumière, Louka revêtait l'apparence d'Armand. Après s'être assuré que les rideaux étaient bien fermés, il avait repris son propre corps.

— Si Clovis n'arrive pas à retrouver Armand, disait-il à sa femme, c'est qu'il est sûrement chez les Ombres.

Souviens-toi quand nous lui avons demandé d'aller rejoindre ma sœur Santale, il a décrit exactement le même phénomène. Il n'y parvenait pas. C'était comme si elle était derrière une barrière magique.

« Clovis est magicien, avait réalisé Weliot du fond de sa cachette. Suis-je donc le seul de la famille à ne pas avoir de don ? »

Puis, cinq hommes avaient surgi dans la chaumière. Par un trou dans le plancher, le garçon avait reconnu sur leurs vestes l'écusson des délivreurs. Ils portaient aussi des cagoules.

— Où est Armand ? avait hurlé le chef de la bande en attrapant Louka par le col de sa chemise.

Weliot avait tout de suite reconnu cette voix.

— Je... Je ne sais pas, avait bredouillé son père.

— Ne joue pas au plus malin avec moi ! Nous l'avons vu entrer ici !

La bagarre avait été brève avant que Louka ne s'affaisse sur le sol, les yeux ouverts. Pendant une seconde, Weliot avait cru qu'il le fixait d'un air sévère. Mais il était sans vie, un couteau enfoncé en pleine poitrine. Lorsque Naisy s'était écroulée à son tour sur son mari, la lame les avait liés l'un à l'autre dans la mort.

C'est là que Weliot avait laissé tomber la bouteille de vin sur le sol de terre battue. Jamélie l'avait aussitôt tiré par la manche, et les trois amis s'étaient esquivés par la porte souterraine du caveau.

Mais Weliot savait que le chef des délivreurs connaissait sa famille, et qu'il ne pouvait ignorer qui les avaient épiés...

— Quelle histoire ! s'exclama Yanni quand Weliot eut terminé son récit. Et tu comptes errer seul en forêt ?

La prochaine fois que ton frère apparaîtra, il serait sage de le suivre.

— Partir avec Clovis ? Il ne veut même pas me dire ce qu'il fricote et avec qui ! Non, je préfère me rendre à Absulon.

— Absulon ? Sais-tu où c'est ?

— Non.

— Moi, oui. Et si j'y allais avec toi ?

— Tu ferais ça ?

— On est amis, pas vrai ?

Les hommes

Certains prétendaient que les revenants flottaient dans les airs. C'était faux. Arilianne et Amira marchaient et couraient aux côtés d'Exandre. Toutefois, jamais elles ne se fatiguaient ni ne s'accrochaient les pieds dans des racines ou des branches. L'apparence des revenants était semblable à celle des vivants, mais Exandre avait appris à les reconnaître de loin.

C'était la première fois que le jeune magicien se liait d'amitié avec un fantôme. La plupart de ceux qu'il avait rencontrés déambulaient sans fin dans les mines d'émeraudes de Monkarm. Ceux qui l'avaient approché tentaient même parfois de s'en prendre à lui.

Après avoir fouillé méticuleusement le lieu où les jeunes filles avaient été tuées, Exandre n'avait mis la main que sur un fémur et deux petits crânes, lavés de leur chair par les intempéries et les charognards. Les cadavres avaient été disloqués et dispersés par les animaux.

— Nous ne récupérerons jamais tous les os, se désola Arilianne.

Exandre ignorait encore pourquoi, mais depuis qu'il avait entrepris ce voyage avec la mort, il se sentait transporté par une étrange joie de vivre. Et il avait bien l'intention de prolonger cette euphorie.

— Ne te décourage pas, dit-il à la jeune fille. À Monkarm, une vieille magicienne a le pouvoir de retracer les objets égarés. Elle nous aidera.

— Ce village est tout en haut des montagnes ? s'inquiéta Amira en tirant sur la jupe de sa sœur.

— Nous y serons dans quelques jours tout au plus, indiqua Exandre en enveloppant soigneusement le fémur dans une chemise.

Puis il le glissa dans son sac avec les deux crânes.

— Ce n'est pas le problème, précisa Arilianne. Amira n'aime pas la montagne.

Exandre observa un instant la petite défunte. Sa robe était souillée du sang qui avait coulé de sa gorge encore ouverte. « Que peut-elle craindre maintenant ? » se demanda-t-il.

— Tu n'as pas à avoir peur. Je suis sûrement le seul à pouvoir te voir, et je ne te ferais jamais de mal.

— Allez ! ordonna Arilianne avant qu'Amira ne le contredise.

Ils se mirent en route et la petite oublia ses appréhensions. Elle s'amusait à compter les canards qui batifolaient sur le long doigt de la rivière de l'Orée. Quand elle prit un peu d'avance sur le chemin, Arilianne brisa le silence.

— Après l'attaque, j'ai eu l'impression d'avoir dormi pendant plusieurs jours, confia-t-elle à Exandre. Amira et moi avons rapidement retrouvé notre ami Yanni. Il ne nous voyait plus, et ne nous entendait pas non plus. Nous nous sommes acharnées sur lui jusqu'à ce qu'il sente notre présence. Il s'est alors mis à parler tout seul et à gesticuler sans arrêt. Nous l'avons quitté pour ne pas qu'il devienne complètement fou. Toi, au moins, ça ne risque pas de t'arriver.

À ces mots, Exandre se figea. Arilianne ne le remarqua pas tout de suite et continua sa route. « C'est d'elle que me vient ce sentiment de bonheur, comprit le magicien. Comment est-ce seulement possible ? Elle n'est pas très agréable à regarder, puis elle est morte, mais… »

— Elle me rend fou ! laissa-t-il échapper.

La revenante se retourna et fronça les sourcils.

— Qu'as-tu dit ? Pourquoi t'es-tu arrêté ? Ce que je raconte ne t'intéresse pas ?

Les mains sur les hanches, elle avait l'air contrarié.

Exandre la rattrapa et lui lança, sur le ton de la plaisanterie :

— Personne n'a aussi mauvais caractère que toi, Arilianne. Je t'assure que tu rendrais fou n'importe qui.

Elle voulut le frapper à l'épaule de son poing, mais ne rencontrant que du vide, le geste lui fit perdre l'équilibre et elle s'affala de tout son long. Instinctivement, le garçon lui tendit la main pour l'aider à se relever. Les deux jeunes éclatèrent de rire.

— Ma sœur et moi sommes retournées à Sylvarion où habitaient nos parents, poursuivit Arilianne en se relevant. Ils étaient si malheureux… Il y a peu de temps, quand notre père est parti pour la volière de Méloria dans le but d'acheter une graine, nous l'avons suivi. Mais les soldats l'ont arrêté puis pendu. Tu te rends compte ?

Exandre gardait le silence. Arilianne prit une grande inspiration avant d'enchaîner :

— C'est aussi là que nous sommes retombées sur Yanni. Il travaille à la Méloria. Nous l'avons harcelé jusqu'à ce qu'il enterre notre père.

Elle ravala un sanglot.

— La plupart des animaux ne nous voient pas. Ils ne flairent même pas notre présence. Nous avons assisté de très près à la naissance d'un faon et à une bagarre entre deux blaireaux. Mais le jour où nous avons croisé la route d'un loup, lui nous a entendues approcher. Et il nous a vues, Exandre, j'en suis certaine !

Le jeune magicien balaya des yeux les environs.

— Reste à espérer que vous ne les attirez pas, murmura-t-il en hâtant le pas.

À Monkarm, quand le garçon sortit des bois, les deux spectres à ses côtés, un homme tressaillit et le chaudron noir rempli d'objets divers qu'il transportait alla se renverser sur le sol.

— Que fais-tu ici, petit voyou ? l'apostropha l'homme.

— Je viens voir la vieille dame qui habite cette chaumière.

— La sorcière ? Les autorités nous en ont enfin débarrassés. Elle a été emmenée à Esmarok, dans l'asile tout neuf construit dans la montagne.

Exandre baissa les yeux sur les chandeliers, couverts et bibelots que l'homme était en train de ramasser.

— Sortima saura que c'est vous qui lui avez pris tout ça.

— Balivernes ! Que lui veux-tu, à cette sorcière ?

— J'ai besoin de sa magie pour retrouver quelque chose.

— Tout ce que tu pourras trouver avec elle, mon garçon, c'est des problèmes ! Si tu avais une once de jugeote, tu ne t'approcherais pas de cette vieille folle.

S'éloignant en pestant contre les êtres blancs et autres créatures maléfiques, le cambrioleur traversa le corps d'Arilianne. Puis, il s'arrêta pour scruter Exandre, comme s'il le soupçonnait d'avoir voulu plonger la main dans son chaudron. Sans ajouter un mot, il se remit à déblatérer et s'enfonça dans les bois.

Les anges

Élorane ayant l'apparence d'une enfant, le roi des anges n'avait aucune objection à ce qu'elle déambule dans le château, contrairement à Laurian, Trefflé et Aymric, qui étaient confinés dans la pièce de l'âtre écarlate.

Quand la fée se montra enfin, Aymric referma son livre.

— As-tu parlé au roi? l'interrogea-t-il. Me donne-t-il la permission d'aller me promener avec toi dans le château?

— Surtout pas, l'arrêta Élorane. Le cœur des adolescentes s'emballe trop vite. Aménuel a été catégorique.

— Ce n'est pas juste, bougonna Aymric.

Élorane prit place à ses côtés et ouvrit le livre qu'il venait de poser devant lui.

— Avez-vous découvert quelque chose? demanda-t-elle à Trefflé et Laurian, qui bouquinaient, silencieux, dans un coin de la pièce.

Les deux hommes secouèrent la tête sans même lever les yeux des ouvrages angéliques. Clovis, lui, n'était pas là.

— Aymric, te souviens-tu du cigogneau que Yanni avait sauvé de son nid inondé? le questionna Élorane en s'attardant sur une page.

— Évidemment. Pourquoi?

— Il est écrit ici qu'un bébé, peu importe sa race, restera en vie au contact d'un ange.

— Le petit oiseau l'avait senti, comprit Aymric en se remémorant son comportement. Il essayait toujours de se blottir contre Xanaël.

— Mais Xanaël craignait que le vampire en lui fasse du mal à l'oisillon. Aussi, il le repoussait chaque fois.

— Et le cigogneau est mort…

— Xanaël ne devait pas savoir qu'il possédait ce pouvoir, dit la fée.

— Monsieur Laurian ! cria soudain Trefflé en levant son livre devant le visage du professeur.

— *Venue du monde des dieux, une jeune fille fut un jour envoyée dans le monde des vivants*, lut le père d'Aymric.

— Marwïna ? proposa Élorane.

— Ou une fée, avança Aymric.

Les deux hommes replongèrent dans leur lecture, tandis qu'Élorane et Aymric s'étendirent sur un des lits installés pour eux près de l'âtre. Tous deux se demandaient si les fées venaient du ciel. Au bout d'un moment, Aymric se tourna sur le ventre et Élorane ferma les paupières. Laurian sourit. À travers les voiles rouges du baldaquin, il les voyait se rapprocher tendrement. Élorane et Aymric avaient beau se chamailler, rares étaient les jours où ils ne finissaient pas par s'endormir blottis l'un contre l'autre.

Chaque soir, Clovis se matérialisait au creux du cratère de Sibéria dans l'espoir d'y rencontrer un dieu des profondeurs. Puis il surprit enfin l'un d'eux flottant tout au bord de la mare orangée et mouvante. Mais le dieu n'était pas seul. Il tenait une ange contre lui, qu'il s'apprêtait à arracher à la terre pour l'emmener dans la lave.

La femme s'agitait. Voulant la secourir, Clovis se transforma immédiatement en ours. Il allait bondir vers l'ange en détresse quand il s'arrêta et reprit sa forme humaine. Il avait mal interprété ce qui se passait. Agenouillée aux abords de la mare, l'ange ne luttait pas. Elle était plutôt sous l'emprise d'une passion dévorante. La reine des anges et le dieu des profondeurs s'embrassaient !

— Reine Myrliam ? bredouilla Clovis en faisant un pas vers les amoureux, qui ne l'avaient pas encore remarqué.

Ils sursautèrent et les flammes qui surgissaient de la lave atteignirent la longue robe dorée de la reine, qui prit feu. Le dieu la serra plus fort contre lui, éteignant les flammes de son corps.

— Je reviendrai, susurra-t-il à l'oreille de Myrliam, toujours à genoux dans la terre.

Ashlar recula au centre de la mare et s'y enfonça.

— Attendez ! l'interpella Clovis. Je dois vous parler !

La reine se releva, épousseta la cendre et la terre qui couvraient sa robe abîmée. D'un pas gracieux, elle alla vers Clovis, qui n'osait avancer davantage.

— Si vous tenez à vous entretenir avec Ashlar, dit-elle, je vous indiquerai quand revenir.

— En échange de mon silence, je présume ?

— Votre silence ? se moqua la reine des anges en replaçant sa couronne sur sa chevelure dorée. Pour trahir mon secret, il faudrait d'abord que vous trouviez une oreille prête à vous écouter.

— Sauf votre respect, Reine Myrliam, les anges n'aiment-ils pas qu'une seule fois ?

— Voilà bien pourquoi personne ne prêtera foi à votre histoire.

L'ange fit demi-tour, sortit une bouteille de vin pétillant d'un seau à glace, et remplit deux coupes.

L'humain ne supportant pas la chaleur de la lave, elle revint vers lui et lui tendit le verre.

— Vous ne pouvez quand même pas nier être éprise de cette... personne, s'obstina-t-il en acceptant la coupe.

— Je ne le nie pas. Les dieux des profondeurs ont des pouvoirs que vous ne soupçonnez pas.

— Mais ne sont-ils pas remplis de haine ? insista le magicien après avoir bu une gorgée.

— Ashlar n'est pas à sa place parmi ceux d'en bas.

— Était-ce la première fois que vous le laissiez vous toucher ?

— Oui, avoua la reine en esquissant un sourire. Je me suis retenue si longtemps !

— Votre mari prétend qu'en touchant un dieu des profondeurs, on lui donne le pouvoir d'entrer dans notre monde.

— Ne vous tracassez pas. Ashlar m'a promis qu'il resterait avec les siens.

— N'est-ce pas un peu naïf de votre part de le croire ? Cet individu vous a sûrement ensorcelée !

— Qu'est-ce que l'amour, mon jeune ami, sinon un sort que la foudre jette au hasard d'un orage ?

— La foudre ?

— Une légende angélique raconte qu'il n'y a pas si longtemps, l'amour véritable n'existait que chez les dieux. Constatant que les relations entre les humains avaient tendance à ne pas durer, un dieu décida d'intervenir. Lors d'un orage, il saisit un éclair et le lança en direction du monde des vivants. Un homme en fut frappé. Mais il ne mourut pas. Au contraire, il s'en trouva ragaillardi ! Il tomba alors éperdument amoureux de la première femme qui croisa son regard. C'est pourquoi, chez nous, on appelle la naissance soudaine d'un amour « coup de foudre ».

— Le roi est-il au courant de votre coup de foudre pour Ashlar ?

— Non.

Clovis jeta un coup d'œil à la mare bouillonnante, comme pour s'assurer qu'aucune créature ténébreuse ne s'en échappait. Il avait extrêmement chaud. Se balançant d'une jambe à l'autre, il buvait trop vite.

— Mais Aménuel ne peut-il pas voir, à l'aura qui entoure votre cœur, que les sentiments que vous aviez pour lui se sont effrités ?

— Écoutez-moi bien, jeune impertinent ! explosa la reine. Vous n'avez rien saisi ! J'aime toujours Aménuel. Mais la personne sur laquelle un dieu jette son dévolu n'a aucun moyen de lui résister. Pour ces êtres, l'amour n'est jamais impossible.

« Le pouvoir de l'aigue-marine », se dit Clovis.

— J'ai des sentiments pour Ashlar parce qu'il m'a jeté un sort, mais ce qu'il ressent pour moi est sincère et, croyez-le ou non, c'est ce qui me garde en vie ! Sa cour assidue me permet de ne pas crever de chagrin devant l'indifférence de mon mari.

— Le roi aurait-il une autre femme dans son cœur ?

— Bien sûr que non ! Mais il ne porte plus attention à moi, ce qui suffit à m'affaiblir. Les anges ont le cœur fragile, vous le savez. D'ailleurs, j'ai cru comprendre que vous n'étiez pas étranger au fait que Xanaël se meurt…

La reine planta son regard dans celui de Clovis et avala le contenu de sa coupe, qu'elle laissa ensuite choir sur le sol.

— Revenez dans deux jours, au coucher du soleil.

Sur ces mots, l'ange ouvrit les ailes et s'envola. Seul dans le cratère enfumé et désert, le jeune homme ferma les yeux et, comme il le faisait plusieurs fois par jour depuis plus de trois ans, il visualisa Ëlanie. Mais ce coup-ci, il se produisit quelque chose. Sa coupe alla heurter celle de Myrliam et, dans un tintement métallique, toutes deux roulèrent jusqu'à la mare de lave dans laquelle elles s'enfoncèrent.

Clovis avait disparu.

Les forains

Dès que Sachan s'endormit, le cauchemar commença. Alors que le jeune dompteur regardait danser l'ours avec Myrlande, Samir, le trapéziste, le poussait au passage pour aller arracher la belle des bras de l'animal. Samir l'entraînait ensuite dans une valse qui semblait ne jamais vouloir finir. Puis, il embrassait celle qui avait juré à Sachan un amour éternel. Avant que ce dernier n'ait pu réagir, la jeune femme se glissait dans le lit du trapéziste. Sous des draps de satin rouge, narguant Sachan de ses grands yeux de chat, Myrlande le fixait par-dessus l'épaule de son amant. Sachan sentait une déchirure dans son cœur. Il tournait la tête. Surgissant derrière lui, l'ours enfonçait ses griffes dans son dos.

Sachan se réveilla brusquement. Il mit un moment à comprendre où il était. Une femme bougea à côté de lui. Il était à Monkarm, dans le lit de Mira, une jeune commerçante qu'il avait rencontrée sur la place du marché dans la matinée. La nuit était tombée. Sachan n'aurait pas dû s'endormir. L'époux de Mira devait rentrer des mines dans la soirée…

Sachan voulut quitter la chambre, mais il entendit la porte de la chaumière s'ouvrir et des bruits de pas retentirent sur le sol. Mira se réveilla et prit un air catastrophé en constatant que Sachan était encore là, et qu'ils étaient nus tous les deux. Lui ne portait que son éternel bandeau rouge autour du front.

— Mira ! l'appela son mari depuis la cuisine. Tu dors ? Si tu en as envie, je t'emmène à la foire. Paraît que le numéro du dompteur d'ours vaut le déplacement !

— Tu dois partir, dit Mira au forain en lui lançant ses vêtements.

Sachan enfila ses bottes et sortit par la fenêtre sans proférer un seul mot. Son pantalon et sa chemise dans les bras, il fila dans la nuit. Pratiquement tout le village était à la foire, donc personne ne le vit se sauver comme un voleur.

Restant dans l'ombre des arbres, Sachan courait d'un terrain à l'autre. La chaumière de Mira était déjà loin. Pourtant, il ne s'arrêta pas même quelques secondes pour prendre le temps de s'habiller. Chaque fois qu'il se mettait à courir, il ravivait certains souvenirs. Il se mit à galoper à perdre haleine, s'imaginant que les gamins qui le poursuivaient dans son enfance étaient derrière lui.

Les sobriquets dont ces enfants l'avaient affublé résonnaient encore à ses oreilles. Ils lui lançaient des pierres. Quand ils le rattrapaient, ils lui donnaient des coups de bâtons. À huit ans, Sachan savait qu'il était différent des enfants des villages, mais il n'aurait jamais pensé qu'il déchaînerait une telle haine en quittant la cage où Charmène, la patronne de la foire, le gardait enfermé. Charmène prétendait lire l'avenir dans un cristal. Était-ce afin de le punir qu'elle lui avait permis de sortir ce jour-là pour aller jouer avec les enfants ?

En mettant les pieds sur le site de la foire, Sachan s'arrêta net. La foule scandait son nom. Les souvenirs qui le harcelaient s'évanouirent enfin. Le numéro de la sirène venait de se terminer et il devait entrer en scène. Il respira un bon coup et se glissa sous le chapiteau.

Tandis qu'il enfilait sa longue cape bigarrée et ses gants rouges, quelqu'un souleva de l'extérieur un pan de la tente. La patronne, qui avait sûrement remarqué son absence, le gratifia d'un regard sévère, puis se dirigea vers sa roulotte pour aller préparer son numéro de voyante.

Charmène était une sorcière. Elle maniait avec habileté un nombre impressionnant de potions. Mais contrairement à ce que laissait croire l'affiche à la porte de sa roulotte, elle n'avait aucun don de voyance. Dans chaque village où se produisaient les forains, elle envoyait ses espions parmi la foule. Aujourd'hui, ils lui en avaient appris assez sur les habitants de Monkarm pour qu'elle s'amuse ici aussi aux dépens des crédules. Et dans sa bourse s'entasseraient bientôt leurs derniers saphirs.

Si quelqu'un mettait en doute ce qu'elle racontait et qu'il refusait de payer, Charmène souriait et offrait un verre. Après une seule gorgée, le sceptique était disposé à tout croire, tout entendre et, surtout, à payer son dû.

Au milieu de sa prestation, Sachan vit Mira, la femme dont il venait tout juste de réchauffer le lit, entrer sous la tente avec son mari. Ils se faufilèrent au premier rang en jouant du coude. Avant qu'il n'enfouisse sa tête dans la gueule de son ours brun, Mira lui fit un clin d'œil.

Sachan n'avait que vingt-deux ans, mais parce qu'il incarnait l'interdit et le danger, il attirait les femmes. La haine que le monde entier lui inspirait disparaissait lorsque l'une d'entre elles parvenait à lui faire fermer les yeux. Mais toutes savaient qu'il était dans leur village pour quelques jours seulement. De toute façon, elles ne souhaitaient que s'amuser un peu. Et Mira n'était pas une exception. Dès que Sachan sollicita une volontaire pour son tour suivant, elle se leva et lui tendit la main afin qu'il la fasse monter sur scène. Ce qu'il fit.

— Vous voulez voir l'ours embrasser cette jolie dame ? cria le dompteur à la ronde.

Bien évidemment, la foule en délire voulait voir cela.

— Monsieur, demanda Sachan au mari de Mira. Ai-je votre permission ?

L'homme se rembrunit, mais il ne tenait pas à jouer les trouble-fête. Sur la petite estrade entourée de torches enflammées, son épouse se dandinait déjà en attendant que le dompteur la rejoigne. Le mari acquiesça d'un signe de tête.

Sachan revint sur ses pas, attrapa Mira par la taille, la fit basculer vers l'arrière, et plaqua ses lèvres sur les siennes. Il était clair que la femme mettait autant d'ardeur que le forain dans ce baiser fougueux. Le mari lâcha un grognement que l'ours imita. Puis, Sachan se redressa et l'ours se pencha à son tour sur la volontaire pantelante. De son énorme langue mouillée, il lui lécha le visage du menton jusqu'au front.

La foule éclata de rire, Sachan aussi.

— En voilà des manières, gros patapouf ! gronda gentiment le dompteur. Je vais devoir te montrer à nouveau comment il faut s'y prendre !

La foule acclama Sachan. Tandis qu'il sortait un mouchoir de sa poche pour essuyer le visage de la belle, le mari, rouge comme une pivoine, monta sur l'estrade, saisit sa femme par le coude et l'arracha au jeune dompteur. Alors qu'elle était traînée hors de la tente, Mira adressa à Sachan un dernier regard coquin.

Quelques minutes plus tard, la patronne reçut un client en colère, qui voulait savoir si son épouse lui était infidèle. C'est là qu'un forain fit irruption dans sa roulotte sans s'annoncer.

— Charmène ! Il faut que vous veniez sous la tente de la fille-poisson, et vite !

— Que se passe-t-il ?

Le forain jeta un coup d'œil à l'étranger, et Charmène se résigna à lui assurer que sa femme l'aimait plus qu'au premier jour.

— Alors, Oras ? reprit-elle. J'espère que c'est important. Ce gars-là aurait craché tout un sac de pierres !

— Un certain monsieur Herbert est sous la tente de la fille-poisson. Son fils veut nager avec elle.

— Nager avec Ëlanie ? Mais c'est hors de question !

— C'est que le bonhomme est le propriétaire d'une mine de diamants…

Charmène, tout sourire, accourut auprès de sa petite sirène.

— Bonjour, monsieur Herbert, minauda-t-elle, virevoltant de tous ses châles colorés devant l'homme élégamment vêtu. Le spectacle vous a plu ?

— Mon fils voudrait nager avec la fille-poisson.

— On m'a prévenue. Malheureusement, ce n'est guère…

— Voilà deux diamants, la coupa Herbert. C'est plus que ce que valent tous vos mutants réunis.

Charmène lui tourna le dos.

— Oras, va me chercher Sachan.

— Sachan a pris la place d'Admon au kiosque à baisers. Je ne sais pas pourquoi, mais les femmes font la file devant lui.

— Bon sang, il a recommencé son numéro stupide, voilà pourquoi ! À force de mettre des maris en colère, lui et son vieil ours vicieux vont tous nous faire pendre ! Ramène-le-moi tout de suite !

Oras quitta la tente et Charmène revint vers Herbert et son fils, à qui elle servit une moue énigmatique.

— Reculez, les pria-t-elle.

Ils obéirent à la foraine, qui s'approcha du bassin d'eau en observant Ëlanie d'un œil mauvais.

— Toi, tu as intérêt à bien te tenir.

La sorcière articula quelques paroles incompréhensibles et vida une potion verdâtre dans l'eau. Le fils d'Herbert était déjà en train de se déshabiller. Pour qu'il puisse entrer dans le bassin, Charmène devait suspendre le sort qu'elle avait jeté sur la cage. Tant qu'elle n'aurait pas versé une autre potion dans l'eau, n'importe qui pourrait s'y introduire ou en sortir…

— Cinq minutes et pas une de plus, annonça la gitane à l'homme.

Monsieur Herbert retira un troisième diamant de sa bourse, et le temps alloué à l'adolescent passa à dix minutes. Craintive, la petite sirène s'était reculée le plus possible dans le fond du bassin. Elle rapportait beaucoup d'argent. Charmène ne laisserait personne s'en prendre à elle, se disait-elle pour se rassurer.

Dès que le garçon fut dans l'eau, il voulut toucher Ëlanie. Comme elle s'évertuait à l'en décourager par de légers coups de queue, il se fâcha et tira ses cheveux. Sachan venait d'entrer sous la tente quand l'adolescent enfonça un doigt dans une branchie d'Ëlanie. Souriant devant ce spectacle, Charmène ne vit pas le dompteur s'avancer.

La colère s'empara de Sachan. Il marchait vers la cage à grands pas, quand il se figea. Il y avait aperçu un garçon qui s'était transformé en un ours trois fois plus gros que son ours brun. Aussitôt, Ëlanie et son agresseur furent écrasés contre les parois de verre et de l'eau gicla par-dessus la vitre entre les barreaux dorés. Trempé, monsieur Herbert tomba sur son précieux derrière.

Sachan bouscula Charmène, paralysée d'effroi, pour aller ouvrir une petite trappe par laquelle le reste de l'eau se déversa sur le sol. Le dompteur évacua le garçon, tandis que Charmène lançait dans le bassin le contenu d'une petite fiole rouge en marmonnant les mots qui réactiveraient le sortilège.

Clovis était subjugué d'avoir enfin réussi à rejoindre Ëlanie, mais il avait tout de suite flairé un danger, ce pourquoi il s'était rapidement changé en ours des cavernes. Parce qu'il était presque aussi gros que la cage dans laquelle il avait abouti, il devait rester allongé.

— C'est fini, chuchota-t-il à la sirène. Je te promets qu'ils ne te feront plus de mal…

La fillette avait voulu poser sa main sur le museau de l'animal pour qu'il se taise, mais il était trop tard. Clovis avait fait une promesse à une sirène.

Le magicien agrippa l'enfant et pensa à Némossa. Mais une fois de plus, il était trop tard. C'était sûrement à cause de cette sorcière qui le toisait de ses yeux ronds si Clovis n'avait pas pu se matérialiser auprès d'Ëlanie jusque-là. Maintenant qu'elle avait jeté un nouveau sort sur la cage, il ne pouvait plus ni réintégrer son corps ni disparaître.

Voyant l'enfant secouer la tête de désespoir, Clovis comprit aussi ce à quoi il venait de s'engager. S'il manquait à son serment et que ces gitans blessaient Ëlanie, il perdrait ses pouvoirs magiques. Il leva les pattes, empoigna les barreaux de la cage et essaya de les arracher. Malgré toute sa force, il ne parvint même pas à les tordre.

— Inutile de t'épuiser, lui dit la sorcière en reprenant ses esprits. Mon sort préserve cette cage de quiconque voudrait la forcer de quelque façon que ce soit.

Charmène se hâta de faire sortir Herbert de Monkarm et son fils de la tente.

Sentant une pression dans son dos, l'ours tourna la tête.

— Par tous les morts de Rhéïqua, non ! lâcha-t-il, sidéré.

Derrière lui, une petite fille blonde d'environ quatre ans lui souriait. Elle se pressa contre lui comme s'il était un ours en peluche.

Les anges

Les anges qui veillaient au sommet du volcan, devant le château, avaient été avisés de l'arrivée imminente d'une humaine sur le dos d'une bête qu'on croyait éteinte depuis des siècles. Mais en voyant l'énorme puma aux dents de sabre voler vers leur continent dans les pâles lueurs de l'aube, ils eurent peine à contenir leur étonnement. En approchant de la montagne enneigée, le pelage caméléon du coujara devenait de plus en plus blanc. Ancolie et Zaèlie, elles, s'émerveillaient de découvrir le haut volcan couvert de neiges éternelles.

— Nous savons que vous êtes d'une grande beauté, dit l'un des veilleurs à Zaèlie, dès qu'elle se fut posée. Les ordres du roi sont clairs : vous ne reprendrez votre apparence elfique que lorsque vous serez avec vos amis dans la pièce où ils sont assignés à résidence.

L'ange aida ensuite l'étrangère à descendre du dos de l'animal. Les traits du Sibérien lui rappelant ceux de Xanaël, Ancolie se troubla. Mais l'ange prenait grand soin de ne pas la regarder dans les yeux ni de prolonger le contact de leurs mains. Il ne s'aperçut donc de rien. L'autre veilleur s'était envolé pour aller prévenir le roi.

Les deux jeunes femmes avaient à peine franchi le seuil du hall du château qu'un homme et une femme dans la cinquantaine s'empressèrent auprès d'Ancolie.

Visiblement heureux et soulagés de la savoir enfin chez eux, ils se présentèrent : Jiolaine et Hubël, les parents de Xanaël. Tandis que l'ange veilleur menait Zaèlie vers les Gondwanais, Ancolie, émue par cette rencontre, se laissa conduire aux appartements du couple, où elle reverrait bientôt son ange.

— Vous vivez au château ? fit Ancolie, estomaquée devant la somptuosité des lieux.

— Hubël et moi étions louangeurs, lui répondit la femme. Notre famille est sous la protection du roi.

L'humaine n'avait aucune idée de ce qu'était un louangeur, mais pour l'heure, elle avait d'autres questions à poser.

— Pendant toutes ces années où Xanaël était sur Baltica, n'avez-vous jamais tenté de communiquer avec lui ? demanda-t-elle au couple, tandis qu'ils marchaient à grands pas le long des hauts murs faits de coulées de lave solidifiée.

— Nous avons essayé tant de fois ! Tout cela en vain, lui expliqua Jiolaine, la voix brisée par l'émotion. Nous avons fini par croire que notre fils était mort. À son retour sur Sibéria, nous l'avons reconnu tout de suite, mais nous avons compris qu'il ne gardait aucun souvenir de nous. C'est sûrement pourquoi il nous était impossible de lui parler à travers ses rêves.

— Pourquoi a-t-il quitté Baltica ? Vous l'a-t-il dit ?

— Nous y voilà, annonça Hubël en poussant doucement la jeune femme dans la chambre sombre. Je vous en prie, rejoignez-le.

La porte se referma derrière Ancolie. Elle s'avança vers le lit et entrouvrit les rideaux. Quand elle posa une main sur la joue de Xanaël, il ouvrit les paupières, alors qu'il était inconscient depuis près de deux jours.

— Je suis là. Tout va bien aller, maintenant.

— Je suis content de te voir, Ancolie, lui répondit le malade d'une voix faible et rauque. Mais je vais mourir.

L'ange n'avait plus que la peau sur les os, et ses yeux semblaient flotter dans leurs orbites. Après s'être fait violence pour ne pas éclater en sanglots, la jeune femme s'agenouilla au pied du lit.

— Il n'est pas trop tard. On ne s'éloignera plus jamais l'un de l'autre. Je resterai ici, sur Sibéria, avec toi.

— Non, mon Ancolie. Cela ne me sauvera pas. Et ta place n'est pas ici.

— Pas ici ? répéta-t-elle en voulant lui prendre la main. Je t'aime, Xanaël. Tu le sais, non ? Pourquoi es-tu parti sans moi ?

L'ange esquiva la main pour poser ses doigts sur le cœur de l'humaine.

— Tu peux te mentir à toi-même, Ancolie, mais tu ne peux pas me tromper.

— Si tu ne vois pas mes sentiments, c'est parce qu'il n'y a aucune magie en moi…

— Si tu étais magicienne, ce serait pareil. Retourne auprès de Clovis et laisse-moi mourir en te sachant heureuse.

— Clovis ? Qu'est-ce qu'il t'a raconté, celui-là ? s'emporta Ancolie. Il n'en est pas question ! Je ne te laisserai pas mourir !

— Au fond de toi, tu sais pourquoi je t'ai quittée. Quand tu es revenue avec Clovis dans la grotte magique, après le réveil des elfes, j'ai tout de suite senti que plus rien ne serait pareil.

La jeune femme secoua la tête et se glissa auprès de Xanaël sous les couvertures. Une des ailes de l'ange se referma sur elle et il l'attira contre son corps trop chaud. Elle tenta de l'embrasser, mais il détourna la tête, l'obligeant à poser la sienne sur son épaule. Dès qu'elle se mit à caresser son torse, il immobilisa sa main sur son cœur et l'y maintint fermement.

— Il t'aime aussi, Ancolie, ne le vois-tu pas ? J'ai vu son aura.

— Tu délires à cause de la fièvre, Xanaël. Tu ne peux voir que les sentiments qu'on ressent pour toi. Comment connaîtrais-tu ceux de Clovis ?

— T'ai-je parlé du labyrinthe de coraux où je suis allé avec lui quand nous cherchions la pierre d'étoile ? Ce labyrinthe ensorcelé s'appropriait nos pouvoirs pour nous déstabiliser. Ce jour-là, j'ai vu tout l'amour que Clovis éprouve pour toi.

— Xanaël, je ne sortirai pas de cette chambre.

— Alors, reste avec moi jusqu'à mon dernier souffle, lui dit l'ange en la serrant plus étroitement contre lui. Mais ne te berce pas d'illusions, nous n'avons que très peu de temps.

Les forains

CHARMÈNE ÉTAIT CONVAINCUE que l'être apparu dans la cage d'Ëlanie n'était qu'un ours. Monsieur Herbert avait cru voir un homme pendant une fraction de seconde, mais c'était sûrement une illusion. Ravi, il avait même rajouté une poignée d'émeraudes à ce qu'il devait à Charmène pour avoir permis à son fils de nager avec la fille-poisson. Sachan était donc le seul à savoir qu'un être humain se cachait dans le corps de l'animal. Il avait bien vu Clovis avant qu'il ne se transforme. Il l'avait même reconnu. C'était le magicien que lui et sa bande avaient séquestré près de la chute aux Murmures, juste avant qu'ils ne découvrent la petite sirène dans les bois. « C'est lui qui a ramené Myrlande du domaine des morts et l'a fait revivre devant moi », s'était rappelé le dompteur. C'était justement pour contrer la magie de cet être blanc qu'il avait conseillé à Charmène de jeter un sort sur la cage de la fille-poisson.

Sachan était aussi le seul à avoir vu arriver dans la cage une fillette de quatre ans, qu'Ëlanie s'était dépêchée de cacher de son corps. Alors que Charmène invitait Herbert de Monkarm et son fils à la suivre dans sa roulotte où elle lirait leur avenir dans son cristal, la petite s'était adressée à la fille-poisson :

— Ëlanie ! C'est moi, Saphie ! Ta petite sœur. J'ai pensé très fort à toi et voilà, je suis ici ! Donne-moi ta main, on va aller voir maman et papa. Ils s'ennuient de toi !

Sachan était sorti de la tente à son tour, laissant Clovis avec Ëlanie et Saphie.

— Je crains qu'un maléfice n'annule ta magie, Saphie. Nous sommes tous les trois prisonniers, avait dit l'ours.

Saphie avait pris la main d'Ëlanie et la patte de l'ours. Voyant que rien ne se produisait, elle avait éclaté en sanglots.

Plus tard, alors que les forains s'affairaient à démonter leurs installations, Sachan revint dans la tente.

— Cette fillette qui a surgi, a-t-elle le même pouvoir que toi ? demanda-t-il à l'ours.

Clovis demeura muet.

— Ne joue pas au plus fin avec moi, l'être blanc, je sais très bien qui tu es.

C'est alors que Clovis reconnut le bandit au regard haineux.

— Tu m'as dupé, poursuivit Sachan. Tu avais dit que tu me rendrais Myrlande si je libérais ton amie.

— Qui est Myrlande ? fit l'ours.

— La jeune femme que tu es allé chercher dans le domaine des morts, sorcier !

Clovis se souvint d'avoir entraîné Amélisse avec lui afin de déstabiliser les bandits qui retenaient Ancolie. Il avait dû mentir à leur chef pour qu'il la relâche.

— Je n'ai pas le pouvoir de faire revenir les morts de Rhéïqua. La jeune femme que tu as vue n'était qu'une illusion.

— Tu peux apparaître où bon te semble, te changer en ours, et tu es aussi illusionniste ?

— Non. L'illusion ne venait pas de moi. Une magicienne m'accompagnait cette nuit-là. C'est elle qui a pris les traits de Myrlande.

Sachan se pencha vers la petite Saphie.

— Tu es méchant, lui dit-elle en faisant la moue.

— Arrange-toi pour que personne ne la voie, recommanda le dompteur à Ëlanie. Tu n'imagines pas le traitement que la patronne pourrait lui infliger.

— C'est bien toi qui as livré Ëlanie à cette sorcière gitane ? l'interpella Clovis. Comment as-tu pu faire une chose pareille ?

Sachan adressa à l'ours une expression indéchiffrable avec un sourire en coin.

— C'est vrai, admit-il en tournant les talons, ce n'était pas très gentil.

— Hé ! lui cria Clovis. Tu vas nous sortir de là ?

— Cette cage est protégée par un sort. Je ne suis pas magicien, moi, lui cracha le bandit en quittant la tente.

Richmon, Nario et Maxieu, les hommes que Charmène avait envoyés à la grotte magique lui dénicher une nouvelle bête de foire, n'étaient toujours pas revenus. Les gitans étaient tout de même partis de Monkarm. Ne sachant ce que Herbert et son fils iraient raconter, Charmène avait jugé plus prudent de déguerpir. Mais l'ours des cavernes, qui était encore dans la cage d'Ëlanie, ralentissait leur progression, et plusieurs forains terrifiés suggérèrent de balancer la roulotte dans un précipice. Toutefois, Charmène refusait de se séparer de la fille-poisson.

Pensant s'être trompée dans le dosage des ingrédients de sa potion, la sorcière se croyait responsable de l'apparition de cette créature qui appartenait à une race éteinte depuis des milliers d'années. Pendant le voyage, Charmène employa tout son temps à essayer de créer un mélange qui réparerait cette erreur. Mais sa sorcellerie avait des limites. Sachan, lui, n'avait pas l'intention de divulguer aux gitans ce qu'il savait. Et il se délectait du trouble que l'animal leur causait.

— C'est simple, on n'a qu'à le transpercer d'une lance, décréta l'un d'eux quand ils firent une pause pour que les bœufs qui tiraient les caravanes se reposent.

— Tu es dingue ! s'indigna un autre. Tu imagines l'épaisseur de sa peau ? S'il ne meurt pas sur le coup, il sera très contrarié.

— Et alors ? Il n'a fait aucun mal à la fille-poisson.

— Peut-être qu'il n'aime pas le poisson.

— C'est un ours, abruti !

— Ne tentez rien d'idiot, ordonna Charmène. Ma potion l'empêche de briser cette cage, mais j'ignore à quel point on peut s'y fier. Ne prenons pas le risque d'énerver cette bête.

Quelqu'un proposa d'affamer l'ours, mais Charmène rejeta aussi cette idée, craignant de le voir manger sa poule aux œufs d'or.

Quelques heures plus tard, lorsque toutes ses potions se furent révélées inefficaces, elle déclara :

— Quand l'ours dormira, on sortira l'enfant. Puis on mettra le feu à cette roulotte.

Mais Sachan rapporta les paroles de la patronne aux prisonniers. Dès qu'on s'approchait de la cage, Ëlanie réveillait Clovis. Ils prirent ainsi l'habitude de ne jamais dormir au même moment.

Lorsque Zavier arriva enfin à Monkarm, les gitans avaient levé le camp depuis deux jours en emportant la précieuse fille-poisson. Le site de la foire était encore jonché de détritus. L'elfe tenta d'obtenir des informations auprès des villageois sur le circuit des forains, mais il apprit que les gitans voyageaient surtout au gré de leur fantaisie.

— Ils changent constamment d'itinéraire, lui dit quelqu'un. Ces maudits sorciers ont bien trop peur d'être suivis et égorgés dans leur sommeil !

Zavier réfléchit. Il y avait plusieurs villages dans les montagnes, mais leur population était-elle assez importante pour que les forains s'y arrêtent ? Non seulement l'elfe n'avait plus l'aide de Clovis, mais il ne pouvait pas s'aventurer à se déplacer d'arbre en arbre si près des zones habitées. Et l'astre nocturne qui s'arrondissait de jour en jour ! Zavier devait à tout prix s'éloigner des villages avant la prochaine pleine lune.

L'elfe se cacha dans un boisé de Monkarm et attendit en vain toute la journée que Clovis se montre. Résigné, il repartit vers la cabane d'Alen.

Les bandits d'Orphérion

TROIS ANS PLUS TÔT, alors qu'on emmenait la reine des elfes vers Laurentia, Aymric et Élorane longeaient le long doigt de l'Orée en compagnie de Yanni, Arilianne et Amira. Bien décidés à rétablir la paix entre les hommes et les loups, ils étaient en route pour la tanière de l'oncle Desmus, qui serait assurément de bon conseil. Les enfants venaient de dépasser Sylvarion lorsque Clovis était apparu devant eux.

— Laurian vous réclame, avait dit le magicien à Aymric et Élorane. Les elfes ont encore besoin de nous.

— Mais les loups… avait protesté Aymric.

— Chad a été tué à Gwerozen. Si des membres de sa meute sont toujours en vie, je crois qu'ils vont se tenir tranquilles pour un temps.

Élorane aurait préféré que leurs amis soient d'abord reconduits en lieu sûr, mais Clovis insistait sur l'urgence de la situation et Yanni avait décrété qu'il pouvait très bien veiller sur les filles. Après tout, Sylvarion était à moins d'une heure de marche. Ils se reverraient donc tous un peu plus tard.

Or, Aymric et Élorane venaient de partir avec Clovis quand Yanni, Arilianne et Amira s'étaient retrouvés face à un loup au museau froncé et aux babines retroussées sur des dents qui ne demandaient qu'à déchiqueter de la chair humaine. C'était un des derniers loups de la meute de Chad, qui croiserait bientôt la route de l'Égorgeur. Ses oreilles étaient dressées et son poil hérissé du cou jusqu'au bout de la queue. Même pour ses proies, qui ne parlaient pas le langage des loups, le grondement qui s'échappait de sa gueule était sans équivoque : la bête allait passer à l'attaque.

Les événements s'étaient enchaînés à une vitesse vertigineuse. S'étant placé devant les filles, Yanni avait eu droit au premier assaut. Il avait été mordu au bras, puis projeté contre un arbre. Sous la violence du coup, il avait sûrement perdu connaissance, car il ne se souvenait de rien d'autre.

Lorsque Yanni était revenu à lui, il était couvert de sang. Arilianne et Amira étaient étendues près de lui et le loup n'était plus là. Yanni avait beau examiner ses blessures, aucune n'était sérieuse. Le loup l'avait-il cru mort ? Le garçon s'était ensuite approché de ses amies. Leurs vêtements étaient poisseux et rouges par endroits. Défigurée, Arilianne le fixait d'un œil. Si vert au milieu de tout ce sang, immobile, cet œil semblait le supplier de leur venir en aide. Le second était sorti de son orbite et vacillait doucement.

— Allez, les filles. Sylvarion est tout près… Vos parents y sont probablement déjà.

Mais les sœurs n'avaient pas réagi au son de sa voix. C'est alors que quelque chose en Yanni s'était brisé. Allongé entre les deux cadavres, il s'était serré contre Arilianne et avait dormi plusieurs heures. À son réveil, le garçon avait lavé ses vêtements dans la rivière. C'est là qu'il s'était rappelé ce que lui avait dit son grand-père : les morts qui n'étaient pas mis en terre restaient à jamais dans le monde des vivants.

Yanni n'était pas encore remis de la mort d'Arilianne et d'Amira. Cette nuit-là, couché auprès de Weliot, il s'agitait dans son sommeil. Il battait des bras comme pour chasser un nuage de moustiques.

— Reviens, Arilianne. Ne pars pas sans moi. Reviens !

— Bon sang, Yanni ! Vas-tu me laisser dormir ? se fâcha Weliot. On est seuls tous les deux, au cœur d'Orphérion. À qui parles-tu, nom d'un loup ?

À peine sorti de sa torpeur, Yanni roula sa couverture et ramassa son sac.

— On y va.

— Quoi ? Maintenant ? On est en plein milieu de la nuit !

— Rien ne t'oblige à me suivre.

Mais Weliot emboîta le pas à son ami, essayant de savoir quelle mouche l'avait piqué. Yanni gardant obstinément le silence, Weliot se concentra sur le sentier cahoteux couvert de roches et de racines, qui ne montait que pour redescendre, puis monter de nouveau.

— Il y a sûrement un chemin moins accidenté qui se rend à Absulon, bougonna Weliot au bout de quelques heures.

Lorsque le soleil de midi se mit à descendre, ils arrivèrent au pied d'un ravin escarpé où se dressait un campement construit avec des arbres, des branches et des courtepointes usées. Il y avait là trois individus. Près du feu, un homme dans la cinquantaine taillait un bout de bois avec un long couteau, tandis qu'un obèse d'une trentaine d'années faisait griller un écureuil. L'autre, sensiblement du même âge que ce dernier, regardait les garçons venir vers eux. Les trois hommes étaient vêtus de noir.

— Des bandits d'Orphérion, dit Weliot avec dégoût. Ils ne nous laisseront pas passer sans nous prendre tout ce que nous avons.

— Et que tiens-tu tant à garder ? lui demanda Yanni.

C'est alors que Weliot aperçut la cigogne qu'on avait attachée par le cou à un châtaignier. Debout sur une seule patte, l'oiseau semblait dormir. Étendu sur une branche de cet arbre, un quatrième homme souriait de toutes ses dents.

— Colim ! s'exclama Weliot en reconnaissant la nouvelle recrue de la Méloria qui avait déserté en emportant une cigogne.

Weliot recula d'un pas.

— Ne sois pas idiot ! l'avertit Yanni en l'attrapant par une manche. Tu ne sais même pas où tu es. Si tu te sauves, tu ne feras pas long feu sans moi dans cette forêt.

— Tu es de mèche avec ces bandits ? fit Weliot en tentant en vain de se dégager de la poigne de Yanni, qui l'entraînait vers la tente de fortune. Tu m'as éloigné de mon poste exprès, pour que Colim puisse voler une cigogne ? Vous êtes des trafiquants de graines ?

Après avoir avalé son écureuil en trois bouchées, le gros bandit empoigna son couteau. Sans dire un mot, il saisit la cigogne par le cou et le lui coupa aussi sec. Weliot resta sans voix, mais Yanni, lui, rigolait. Le visage couvert de sang et de graisse d'écureuil, l'homme enfila l'oiseau sur une branche et entreprit de le déplumer.

— Il… Il va le manger ? bégaya Weliot. Savez-vous combien vaut cet oiseau sur le marché noir ?

— Nous savons surtout ce qu'il en coûte aux voleurs de cigognes, répondit le plus vieux, sans lever les yeux de son morceau de bois.

— Mais pourquoi l'avoir volée, alors ?

— Pour m'assurer que tu serais puni et qu'on t'enverrait ramasser les excréments ! cria Colim du haut de son arbre.

— Pour que tu trouves la graine de chou, compléta Yanni.

— C'est toi qui l'avais mise là ? Où l'as-tu prise ?

— Les Méloriens sont si pressés de pendre ceux qu'ils surprennent à voler leurs graines qu'ils ne vérifient même pas le contenu de leurs poches.

Devant l'air consterné de Weliot, Colim se mit à ricaner, et Yanni fit les présentations.

— Cette vieille peau, c'est Vianney, et ce gourmand, là, c'est Joffre. Tu connais Colim, et voici Ghéaume, notre chef.

Debout devant leur abri, Ghéaume lui adressa un large sourire qui n'avait pourtant rien d'affable. Derrière lui, le cinquième membre de la bande sortit de la tente. La jeune femme venait vers Weliot. Elle portait un pantalon et une tunique noirs. Pendant un instant, elle eut cette expression douce et désespérée qui avait tant chamboulé le garçon à leur première rencontre. Puis, elle éclata de rire et ses longs cheveux roux tombèrent en désordre sur son joli visage.

— Tu connais Lizbelle, souligna Yanni.

— Tout ça était un coup monté ? fulmina Weliot. Pourquoi m'avoir attiré ici ? Je ne possède rien !

— Tu es certain ? susurra Lizbelle en toisant l'adolescent de ses yeux marron.

— Fouillez-moi ! répondit Weliot.

— Je ne vais pas te faire ce plaisir, mon mignon, rétorqua-t-elle avant de se tourner vers Yanni.

Ghéaume regardait Yanni lui aussi.

— Faites-moi confiance, leur dit-il.

Colim sauta en bas du châtaignier avec la souplesse d'un chat.

— Tu es bien le frère du magicien ? demanda-t-il à Weliot. Celui qui peut apparaître aussi vite qu'il disparaît ?

Ghéaume s'avança pour balancer une claque derrière le crâne mal rasé du bandit.

— Apprends donc à te taire !

— Clovis ? balbutia Weliot, soudain terrifié à l'idée de tout ce qu'il avait confié à Yanni. Qui êtes-vous, au juste ? Des délivreurs ?

— Des délivreurs ? persifla Ghéaume. Bien sûr que non ! Mais si ton frère est magicien, c'est donc que tu l'es aussi. Ton don pourrait nous être utile.

— Vous êtes de vulgaires criminels qui détroussez les honnêtes gens ! s'écria Weliot en dévisageant Yanni. Tu pouvais bien me tenir tous ces beaux discours sur ce qui est bien et sur ce qui ne l'est pas. Dire que j'ai cru que tu étais mon ami !

— Je le suis, Weliot. Tu voulais un endroit où te cacher des assassins de tes parents ? En voici un. Nous bougeons sans cesse et on nous craint. À côté de Ghéaume, les délivreurs ne sont que des chatons. Si tu prouves ta loyauté à notre chef, tu n'auras plus à redouter personne.

Weliot se radoucit et sembla réfléchir à la proposition.

— Et de quelle façon devrais-je lui prouver ma loyauté ?

— Fais ce qu'il te dit quand il te le dit, et cela sans poser de question. Et bien sûr, n'oublie pas de lui expliquer quel est ton talent particulier.

— Mais puisque je te répète que je n'en ai aucun !

— Si ton frère est un être blanc, tu l'es aussi, s'acharna Ghéaume, l'air mauvais.

— Eh bien, il faut croire que j'ai été adopté ! répliqua Weliot.

— C'est faux, soutint Yanni devant sa bande. Son frère lui ressemble comme deux gouttes d'eau !

— Tu connais mon frère ? s'étonna Weliot.

— Alors ? le pressa Ghéaume en se penchant vers lui. Tu es avec nous ou contre nous ?

— Allez, Weliot ! On va bien s'amuser, l'encouragea Yanni.

— Ça, c'est certain ! renchérit Colim.

— Et bientôt, on dormira dans des draps de satin, lui chuchota Lizbelle au creux de l'oreille.

Les sirènes

Une journée particulièrement agréable s'annonçait sur Laurentia. La chaleur était tempérée par un vent frais qui s'engouffrait dans les huttes. En pénétrant dans la demeure de Loristan à cette heure, Cyprin était persuadé de trouver son ami encore étendu dans son hamac. Mais le sirène était assis sur une chaise suspendue. Buvant son infusion matinale, il feuilletait un livre sur les crustacés.

— Comptes-tu nous honorer de ta présence? lui demanda Cyprin.

— Pardon?

— Le Conseil du Calmar géant se réunit ce soir. Tu es mon bras droit, tu dois venir.

« Sûrement pas ce soir », se dit Loristan. Mais Cyprin était le dernier auquel il aurait confié que Yazmine avait enfin accepté son invitation à dîner.

— En trois ans, le Conseil s'est toujours très bien débrouillé sans moi. Ma présence n'est pas essentielle.

— Tu ne veux plus aller dans l'océan parce que tu as perdu tes pouvoirs, soit. Mais là, nous siégeons sur la terre ferme dans l'unique espoir que tu sois des nôtres. Je t'ai donné du temps, Loristan. Reprends ta vie en main. J'ai promis à Dionis que tu ne serais pas un fardeau pour notre peuple.

Loristan se leva d'un bond.

— Un fardeau ? répéta-t-il, piqué au vif. Tu peux bien faire une promesse à un humain, tu ne risques pas grand-chose ! Mais ne t'inquiète pas, je ne serai pas un poids plus longtemps. On m'a offert un nouveau travail et je commence aujourd'hui. Maintenant, laisse-moi ou tu vas me mettre en retard.

— Et en quoi consiste ce travail ?

— Je vais donner un cours sur l'identification des mollusques et des crustacés.

— Professeur ! se moqua Cyprin. Comme cet humain dont la reine des elfes est amoureuse ? Et cela impressionne ta belle Balticoise ?

— Ce choix n'a rien à voir avec Yazmine ! déclara Loristan. Les enfants n'ont pas le pouvoir, eux, de me mener par le bout du nez.

— Loristan, la seule personne qui te manipule, c'est cette Yazmine.

— C'est toi qui l'as amenée ici, Cyprin. Essaie de ne pas l'oublier.

— Ce boulot ne t'obligera-t-il pas à faire des sorties dans Aqua avec tes élèves ?

— Je ne suis en charge que du volet théorique.

— Il te reste donc du temps pour siéger au Conseil.

— Mais comment Alvin peut-il te supporter ?

— Il n'y serait pas contraint si tu reprenais ta place à mes côtés.

— Cyprin, sors de chez moi.

Un des élèves de Loristan lui apporta deux crabes verts pêchés lors de son exploration. Le soir venu, le sirène les apprêta avec soin. Déposés dans des coquilles blanches en forme de cœur, entourés de concombres d'Aqua, de nectar de goyave et de pain de coco, ils attendaient d'être dégustés.

Yazmine arriva avec les serviteurs de Cyprin qui la suivaient comme son ombre. L'un d'eux se plaça devant la fenêtre et l'autre se rendit près de la porte.

« Au moins, ils restent dehors », soupira Loristan.

— Tout cela m'a l'air succulent ! s'exclama l'elfe en s'installant sur la chaise que son hôte tirait pour elle.

Au centre de la table, un pot rempli de plancton bioluminescent colorait la pénombre de lueurs romantiques.

— Allez-y, goûtez pendant que c'est chaud, insista Loristan en s'assoyant en face de la reine.

Yazmine allait glisser une première bouchée entre ses lèvres lorsqu'une sirène fit irruption dans la hutte. Ses cheveux étaient mouillés, sa tunique plaquée contre son corps, et des perles d'eau luisaient sur son visage.

— Je vous dérange ? demanda-t-elle.

— Pas du tout ! lui dit Yazmine en posant son ustensile. Je partais.

La reine des elfes adressa un petit sourire à Loristan, se leva et sortit rapidement de la hutte. Le sirène se précipita derrière elle.

— Yazmine ! C'est pour vous que j'ai préparé ce repas.

La reine s'immobilisa pour le dévisager.

— Vous qui vous plaignez d'être seul, ne laissez donc pas passer cette chance ! Vous voyez bien que Loïssa s'intéresse à vous !

— Yazmine ! gémit-il en lui saisissant un poignet.

Les deux gardes firent un pas vers eux.

— Loïssa ne veut que s'amuser, expliqua Loristan. Jamais elle ne m'épousera. Pas dans l'état où je suis ! Moi, je veux une femme. Je veux des enfants.

— Ce n'est pas en passant tout votre temps avec moi que…

— Yazmine ! Je suis amoureux de vous !

La reine se dégagea.

— Vous savez que je me languis de Laurian. Et qu'entendez-vous quand je vous parle de mon pays et de mon peuple ? Que je veux rester ici, sur cette île, et élever des enfants qui auraient les traits de mes geôliers ?

— Yazmine…

L'elfe tourna le dos au sirène et se mit à courir dans le sable, les gardes à sa suite. En regagnant sa hutte, Loristan trouva Loïssa en train de terminer le plat qu'il avait mis des heures à cuisiner pour une autre.

— Loïssa, s'il te plaît, j'aimerais être seul.

— Viens donc t'asseoir près de moi.

Sans le vouloir, Loristan obéit à la voix chaude et ensorcelante de la sirène.

— Ce crabe est un véritable délice, lui souffla-t-elle.

Loïssa embrassa Loristan. Puis elle se leva et l'attira dans son hamac. Il ne put lui résister.

Les forains

La troupe ne monta ses tentes qu'une fois arrivée à Esmarok. Dans ce village, la foire eut un grand succès, mais le numéro de la fille-poisson dut être annulé, l'ours prisonnier de sa cage rendant la représentation impossible. Recouvert d'une bâche, le bassin sur roue avait été laissé à l'écart, sous une tente interdite au public.

La troisième nuit, Sachan se rendit dans la roulotte de Charmène. Elle était en train de compter les pierres précieuses amassées depuis le début de la soirée. Cette fois, le dompteur n'en avait aucune à lui remettre.

Debout derrière la patronne, Sachan souleva les longs cheveux poivre et sel, et détacha le lourd pendentif de cristal qui pendait au cou de la femme. Il massa ses épaules le temps qu'elle dépose le bijou dans son coffret. Quand il interrompit son geste, Sachan s'assit à la table. Il ouvrit lui-même la bouteille d'eau-de-vie et se versa un verre, qu'il avala d'un trait, puis un deuxième. Il remplit ensuite celui de la femme.

Sachan ne mit pas les pieds sur la table. Il resta assis, droit, attendant qu'elle le rejoigne.

— Où étais-tu ? ronchonna-t-elle.

Ce n'était pas la première fois que Sachan manquait un spectacle depuis qu'il avait réintégré la troupe, mais jamais il n'avait disparu pendant deux nuits d'affilée. Deux de ses numéros avaient dû être annulés. La patronne en était très contrariée, car après la prestation de la fille-poisson, c'était celle du dompteur d'ours qui rapportait le plus.

— Encore une femme mariée, je suppose ? Essaie de ne pas nous attirer trop d'ennuis, veux-tu ?

Sachan était décidé à parler de ce qui s'était passé entre Myrlande et lui six ans plus tôt, et qui s'était conclu par la mort de la jeune danseuse contorsionniste.

— Ta fille n'avait que du mépris pour moi, attaqua-t-il dès que la sorcière le regarda en face. Mais un jour, elle m'a embrassé comme si j'étais l'homme le plus désirable du continent.

— Qu'est-ce que tu veux, Sachan ?

— Tu as jeté un sort à Myrlande pour qu'elle tombe amoureuse de moi. Pourquoi as-tu fait ça à ta propre fille ?

— N'est-ce pas ce que tu m'avais demandé ?

— Je voulais un charme qui me ferait croire que la vie est belle.

— Et elle est devenue belle, ta vie, pas vrai ?

Le jeune homme lâcha un grognement, quelque chose entre un rire et un gémissement.

— Pour ça, oui. Mais ça ne m'explique pas pourquoi, sachant qui je suis, tu as poussé ta fille unique dans mes bras.

La foraine but le contenu de son verre et s'en servit un autre, puis encore un pour Sachan et dit :

— Myrlande s'était entichée d'un homme de Jarrod. Nous étions de passage dans ce village du sud depuis trois jours seulement, et voilà qu'elle m'annonce qu'elle veut y rester pour s'unir à cet inconnu ! Il était hors de question que je parte en abandonnant ma meilleure danseuse aux mains sales d'un rassembleur de bétail.

— Mais comment as-tu su que Myrlande me rendrait heureux ? Je n'ai jamais laissé voir que je l'aimais.

Charmène prit un air étonné et éclata d'un rire gras, qu'elle eut grand mal à contenir.

— Comment j'ai su ? Je lis l'avenir dans le cristal, Sachan !

La gitane s'esclaffa de plus belle, jusqu'à ce qu'une toux rauque l'oblige à s'arrêter.

— Pauvre gars, tu n'as vraiment rien compris !

Le dompteur attendait la suite.

— Tu n'avais jamais eu de sentiments pour Myrlande, Sachan. Te rendre la vie plus belle n'était pas mon but. Je tenais à garder ma fille auprès de moi, et pour cela, elle devait s'amouracher d'un homme de la troupe. Toi, tu étais brutal, mais puisque ton numéro était le plus apprécié, je voulais m'assurer que tu restes aussi. C'est un de mes sorts qui vous a embrouillé le cœur et l'esprit, et vous vous êtes épris l'un de l'autre.

Charmène rit de nouveau. Sachan serra les paupières le temps de digérer ce qu'il venait d'entendre. Lorsqu'elle se remit à tousser, il se dit que si elle ne suffoquait pas pour de bon, il l'étoufferait de ses mains.

— Tu peux l'annuler, alors, fit-il d'une voix blanche.

— Annuler quoi ?

— Le sort, Charmène ! Tu peux faire en sorte que je n'aime plus Myrlande !

La gitane ne riait plus.

— Elle est morte, Sachan.

— Je sais, bon sang ! C'est bien pour ça que je voudrais cesser de l'aimer.

Charmène planta ses yeux venimeux dans ceux de Sachan.

— Là, dit-elle en laissant traîner le mot, écoute-moi bien, mon gars. Je ne lèverai jamais ce sort, tu m'entends ? Tu vivras avec cette souffrance jusqu'à la fin de tes jours. Fallait pas tuer ma fille, Sachan de Vasmori. Fallait pas.

Les anges

ZAÈLIE DORMAIT, allongée sur un divan devant l'âtre écarlate, tout près du feu. Les grenats du foyer étincelaient au rythme des flammes. Laurian fixait l'elfe. « Elle lui rappelle Yazmine », se dit Trefflé en refermant son livre. Le jeune homme se leva et se dirigea vers la porte.

— Tu vas leur demander à manger ? bâilla Aymric en se redressant sur son lit. Peux-tu commander de ces gâteaux blancs avec le coulis de fraises et du cidre de glace ?

— Nous ne sommes pas dans une auberge, grommela Élorane, réveillée par la voix d'Aymric.

— J'ai besoin de me changer les idées, expliqua Trefflé. La disparition de Clovis commence à m'inquiéter.

— Ne te fais pas trop de souci, lui conseilla Laurian. Je suis sûr que Clovis reviendra quand le danger sera écarté.

— Qu'insinuez-vous ? fit Trefflé.

— Clovis n'a pas ton courage et tu le sais.

— Il n'a quand même pas l'habitude de disparaître aussi longtemps sans dire où il va.

— Clovis peut se transformer en ours des cavernes et se déplacer en moins de temps qu'il n'en faut pour cligner des yeux. Que crains-tu ? Concentrons-nous plutôt sur les joyaux. As-tu trouvé quelque chose ?

— Rien qui puisse nous être utile, non, soupira Trefflé.

— Cette retraite forcée est pire que celle que nous avons connue chez les sirènes ! rechigna Aymric. Au moins, sur Laurentia, on ne s'ennuyait pas !

— Si tu arrêtais de râler une minute et que tu nous aidais dans nos recherches ? lui suggéra son père. Tu sais lire, maintenant.

— Vous avez toujours le nez dans les livres ! bougonna l'adolescent. Si on me permettait de sortir de cette pièce, j'en apprendrais bien plus en parlant avec les anges.

— Laissez-le sortir ! implora Élorane, ironique. Impossible qu'une ange tombe amoureuse de ce mufle !

— Ah, oui ? Et tu crois peut-être…

— Bon sang ! le coupa Laurian. J'en ai plus qu'assez de vous entendre vous chamailler ! Qu'est-ce qui vous arrive à tous les deux ?

Aymric et Élorane échangèrent un regard consterné. Ils étaient pourtant les meilleurs amis du monde.

— Aymric traverse sûrement sa crise d'adolescence, souligna Laurian. Mais toi, Élorane, qu'est-ce que tu as ?

La fée, plus offusquée que jamais, se retourna pour cacher son visage dans ses ailes de papillon.

Aymric ricana.

— Je vais prendre l'air, lança Trefflé.

— Les anges veilleurs ne t'autoriseront pas à quitter cette pièce, lui dit Aymric.

— Ils ont intérêt à me laisser passer, rétorqua le magicien. Je ne risque tout de même pas de rencontrer une jeune femme à l'humeur romantique dans la montagne à cette heure tardive !

Dès qu'il poussa la porte de fer, un des deux anges affectés à leur surveillance se dressa devant lui.

— Que puis-je pour vous ? s'enquit-il. Un oreiller avec plus de plumes, peut-être ?

— Je voudrais aller nager dans l'océan.

— Nager dans l'océan ? répéta le géant en s'esclaffant, certain que l'humain se moquait de lui.

Puis, comprenant que le visiteur était sérieux, il tenta de le décourager.

— L'eau est glaciale à cette époque de l'année. Même un ange ne peut s'y baigner !

— Parfait. Je n'y trouverai donc aucun cœur à corrompre.

— Je vais informer le roi de votre requête, lui répondit le veilleur. Attendez ici.

Le roi accorda à Trefflé la permission de se rendre au bord d'Aqua, mais il ordonna à l'ange veilleur d'aller l'y conduire.

— Merci, lui dit l'humain, à qui on avait prêté un épais manteau doublé de plumes. Je remonterai par mes propres moyens.

— Faites-le avant que le jour ne se lève, le somma l'ange en s'envolant.

Le magicien fit appel à l'âme qui l'habitait et une bête énorme apparut sur les berges de Sibéria. D'un bleu métallique, elle avait deux fois la hauteur d'un homme. Ses longues moustaches remuèrent dans l'air froid. Trefflé glissa jusque dans l'océan où il s'enfonça, savourant la fraîcheur de l'eau qui enveloppait son épaisse cuirasse. Puis, il remonta à la surface et se laissa flotter sur le dos.

« Pourrais-je vraiment briser le cœur d'une ange ? » se questionna Trefflé en admirant la montagne, coiffée du grand château et tachetée ici et là des lumières émanant des petites maisons construites avec des pierres volcaniques. Au cours de l'année qui venait de s'écouler, le magicien avait remarqué qu'il commençait à attirer les regards des femmes. Mais parce que sa quête le menait sans cesse d'un endroit à un autre, jamais il n'avait su si ces dernières s'intéressaient vraiment à lui. Les pensées du guérisseur dévièrent tout naturellement vers Miranie. Jusqu'à quand sa vie sentimentale se résumerait-elle à rêver d'une femme morte ?

Soudain, un cri attira l'attention de Trefflé. Le dragon qu'il était se tourna sur le ventre et s'immergea dans l'eau. Seuls ses yeux et le bout de son museau perçaient la surface d'Aqua. Ses nageoires, étirées au maximum, lui permettaient de rester en équilibre. Il entendit un second cri et aperçut une ange qui dévalait la montagne en courant. Contournant les conifères enneigés, elle jetait des coups d'œil derrière elle. Fuyait-elle quelqu'un ? Trefflé eut beau fouiller les environs du regard, il ne voyait personne aux trousses de l'ange. Puis elle s'arrêta. On aurait dit qu'elle avait frappé un mur invisible. La jeune femme ouvrit les ailes comme pour s'envoler, mais quelque chose sembla la retenir au sol. Elle bifurqua et se lança vers Aqua. Voulant à nouveau jeter un œil dans son sillage, elle s'accrocha les pieds dans sa longue jupe et dégringola la pente abrupte dans un hurlement effrayé. L'eau était si froide que le choc lui fit perdre connaissance.

Le dragon aquatique souleva ses nageoires diaphanes et replongea dans l'océan. De ses courtes pattes avant, il repêcha la jeune femme inerte. Une fois sur la berge, il reprit son apparence humaine. Portant l'ange dans ses bras, Trefflé avançait dans la neige épaisse en prenant garde de ne pas marcher sur les ailes blanches qui pendaient jusqu'au sol.

— Mademoiselle, l'appela-t-il à plusieurs reprises.

Puisqu'elle ne réagissait pas, il se précipita vers la maisonnette la plus proche.

— Aidez-moi ! cria-t-il.

On alluma une lampe et un homme entrouvrit la porte.

— Qui êtes-vous ? demanda l'ange, méfiant.

Même s'il était aussi blond que les Sibériens, Trefflé ne mesurait pas plus de six pieds et n'avait pas d'ailes.

— Je suis un invité du roi Aménuel, lui répondit le Gondwanais, espérant que cette explication suffirait. Cette jeune femme est tombée à l'eau.

— C'est Nowanne, la fille du brocanteur, précisa un petit garçon qui s'était glissé entre les jambes de l'homme.

— Vite ! s'écria ce dernier en ouvrant grand la porte. Il faut lui retirer ces vêtements. Ils sont glacés !

Une fois Nowanne emmitouflée dans une épaisse couverture et étendue près du feu, l'ange envoya son fils quérir le père de la rescapée. Celle-ci n'avait toujours pas manifesté le moindre signe de vie. Trefflé, qui ne décelait pas les battements de son cœur, commençait à s'affoler. Elle n'avait aucune plaie, aucune blessure qu'il aurait pu refermer…

Quand le brocanteur vit l'étranger penché au-dessus de sa fille, ses mains posées sur son buste, son visage vira au rouge. Il voulut écarter le malotru, mais son voisin l'en empêcha.

— Ce jeune homme est un guérisseur du vieux continent, lui apprit-il. C'est un invité du roi.

Trefflé se remit à presser la poitrine de Nowanne pour lui faire recracher l'eau qu'elle avait sûrement avalée. En vain. Il s'inclina alors vers elle pour lui insuffler un peu d'air. Dès que ses lèvres frôlèrent celles de l'ange, le guérisseur sentit un coup de vent dans sa propre poitrine. Une vive douleur déchira ses poumons. Il se concentra pour expulser cet air, qui se propagea dans le corps de la jeune femme et tout autour d'eux, soulevant leurs cheveux. Soudain très faible, comme si l'ange aspirait sa propre vie, Trefflé se redressa, toussa, puis chercha son souffle. Pendant tout ce temps, Nowanne était demeurée immobile et froide, mais il percevait enfin les battements de son cœur dans son cou.

Trefflé était troublé. Jusqu'à maintenant, il avait cicatrisé des plaies grâce aux flammes qui sortaient de ses paumes. Cette fois, c'était l'air qu'il avait transmis à Nowanne qui l'avait sauvée.

Le corps de l'ange fut agité d'un sursaut. Elle toussa à son tour et rejeta un long filet d'eau. Elle s'éveilla en battant des cils, puis ses yeux se refermèrent. Son père serra l'épaule du magicien.

— Merci, jeune homme, merci, balbutia-t-il.

Trefflé resta un long moment auprès de Nowanne. Il s'assura que la température de son corps remontait et que son pouls reprenait un rythme normal. Mais lorsqu'elle revint à elle, il n'était plus là.

En gravissant la montagne pour retourner au château, Trefflé eut l'étrange impression d'être suivi. Il regarda plusieurs fois par-dessus son épaule, mais ne vit personne. S'il avait si froid tout à coup sous son épais manteau, c'était sûrement parce que cette guérison l'avait vidé de toute son énergie.

Du moins, il s'en persuada.

Les hommes

L'ASILE D'ESMAROK était aussi imposant que sinistre. On l'apercevait de loin sur un plateau de la montagne. Il n'y avait aucun arbre près de la bâtisse. Une haute palissade de fer s'élevait tout autour, laissant deviner un toit pointu.

— Y a-t-il tellement de fous sur le continent pour que cet endroit soit si grand ? fit Amira, guère tentée de passer la grille.

Arilianne lui pressa la main et l'entraîna derrière Exandre, qui jouait à celui que rien n'ébranlait. « Il est aussi orgueilleux que Yanni », se dit Arilianne en pensant, le cœur serré, à l'ami qu'elle avait perdu.

Une fois devant la porte de l'asile, Exandre s'arrêta. Les souvenirs des six années qu'il avait passées à l'asile de Gwerozen lui revinrent en mémoire. Il n'y avait pas été maltraité. On l'avait nourri, lavé et vêtu. Mais ce n'était pas un endroit d'où un enfant sortait indemne. Il entendait encore les cris des malades qui résonnaient entre les murs… Les histoires d'horreur qu'ils chuchotaient dans le noir, les déments les inventaient-ils ou étaient-ils devenus fous justement parce que ces choses qu'ils racontaient leur étaient vraiment arrivées ? Et que dire de ceux qui gardaient le silence… C'était surtout ceux-là qui hantaient les souvenirs d'Exandre.

La première fois que le garçon avait parlé à sa mère des revenants, elle ne s'était pas inquiétée. Mais quand Exandre avait eu cinq ans, que ses amis imaginaires s'étaient multipliés et qu'il avait commencé à les craindre, la pauvre femme avait paniqué. Elle l'avait conduit à l'asile en lui promettant de le ramener à la maison lorsqu'il serait guéri.

Exandre avait onze ans quand l'incroyable plante avait surgi à Gwerozen et que l'asile s'était effondré, tuant la plupart des patients et presque tout le personnel soignant. Le jeune magicien était resté prisonnier des décombres jusqu'à ce qu'un revenant, un des patients qui venait de mourir, le guide à travers les ruines. Ne retrouvant pas sa mère parmi les survivants du village, Exandre avait longtemps vagabondé en forêt. Il avait ensuite gagné Monkarm, où on l'avait engagé pour travailler dans les mines d'émeraudes.

—Je ne peux pas frapper moi-même, l'encouragea Arilianne.

Quand il se décida enfin à lever le bras, la porte s'ouvrit immédiatement.

—Je viens rendre une petite visite à mon arrière-grand-mère, mentit Exandre.

Le garçon n'avait aucun lien de parenté avec la femme qu'il désirait rencontrer, mais il pensa que cette petite entorse à la vérité lui faciliterait l'accès à l'asile.

— Ton nom, jeune homme.

— Exandre de Monkarm.

— Et celui de ton arrière-grand-mère ?

— Sortima.

— La sorcière de Monkarm ? Si tu attends après ton héritage pour manger, mon gars, tu ne feras pas long feu !

Le garde pouffa de rire. Il était vrai qu'Exandre n'avait pas grand-chose d'autre sur les os que la peau.

— Cette vieille folle doit avoir plus de cent ans. Elle refuse de mourir. Elle survit grâce à sa magie, c'est certain. Tu es magicien, toi aussi ?

— Je ne suis pas fou, si c'est ce que vous voulez savoir.

L'homme rit de nouveau et s'écarta pour permettre à Exandre d'entrer. Il referma la porte avant qu'Arilianne et Amira ne soient passées, mais elles la franchirent tout de même sans problème.

De l'intérieur, l'asile n'était guère plus rassurant. Le directeur s'assurait peut-être ainsi que les visiteurs ne s'y éternisent pas. Bien que la nuit soit tombée, la plupart des torches accrochées le long des couloirs étaient éteintes. Une vingtaine de pensionnaires étaient pourtant encore rassemblés dans une salle commune remplie d'ombres effrayantes. Dès qu'Exandre mit les pieds dans la pièce, on l'attrapa par un bras.

— Exandre de Gwerozen ? l'apostropha un vieil homme sans quitter sa chaise.

— Vous devez me confondre avec un autre, lui répondit le garçon. Je suis né à Monkarm.

Mais Exandre avait reconnu l'homme, qui ne semblait pas disposé à le laisser continuer son chemin. Il avait beau avoir les cheveux sales et hirsutes, et être habillé comme un mendiant, le garçon se souvenait très bien de lui. C'était le directeur de l'asile de Gwerozen. Un des rares, avec lui-même, à avoir survécu à l'effondrement du bâtiment.

— J'étais dehors quand c'est arrivé, lui chuchota le vieillard. J'étais sorti prendre un peu d'air. Mais toi, tu étais à l'intérieur. Comment as-tu pu t'échapper, mon garçon ? Des tas de gens sont morts devant mes yeux. Cette plante… par Rhéïqua ! Cette plante…

— Je ne comprends pas de quoi vous parlez.

— Ta place est ici ! s'emporta-t-il. Tu es fou ! Tu ne dois pas partir !

Amira voulut saisir la main du patient pour l'obliger à lâcher Exandre, mais elle passa évidemment au travers. Toutefois, ce contact invisible le fit hurler. La fillette revint alors vers lui et le toucha une seconde fois. D'un bond, l'homme quitta sa chaise, qui bascula bruyamment sur le sol. Gueulant de plus belle, il battait l'air de ses bras comme s'il essayait de s'envoler.

Une femme en uniforme gris vint au secours d'Exandre.

— Monsieur Gaslon, fit-elle sévèrement. Retournez tout de suite à votre chambre.

Deux hommes, eux aussi vêtus de gris, empoignèrent le vieillard pour ensuite disparaître au bout d'un couloir.

— Désolée, petit, dit l'aide-soignante à Exandre en lui replaçant sa tunique. Monsieur Gaslon a été témoin du tremblement de terre de Gwerozen. On serait dans son état pour moins que ça. Je peux t'aider ?

Exandre, lui, n'avait été témoin de rien. Coincé entre les murs de l'asile, ce qui s'était passé à l'extérieur lui avait été épargné. Et par chance, il n'avait pas été blessé. Lorsqu'il avait retrouvé sa liberté, tout était terminé. Et à vue de nez, toute forme de vie avait déserté les environs.

— Je cherche Sortima de Monkarm.

La femme lui indiqua un coin d'ombre à l'autre bout de la pièce. Aussitôt qu'Exandre et les revenantes s'y avancèrent, une jeune fille dont les bras étaient attachés dans le dos par une sorte de gilet rigide se mit à s'agiter.

— Les morts sont dans nos murs ! cracha-t-elle en pointant l'adolescent du menton.

Et s'efforçant de fuir ces morts à tout prix, elle se jeta contre un mur.

— Les créatures de Rhéïqua sont après nous ! Ne sentez-vous pas ce souffle glacé dans votre cou ? C'est le baiser des morts !

Exandre haussa les épaules devant l'expression suspicieuse des employés qui immobilisaient la malade pour l'empêcher de se blesser. Le jeune magicien feignit encore de ne rien comprendre. Pourtant, il venait de croiser le regard de quelqu'un qui avait le même pouvoir que lui. C'était la première fois.

— Vous êtes mort, mon petit ? lui demanda un autre patient.

— Non, monsieur.

— Voilà à quoi tu t'exposerais si tu révélais ton don au monde, le prévint Arilianne.

— Cette malheureuse n'est pas enfermée ici parce qu'elle est magicienne, lui répondit Exandre. Ils la croient folle. D'ailleurs, elle l'est. Ce sont les revenants dans ton genre qui lui ont fait perdre l'esprit.

— C'est à moi que tu parles ? grogna une femme en agrippant le bras du magicien.

— Laissez ce pauvre garçon ! intervint l'aide-soignante.

En arrivant enfin devant la vieille femme presque chauve, Exandre constata que Sortima devait effectivement avoir au moins cent ans. Son visage était couvert de rides, ses mains criblées de taches brunes, et ses oreilles s'étiraient jusqu'à ses épaules. En croisant ses yeux blancs et opaques, Exandre pensa qu'ils devaient dissimuler d'innombrables secrets.

— Madame Sortima ?

— Ta voix est jeune, tu n'es qu'un enfant, grinça la vieille femme. Pourquoi ne m'appelles-tu pas sorcière ?

Exandre vérifia qu'aucun employé de l'asile ne prêtait attention à leur discussion.

— Vous êtes une magicienne, pas une sorcière, dit-il. J'ai du respect pour votre pouvoir.

— Hum… et qui sont ces deux personnes qui t'accompagnent ?

— Vous les voyez ? s'étonna Exandre.

— Les voir ? s'esclaffa la vieille. Je suis aveugle, petit, n'est-ce donc pas évident ?

— Arilianne et Amira sont des revenantes. J'ai le don de les voir et de les entendre. Mais comment savez-vous qu'elles sont là ?

— Des revenantes, prétends-tu ? Je sens leur présence comme je sens la tienne, mon garçon. Mes yeux ne peuvent plus me tromper. Ces coquines sont-elles la cause de tout ce désordre ?

La magicienne hurlait toujours. Malgré sa camisole de force, ils étaient cinq à tenter de l'enrouler dans un drap pour l'empêcher de se débattre. Autour d'elle, les patients en profitaient pour braver les règlements. Certains s'en prenaient aux autres, avalaient des objets ou recrachaient leurs remèdes.

— Cette fille crie parce qu'elle a peur de mes amies, chuchota Exandre. Elle a le même pouvoir que moi.

— Que me voulez-vous, au juste, les enfants ?

Exandre extirpa le fémur de son sac, enleva le tissu qui le recouvrait, et le tendit à la vieille magicienne.

— Arilianne et Amira n'ont pas été enterrées après leur mort. Elles n'ont donc pas rejoint le sous-continent. Leurs os ont été dispersés et nous aimerions les récupérer. Pouvez-vous me dire où ils sont ?

La sorcière de Monkarm caressa l'os sur toute sa longueur.

— Les deux crânes sont dans ton sac, affirma-t-elle.

— C'est vrai, acquiesça Exandre en souriant.

Le garçon fit un clin d'œil complice à Arilianne.

— Tu trouveras les os du bras droit de la plus jeune dans une tanière de chacals, non loin du conifère qui cachait ce fémur. Éloigne-toi de la rivière sur vingt-trois pas et tu verras ce refuge. L'autre bras est tombé dans la rivière. Tu devras plonger, car il est retenu entre deux rochers, tout au fond de l'eau.

— Il faut prendre des notes, dit Arilianne.

— Je ne sais pas écrire, avoua Exandre, gêné.

— Et si je t'épelle les mots? offrit la revenante.

— J'aurais besoin d'un parchemin et d'une plume.

— Qu'on apporte de quoi écrire à ce jeune homme! s'écria Sortima par-dessus le raffut général.

La plume en main, Exandre se mit à copier les lettres qu'Arilianne lui dictait, grimaçant parfois au son de certaines d'entre elles. Amira l'aidait alors en les lui dessinant dans les airs de son index.

Voyant la revenante gesticuler, la magicienne en camisole de force voulut foncer droit sur elle. Un homme en uniforme gris l'intercepta et l'attacha sur une civière.

— Cette enfant morte veut nous jeter un sort! brailla la patiente en se débattant. Écoutez-moi! Bientôt, il sera trop tard! Notre monde sera envahi par des revenants et des fantômes!

Imperturbable, la vieille Sortima révéla à Exandre les endroits où il dénicherait les os des jeunes filles. Mais avant de lui parler de la jambe gauche d'Arilianne, elle le mit en garde.

— J'espère que tu es persévérant, mon garçon, car les os de cette jambe ont été séparés. Des dangers considérables t'attendent le long du chemin qui te conduira à chacun d'eux. Et si la tanière du chacal t'effraie, oublie tout de suite l'idée de les rassembler.

— Je n'ai pas peur.

Sortima lui dévoila donc où se trouvaient ces os, avant de dire:

— Maintenant, va, mais tâche de ne pas connaître le même sort que tes amies.

Malgré tous les tranquillisants que venait d'avaler la magicienne hystérique, ce n'est qu'en voyant les fillettes mutilées se diriger vers la sortie qu'elle s'apaisa enfin. Beaucoup de patients étaient encore énervés, et les employés de l'asile étaient tous occupés à les maîtriser. Alors que le directeur lui-même allait vers Sortima pour l'aider à gagner sa chambre, un des pensionnaires en profita pour prendre le large.

— N'auriez-vous pas perdu quelque chose ? demanda la vieille magicienne au petit homme grassouillet.

— Oh ! madame, s'exclama le directeur. C'est bien aimable à vous de l'avoir remarqué ! Cinq ou six kilos à peine. Mais il est vrai que cette diète fait des merveilles !

Les anges

LA DERNIÈRE FOIS qu'un humain s'était présenté sur Sibéria, le brocanteur était bien jeune. Le dénommé Vilsson était un sorcier qui cherchait la formule de l'éternelle jeunesse depuis près de trois siècles. S'il avait réussi à ralentir le passage du temps, il avait tout de même fini par vieillir. L'idée qu'une telle potion puisse exister avait séduit le roi Faël, qui avait financé les travaux de Vilsson. Mais le sorcier, qui disait avoir du mal à s'adapter au climat de Sibéria, n'était resté qu'une année, avant de partir pour Laurentia.

Le brocanteur déposa une tasse de tisane fumante devant sa fille, puis s'assit en face d'elle.

— Pourquoi te trouvais-tu si loin du château en pleine nuit, Nowanne ?

La jeune femme se levait pour la première fois depuis l'incident qui avait failli la tuer.

— Je rentrais à la maison, père.

— Mais pourquoi ? La place d'une louangeuse est à la cour du roi. N'as-tu pas toujours voulu être louangeuse ?

— Je me suis trompée. Cette vie-là n'est pas pour moi.

Chaque boucle d'oreille que portait Nowanne valait plus que tous les objets qui les entouraient, et que l'homme réparait puis revendait pour gagner sa croûte.

— Tu as prêté serment, mon enfant. Tu ne peux pas t'absenter du château sans la permission du roi. Avec notre population qui ne cesse de décliner, les anges ont plus que jamais besoin des louangeurs. Tu sais comme moi qu'il n'y a qu'un endroit où nos choux poussent bien. Et ce potager est réservé aux louangeurs…

— … car les probabilités que leurs enfants survivent sont bien meilleures, récita Nowanne. Madame Chanidelle me le répète tous les jours en espérant que je choisisse un mari et que je devienne mère.

— Trois serviteurs sont déjà venus jusqu'ici pour s'enquérir de ta santé. Je leur ai promis que tu te présenterais au château dès que tu te sentirais mieux.

— Papa… soupira l'ange.

— Quelqu'un était-il au courant que tu projetais de quitter la cour du roi pour revenir ici ?

— Non, mais… j'avais l'impression qu'on me suivait.

— Peu après que l'humain guérisseur soit reparti pour le château, on a glissé cette enveloppe sous notre porte. Elle t'est adressée.

Le regard sévère et inquiet du brocanteur était rivé sur Nowanne. Elle fit donc celle qui n'avait aucune idée du contenu de la lettre qu'il lui tendait. Elle ouvrit l'enveloppe et lut le message pour elle-même : *Je te suivrai partout où tu iras. Bastiëm.*

Nowanne se leva et jeta le parchemin au feu.

Le peuple angélique n'était issu que de trois familles. Du coup, les anges étaient désormais presque tous porteurs d'une maladie congénitale qui affaiblissait leur cœur et les condamnait souvent à mourir quand ils se retrouvaient privés de l'être aimé. C'est pour cette raison qu'une trentaine d'anges, des hommes et des femmes dans la vingtaine, avaient été nommés louangeurs. Tous étaient sélectionnés pour leur beauté, leur force, leur intelligence, leur civisme et, surtout, pour leur santé de fer. Ils formaient l'élite de Sibéria. Vivant ensemble à la cour du roi, ils se couvraient d'éloges, se courtisaient les uns les autres lors de bals grandioses et étaient ainsi encouragés à se marier entre eux et à avoir une famille nombreuse dont le roi devenait le pourvoyeur. Cette mesure avait été mise en place par le roi Faël afin de donner au peuple angélique une chance de prospérer. Mais si tout était fait pour favoriser les mariages entre louangeurs, jamais deux êtres n'étaient forcés de s'unir l'un à l'autre.

— Le roi ne te laissera pas partir, tu es bien trop précieuse. Mais tu sais cela, ma fille. C'est d'ailleurs pour cette raison que tu t'es sauvée en pleine nuit, l'accusa le brocanteur. Je te ramènerai au château dès demain.

Nowanne ferma les yeux et hocha la tête. Personne, pas même son père adoré, ne pouvait comprendre pourquoi elle voulait fuir un destin dont rêvaient toutes les petites anges. Mais peu lui importait au fond, puisque désormais, elle avait une raison de retourner au château. N'était-ce pas là que séjournait l'étranger qui lui avait sauvé la vie ? Aussi, elle répondit, docile :

— Comme vous voudrez, père.

À l'instar de toutes les jeunes filles du continent, Nowanne n'avait longtemps eu qu'une ambition : devenir louangeuse. Elle avait été choisie l'année précédente, à ses dix-huit ans, et jusqu'à tout récemment, cette façon de vivre lui convenait. Elle ne se lassait pas de tenir compagnie à la reine Myrliam, d'être entourée de serviteurs, de porter des vêtements et des bijoux somptueux, et d'aller au bal aux bras des plus beaux partis de Sibéria. Mais les louangeurs avaient beau être séduisants et admirables, Nowanne n'était amoureuse d'aucun d'entre eux. Plus le temps passait, plus elle se demandait s'il n'y avait pas un problème avec son cœur. Elle savait déjà qu'il n'était pas aussi fragile que celui de la plupart des anges. C'était même pour cela que Nowanne avait été désignée pour vivre à la cour. Elle n'était pas la plus jolie, et surtout pas la plus respectueuse des règles, mais son cœur était en parfaite santé. Était-il dur pour autant ?

« Tu as un cœur d'humain », lui avait certifié le vieux mage qui l'avait auscultée avant qu'elle ne soit admise au château. Sur Sibéria, on disait que le peuple qui vivait sur le vieux continent pouvait survivre à tous les chagrins d'amour. « Et si mon cœur est vraiment aussi résistant que celui d'un humain, songea Nowanne, peut-être que seul un humain saurait le faire battre d'amour ? »

Dès son retour au château, Nowanne exprima à la dirigeante des louangeuses son désir d'aller remercier celui qui l'avait sauvée. Madame Chanidelle lui fit remarquer qu'elle s'était déjà absentée pendant plusieurs jours et qu'on l'attendait dans la salle de bal pour une répétition de mariage.

La séance terminée, Nowanne regagna sa chambre, où elle enfila sa tenue préférée : une courte robe pailletée d'or dont le corsage entourait ses épaules de plumes de paruline. En ouvrant son coffre à bijoux pour y prendre ses pendants d'oreilles de quartz blanc, l'ange trouva un bout de parchemin identique à ceux qu'elle découvrait un peu partout depuis des semaines. Sur le papier froissé, quelques mots : *Oublie-le, mon amour. Tu n'es rien pour lui. Je suis toujours là, et je t'aime plus que jamais.*

— Cette fois, c'en est trop ! fulmina Nowanne à voix haute.

Elle sortit de sa chambre et gagna celle de Rachëlle, une autre louangeuse. Dès que la jeune femme ouvrit la porte, Nowanne lui lança le parchemin à la figure.

— Mais qu'est-ce que…

— Qui t'a dit que j'essayais de rencontrer cet homme, Rachëlle ?

— De quel homme parles-tu ?

— Tu me reproches encore la mort de ton frère !

— J'ai… J'ai mis du temps à l'accepter, c'est vrai, bredouilla l'ange. Mais je sais bien qu'on ne peut pas se forcer à aimer quelqu'un. Ce n'est pas ta faute si Bastiëm est mort.

— Dans ce cas, pourquoi m'envoies-tu ces mots ?

Rachëlle se pencha, ramassa le papier tombé à ses pieds et en fit la lecture.

— C'est l'écriture de Bastiëm, murmura-t-elle.

— N'essaie pas de m'effrayer ! Je ne crois pas aux fantômes. Si je reçois un autre message comme celui-là, j'en parlerai à madame Chanidelle.

Nowanne tourna les talons et claqua la porte. Médusée, Rachëlle se laissa choir sur son lit.

— Bastiëm ? appela-t-elle au bout d'un moment.

Si le fantôme de son frère lui répondit, Rachëlle n'en eut pas conscience.

À force de persévérance et de ruse, Nowanne avait appris que son sauveur était venu sur Sibéria en compagnie d'une fée. La petite créature était là pour convaincre Barchelas de relâcher l'âme d'Anawëlle. Tous deux logeaient dans la pièce de l'âtre écarlate, tout en haut de la tour mitoyenne, avec d'autres humains et une elfe qui pouvait se changer en un dangereux félin ailé. Résolue à voir celui qui l'avait arrachée à la mort, Nowanne avait tenté de s'y rendre à plusieurs reprises. Toutefois, on aurait dit qu'une force supérieure voulait contrer ses plans. La louangeuse allait atteindre l'âtre quand un serviteur passa en trombe et renversa une carafe de vin sur sa robe. Nowanne fit demi-tour vers sa chambre pour aller se changer et s'y retrouva enfermée. Ses cris ne furent entendus qu'après trois longues heures. Ensuite, le couloir qu'elle emprunta fut inondé et elle dut prendre un autre chemin. C'est là qu'elle croisa madame Chanidelle, qui lui ordonna de se hâter auprès de la reine. Ne sachant quelle tenue choisir pour le prochain mariage, Myrliam avait réclamé l'aide de Nowanne.

À la nuit tombée, dès que les lumières de la tour des louangeuses s'éteignirent, la jeune femme se glissa hors du château par la fenêtre de sa chambre. Elle vola jusqu'à la tour centrale, passa la balustrade et se posa sur le balcon qui faisait une saillie dans la façade illuminée par le feu de l'âtre écarlate. Nowanne replia ses ailes et s'approcha de la fenêtre. C'est alors qu'elle sursauta devant un visage et recula dans l'ombre. Derrière la vitre givrée, la petite fille ne l'avait pas vue. Les yeux tristes, elle fixait les étoiles. Remarquant ses ailes colorées, l'ange sut tout de suite qu'il s'agissait de la fée. Lorsque l'enfant posa sa main contre la vitre comme si elle voulait toucher le ciel, Nowanne dut se retenir pour ne pas l'imiter.

Dès que la fée se fut éloignée, Nowanne retourna à la fenêtre. C'est là qu'elle aperçut, au fond de la pièce, un homme aux cheveux bruns plongé dans la lecture d'un grand livre relié de cuir blanc. Le cœur de l'ange s'affola immédiatement. « C'est lui, c'est mon sauveur. Il est très séduisant ! »

Nowanne observait Laurian à son insu. Un autre individu portant de longues tresses blondes était assis près de lui, mais l'ange n'avait d'yeux que pour Laurian.

Le jeune homme blond se leva et Nowanne se replia dans l'ombre. Quand Trefflé ouvrit la vitre en maugréant à propos de la chaleur qui régnait dans la pièce, la jeune femme reconnut la voix de celui qui l'avait tirée de l'océan et elle comprit sa méprise. L'étranger qu'elle contemplait n'était pas celui qui l'avait sauvée. Ce dernier était plus jeune, mais pas aussi beau. Il n'avait rien de remarquable. Même que ses cheveux étaient pâles et raides, comme ceux de tous les Sibériens.

Déçue, Nowanne jeta un dernier coup d'œil à Laurian et s'envola. En quittant le balcon, elle était déterminée à oublier cet humain qu'elle avait pris pour son sauveur, ainsi que l'histoire d'amour qu'elle avait cru possible le temps de quelques battements de cœur. C'est alors qu'une rafale de vent repoussa l'ange vers la balustrade, lui donnant l'impression d'être tirée vers le bas. Se retenant aux barreaux du balcon, Nowanne donna des coups de pieds rageurs dans le vide.

— Vas-tu me laisser tranquille, Bastiëm? gronda-t-elle dans le noir.

« Ce n'était que le vent », se dit-elle après avoir recouvré son calme et repris son envol. Mais elle sentit un souffle glacial sur sa nuque.

Le baiser d'un mort.

— Bastiëm?

« Les fantômes n'existent pas, se répéta-t-elle en accélérant le mouvement de ses ailes. Seuls les faibles d'esprit croient à ce genre d'histoires. »

Mais si cette phrase de madame Chanidelle était vraie, presque tous les habitants de Sibéria étaient sots…

Les bandits d'Orphérion

TROIS ANS PLUS TÔT, Yanni avait été très éprouvé par la mort d'Arilianne et d'Amira. Fou de chagrin, il s'était dit que s'il ne les enterrait pas, elles n'auraient d'autre choix que de rester avec lui. Mais après quelques jours de marche pendant lesquels il avait été suivi par des nuages de brume et assailli par des coups de vent soudains, il avait compris que son idée était stupide. Puisqu'il ne pouvait ni voir ni entendre les revenants, quel intérêt avait-il à obliger Arilianne et Amira à demeurer entre deux mondes? Il avait donc rebroussé chemin. Or, les corps avaient déjà été dépouillés de leur chair et démantibulés par les animaux. Près de l'endroit où le drame avait eu lieu, sous les branches du gros conifère où il avait caché les cadavres, Yanni n'avait trouvé qu'un os long et mince et deux crânes aux orbites vides qui le fixaient d'un air accusateur.

— Pardon, Arilianne, avait-il soufflé en posant une main sur sa nuque pour rappeler à lui la sensation du froid baiser de Rhéïqua.

Mais Arilianne s'était éloignée de quelques pas, comme pour le punir.

— Pardon, avait-il répété.

Yanni s'était engagé vers l'est, les revenantes sur les talons. À cette époque, près de la chute aux Murmures, la bande de Sachan attendait le retour de leur chef, parti depuis peu pour vendre aux forains l'étrange petite fille aux mains palmées qu'ils avaient découverte près de leur campement. Yanni n'avait que treize ans quand il tomba sur ces bandits. La peur au ventre et les vêtements tachés de sang, il était accablé de chagrin et avait faim. Arilianne et Amira, qui s'évertuaient à attirer son attention en se manifestant sous forme de brume, de vent ou de fumée, lui rendaient la vie insupportable.

Yanni connaissait la réputation des bandits d'Orphérion. Mais il était alléché par les aventures qui s'offriraient à lui en les rejoignant. Sachan tardant à revenir, Ghéaume s'était octroyé le titre de chef. Les bandits avaient levé le camp et Yanni les avait suivis. Le jour où Lizbelle s'était greffée à leur bande, Yanni avait quinze ans, et plus d'un crime à son actif. La jeune femme, elle, en avait dix-huit. Les bandits ne lui demandèrent pas non plus d'où elle sortait. Elle portait des pantalons et maniait le coutelas comme personne. Et elle était aussi rousse que l'avait été Arilianne. Sa beauté était saisissante, mais curieusement, Lizbelle laissait Yanni indifférent.

Weliot s'était rallié aux bandits contre son gré, mais il ressentait maintenant la même exaltation que Yanni. Par contre, le cœur de Weliot, lui, battait d'amour pour Lizbelle. Et il battait assez fort, croyait-il, pour que tout le monde l'entende.

Les bandits descendaient lentement vers le sud, longeant le bras droit de l'Orée, se rapprochant de la Méloria. Cette fois, ils érigèrent leur campement à quelques lieues de la volière.

La nuit avait surgi d'un coup, froide et silencieuse. Le petit groupe était assis autour d'un feu immense qui projetait des tisons. Lizbelle avait retiré le bandage que Yanni avait autour du front et nettoyait la plaie causée par le bec de la cigogne. Tous écoutaient Ghéaume parler encore du plan qui les rendrait riches.

— Si tu veux des graines de choux, pourquoi m'as-tu sommé de tuer la cigogne ? le questionna Joffre.

— Se trimbaler avec un oiseau de cette taille, c'est le meilleur moyen d'être repérés, vociféra Ghéaume. Colim, tu n'es qu'un idiot.

Insulté, le voyou qui avait dérobé l'oiseau réagit d'un grognement qui se voulait féroce.

— Ce qu'il faut, poursuivit Ghéaume, c'est prendre directement les graines dans le caveau de la Méloria.

Weliot, lui, entendait ce plan pour la première fois.

— C'est du délire ! s'écria-t-il.

Les regards stupéfaits, presque apeurés, se posèrent sur lui comme s'ils s'attendaient tous à voir Ghéaume décapiter Weliot sur-le-champ.

— Désolé… bafouilla Weliot. En fait, l'idée est bonne… mais le caveau a été creusé dans les quartiers du général Guychel, sous une porte de fer dont lui seul a la clef.

— C'est trop risqué ! renchérit Vianney. Si Sachan était là…

— Mais Sachan est parti depuis trois ans ! éructa Ghéaume. Je vous rappelle qu'il a filé avec la créature qui devait nous rapporter une fortune ! J'en ai assez de vos lamentations à propos de ce traître. Je ne veux même plus que vous prononciez son nom, c'est clair ?

Après ces hauts cris, seul un hibou osa émettre un son. Puis Lizbelle dit :

— Expose ton plan au jeune, Ghéaume.

Le chef se tourna vers Yanni, qui s'empara d'une corde. Puis, Yanni fit signe à Vianney et à Colim de se lever. Quand Weliot fut bien ligoté à un arbre, Ghéaume en vint aux explications.

— Les quartiers du général Guychel sont les mieux gardés de la volière de Méloria. Personne ne peut y pénétrer sans y avoir été invité. C'est pourquoi nous avons besoin de ton frère.

— Clovis ? Mais que vient-il foutre là-dedans ? cracha Weliot.

— Il nous en doit une, le défia Colim.

— Lorsqu'il viendra te voir, ton frère te trouvera attaché contre cet arbre, enchaîna Ghéaume. Il comprendra que tu es prisonnier des mêmes bandits qui l'ont agressé il y a trois ans. Clovis sait qu'on ne rigole pas. Il fera ce qu'on lui dira. Sinon, on te tuera.

— Et je suppose que vous lui demanderez d'apparaître dans la cabane du général Guychel pour qu'il lui vole sa clef et qu'il ouvre le caveau à graines, persifla Weliot.

— Je vous avais dit qu'il était moins idiot qu'il en avait l'air ! se moqua Yanni.

— C'est vrai, admit Ghéaume. Ce serait dommage de lui trancher la gorge.

— Ça va, ça va, râla Weliot. Allez, détachez-moi ! Il pourrait s'écouler des mois avant que mon frère daigne me faire honneur de sa présence. Il est occupé à sauver le monde !

— Mais le monde ne peut plus être sauvé, répondit Yanni tout bas. Les fées nous ont abandonnés.

— Vous êtes tous fous ! s'emporta Weliot en se débattant. Détachez-moi !

— Cesse de hurler, ordonna Ghéaume en lui brandissant son coutelas sous le nez.

Après avoir coupé les liens de Weliot, Ghéaume lui expliqua qu'il prévoyait échanger chaque graine de chou contre un diamant, ce qui était dérisoire en comparaison des huit qu'exigeaient les Méloriens. Devenir un bienfaiteur du peuple et dormir dans des draps de satin, voilà un projet qui convenait parfaitement à Weliot. Mais il avait beau clamer qu'il ferait de grandes choses pour Ghéaume, le chef lui imposait tout de même une surveillance permanente. Pour les autres du groupe, Weliot n'était que le frère de Clovis qui, lui, était la clef qui ouvrirait le caveau à graines. Weliot était l'appât qui conduirait le magicien jusqu'à eux. Mais tant pis, se disait le garçon. Aux yeux du peuple, il serait un héros comme les autres de la bande, et il finirait bien par avoir la chance de prouver ce qu'il valait.

Tandis que Weliot rêvassait sous la tente, Yanni mit de l'eau à bouillir sur le feu.

— Ghéaume s'impatiente, lui signala Lizbelle en lançant les feuilles de thé dans la marmite.

— Qu'est-ce qu'il s'imaginait ? grommela Yanni. Que Clovis apparaît tous les soirs auprès de Weliot pour le border ?

— Weliot maintient qu'il n'est pas un être blanc, fit Lizbelle en haussant les épaules. Et il jure qu'il ignore où est son frère.

— Tu dois convaincre Ghéaume de lui lâcher un peu la bride, dit Yanni. Il ne faudrait pas qu'il s'enfuie.

— Mais Ghéaume craint justement de le voir déguerpir avec son frère. Il a décidé que c'était à moi de lui donner le goût de rester.

— Hum… réfléchit Yanni.

Il dévisagea Lizbelle, qui détourna les yeux. Elle était très belle… Mais Yanni ne pouvait jamais la regarder longtemps sans voir surgir le visage d'Arilianne, meurtri et figé. Alors, l'odeur du sang lui montait aux narines.

— Arilianne… chuchota-t-il.

Il semblait sur le point d'éclater en sanglots.

— Yanni ?

Yanni leva la tête vers Lizbelle et revint à la réalité.

— Si Weliot souhaite demeurer avec nous, c'est en grande partie grâce à toi, Lizbelle, c'est certain. Mais s'il continue à passer pour un gamin idiot à tes yeux, il partira. Ghéaume doit le mettre sur un coup et vite.

— Il n'est pas encore prêt.

— À toi de persuader Ghéaume du contraire.

La jeune femme s'était déjà éloignée quand Yanni la rappela.

— As-tu déjà vu une fée, Lizbelle ?

Elle l'observa un moment.

« Si tu savais tout ce que je vois… », pensa-t-elle avant de se glisser sous la tente sans lui répondre.

— Personne ne devrait croire aux fées, murmura Yanni.

Les anges

DEPUIS LES QUELQUES MOIS qu'ils se fréquentaient, c'était la première fois que la reine Myrliam n'arrivait pas à l'heure à un rendez-vous avec Ashlar. Enfoncé dans la lave jusqu'à la taille, l'homme commençait à s'impatienter quand une ombre ailée balaya enfin l'intérieur du cratère.

— Myrliam ! appela-t-il, rempli d'espoir.

Mais c'est le roi des anges qui surgit de la pénombre.

— Excusez-moi, Aménuel, dit le dieu déchu, j'ai cru...

— Je sais, Ashlar.

— Vous savez ?

— Je sais pourquoi ma femme s'est adressée à vous pour que notre fille soit libérée. Vous n'êtes pas comme les autres. Vous avez du cœur. C'est d'ailleurs pour cela que je veux vous présenter Élorane, la dernière des fées.

La petite créature qui se cachait derrière l'ange fit un pas de côté et marcha vers le dieu à la peau chocolat. Ébloui par la beauté de l'enfant, Ashlar resta un instant interdit.

— Éliambre, murmura-t-il malgré lui.

— Éliambre ? répéta Élorane, abasourdie.

Conduits par deux serviteurs du roi, Trefflé et Laurian se posèrent à leur tour dans le cratère, suivis du coujara avec Aymric sur son dos. Ashlar les remarqua à peine.

— Tu es vraiment la dernière ? souffla-t-il à Élorane. Cette pensée lui semblait insoutenable.

— Les lynx de Gondwana affirment que les fleurs-mères des fées se sont éteintes, et que je suis la dernière à être venue au monde.

— Mais d'autres vivent peut-être encore…

— Les corbeaux, qui savent beaucoup de choses, sont persuadés du contraire.

Ashlar lui fit signe de s'approcher un peu plus. Curieuse et attirée par lui, Élorane avança d'un pas dans sa direction.

— Non ! protesta le roi. S'il te touche, il pourra sortir de la lave !

Évidemment, la reine Myrliam avait déjà touché Ashlar. Il pouvait donc désormais s'extirper de la lave à sa guise. Mais parce qu'il était sincèrement amoureux de sa belle, il lui avait promis de ne pas quitter les profondeurs tant que l'âme d'Anawëlle y serait, de peur de contrarier davantage Barchelas. N'étant pas au courant de cela, le roi des anges empoigna la fée par le bras et l'obligea à reculer.

— Éliambre ! rugit la sombre créature en foudroyant Aménuel du regard. Savez-vous ce que les vivants ont fait de mon enfant ?

Aussi surpris qu'Élorane d'entendre ce dieu prononcer le nom de l'île des sirènes, les humains, encore tapis dans l'ombre, se demandaient comment réagir.

— Et vous de la mienne ? répliqua l'ange. Rendez-la-moi !

— Je n'en ai pas le pouvoir, Aménuel. Barchelas n'écoute personne, c'est même pour cette raison qu'il a été expédié ici. Laissez-moi serrer cette petite dans mes bras et je vous jure que je ne sortirai pas de mon trou.

— Que vous arrive-t-il, Ashlar ? lança le roi des anges, médusé. Vous avez toujours été le plus raisonnable d'entre eux. Vous ne croyez tout de même pas que je vais vous accorder une telle faveur !

À la demande du roi, Zaèlie avait conservé le corps du coujara en présence de ses serviteurs. Elle s'avança vers le dieu déchu, déployant ses ailes et le menaçant de ses énormes crocs. Mais c'est à force de fixer le regard violet d'Élorane qu'Ashlar se calma.

— Tu as ses yeux, constata-t-il, tout doucement.

La fée fit un autre pas vers lui, talonnée de près par ses amis. Zaèlie lâcha un grognement d'avertissement à l'intention du dieu.

— Vous savez d'où je viens ? le questionna Élorane.

— Du ciel, évidemment ! s'exclama Ashlar. Sinon, d'où te viendrait une pareille beauté ?

— Ne la touchez pas ! intervint le roi en surgissant devant la fée pour empêcher le dieu des profondeurs de lui prendre la main.

C'est à ce moment-là que Trefflé remarqua le pendentif en or qui avait émis un bruit métallique en se frappant contre le plastron d'Aménuel.

— Monsieur Laurian, dit-il à voix basse, regardez ce bijou au cou du roi…

Aménuel fit reculer Élorane avec lui, mais Ashlar bondit hors de la mare de lave, atterrissant devant eux en expulsant un cri rauque. Le dieu n'avait pas même effleuré Élorane ! S'il pouvait sauter hors de son trou, c'était donc qu'il avait touché quelqu'un d'autre ! Le coujara se dressa devant la fée, et le roi des anges, d'un brusque battement d'ailes, s'élança vers Ashlar. Plaquant ses paumes contre son armure de fer, il le repoussa de toutes ses forces. Le dieu vacilla, mais avant de perdre pied, il réussit à s'accrocher au pendentif du roi. Aymric entraîna Élorane loin de l'altercation.

Tombé à genoux, Aménuel luttait pour rester sur la terre ferme. Trefflé et Laurian saisirent ses bras, tandis que le roi ouvrait grand les ailes et en battait frénétiquement. Suspendu à la chaîne en or, Ashlar était enfoncé jusqu'aux aisselles dans la lave bouillonnante.

— Acceptez que je sorte de là, Aménuel ! Je ne vous veux aucun mal !

— Myrliam m'a convaincu de vous faire confiance ! Je n'aurais jamais dû l'écouter. Retournez d'où vous venez !

— Impossible ! Dès que j'ai mis un pied hors de mon monde, j'ai perdu mon plus grand pouvoir, celui qui me permet de vivre dans les flammes des profondeurs ! Je brûlerai si je redescends jusqu'en bas !

— Et alors ?

— Votre reine mourra !

— Myrliam ? s'irrita le roi.

C'était donc elle qui avait touché Ashlar !

— Votre femme m'aime. Si vous me laissez tomber, le chagrin la tuera.

Aménuel devait-il le croire ? Ashlar s'agrippait toujours fermement au pendentif. La chaîne était très solide, mais à mesure que le dieu s'engouffrait, le métal lacérait la peau du roi. Les épaules d'Ashlar étaient en train de disparaître.

— Roi Aménuel, l'implora Élorane dans son dos. Ayez pitié…

— Agissez comme vous le jugez juste, l'exhorta Trefflé, mais cet être ne doit pas emporter votre médaillon !

— Le… médaillon ? répéta le roi, consterné.

— Aménuel, je vous en supplie, plaida Ashlar. Les problèmes de votre peuple vous ont amené à négliger la reine, et pourtant, son cœur a résisté. C'est mon amour qui l'a sauvée !

— Une ange ne peut aimer qu'une fois, rappela le roi. Par quelle magie perverse m'avez-vous ravi son cœur ?

— J'aime Myrliam ! insista Ashlar, tandis que son menton commençait à être immergé. J'ai fait ce qu'il fallait pour qu'elle vive ! Ne nous condamnez pas tous les deux.

Aménuel devait prendre une décision… et il tendit une main au dieu.

— Lâchez le bijou, Ashlar, et cramponnez-vous à moi.

Craignant qu'il s'agisse d'un piège, le dieu hésita une seconde de trop. La chaîne se brisa. Le roi ne put retenir la main qui, à la suite du corps, s'enlisa dans la lave. Dans un hurlement sauvage, Ashlar emporta l'étoile d'or.

Contre toute attente, Trefflé plongea dans la mare sous le regard subjugué de ses compagnons. Le souffle court, ils eurent tout juste le temps d'entrevoir la queue du dragon fouetter l'air avant qu'elle ne disparaisse à son tour.

— Trefflé ! cria Laurian.

Pendant quelques secondes, seules de grosses bulles éclatèrent à la surface de la mare bouillonnante. Puis le dragon s'expulsa de la lave, le dieu à la peau sombre sur son dos. Ashlar était bien vivant ! C'était grâce à ses écailles aussi dures que le métal si le dragon avait pu survivre quelques secondes, mais les barbillons de son museau étaient raccourcis et brûlés, et ses grandes nageoires diaphanes n'étaient plus que de petits moignons noirs et tordus.

— Pourquoi m'avez-vous tiré de là ? lui demanda Ashlar.

— Ce n'est pas vous que j'ai sauvé, répondit le Gondwanais en redevenant un homme. Ce sont les anges.

— Explique-toi, Trefflé, le pressa Laurian, qui n'appréciait pas du tout de savoir cette sombre créature libre d'aller et venir sur Sibéria et de par le monde.

— Ashlar, montrez à mon ami ce médaillon que vous tenez toujours dans votre main.

Le dieu ouvrit la paume, découvrant l'étoile d'or couverte de suie.

— Observez bien ce bijou, professeur, lui dit Trefflé.

— Une étoile d'or ! Tu ne t'imagines tout de même pas que…

— Regardez ! Un « N » y est gravé. C'est une des trois clefs de Nesmérald !

— *Alors que l'exil des magiciens était imminent, la sorcière Nesmérald forgea et distribua un octogone de bronze, un hexagone d'argent et une étoile d'or*, récita Laurian.

C'était une phrase bien connue de la légende de Nesmérald.

— La solution à votre problème était là, sous votre nez, depuis le début ! ajouta Trefflé à l'intention d'Aménuel.

— Je n'avais pas reconnu cette étoile, se reprocha Laurian.

— Je ne comprends rien à ce que vous racontez ! s'énerva le roi de Sibéria.

— Où avez-vous eu cette clef ? le questionna Laurian.

— C'est un médaillon que m'a remis le roi Faël sur son lit de mort, déclara Aménuel en reprenant le pendentif.

— Cette étoile d'or est une des trois clefs envoûtées par Nesmérald, la sorcière la plus puissante que Rodinia ait connue.

— Cette clef a-t-elle un pouvoir particulier ? s'enquit le roi.

Les deux Gondwanais se regardèrent, puis esquissèrent un sourire.

— Si on en croit les écrits, elle vous permettra d'ouvrir tout ce qui vous plaira, divulgua Trefflé.

Un long silence envahit le cratère.

— Même la porte de flammes des profondeurs ? demanda enfin Aménuel, le souffle court.

— Probablement ! répondit Laurian, tout sourire. Vous n'avez jamais utilisé cette clef, n'est-ce pas ? Car dès l'instant où vous en userez, elle n'ouvrira que ce que vous aurez choisi. Ce n'est qu'après votre mort, quand vous l'aurez léguée à quelqu'un d'autre, qu'elle pourra de nouveau servir à autre chose.

— Mais Barchelas s'opposera à ce qu'on force cette porte !

— Encore une fois, si les écrits sont véridiques, aucune magie ne sera assez puissante pour contrer la volonté de celui qui s'en sert.

Les forains

LES FORAINS s'étaient arrêtés à Karadec. Dans ce village aussi, le numéro de Sachan s'acheva sous un tonnerre d'applaudissements. Puis le dompteur éteignit les torches qui bordaient la scène et convia les hommes, rien que les hommes, à demeurer sous sa tente. Dans l'obscurité de la nuit, Sachan les mit au défi de ne pas partir en hurlant comme des femmes. Celles-ci, un brin offensées, quittèrent l'endroit à tâtons, plusieurs entraînant leur mari avec elles.

« Qu'est-ce qu'il mijote encore, celui-là ? » ruminait Charmène, qui avait assisté au numéro de Sachan depuis les coulisses. À la suite des autres femmes, elle s'éloigna de la tente du dompteur pour rejoindre sa roulotte, devant laquelle les villageois de Karadec faisaient déjà la file pour connaître leur avenir. Dès que la patronne fut hors de vue, Sachan fit signe à deux forains qui roulèrent la cage de la fille-poisson jusque sous le chapiteau. Une trentaine de spectateurs attendaient dans le noir, et dans le plus parfait des silences. Sachan souleva un coin de la bâche qui recouvrait la cage, vérifia que les deux fillettes étaient bien dissimulées derrière l'ours et alluma une torche.

— Ce que vous verrez cette nuit, commença-t-il en brandissant le bâton enflammé, n'est pas une erreur de la nature. C'est une créature d'une autre époque qui a survécu à la mort de ses semblables. Elle seule sait comment. Je l'ai débusquée au fond d'une grotte sombre, à quelques lieues d'ici. Messieurs, vous serez les premiers à voir cet animal immense et sauvage. Il peut avaler un chien en une seule bouchée ! Je vous présente l'ours des cavernes !

D'un geste, Sachan retira la bâche. La bête émit un rugissement à faire pâlir un dragon.

— Par tous les morts de Rhéïqua ! laissa échapper un homme avant de perdre connaissance.

— Vous… Vous avez vu la longueur de ses dents ? balbutia un autre.

— Avec quoi le nourrissez-vous ? s'informa un vieillard.

Sachan ne répondit pas tout de suite. Il s'avança vers les spectateurs, tandis qu'un deuxième rugissement ébranlait l'assistance. Le forain balaya la salle des yeux. Il souriait, mais son regard était plus haineux que jamais. On aurait pu entendre voler une mouche.

— Je le nourrirai de la chair de ceux qui ne payeront pas ce spectacle, affirma-t-il enfin.

Sachan avait parlé si bas que les hommes se demandèrent s'ils avaient bien compris. Mais l'angoisse qui régnait déjà sous la tente augmenta. Le dompteur en profita pour détacher son ours brun, celui qui n'avait rien d'extraordinaire. Il lui mit son chapeau entre les pattes, puis l'envoya dans la foule. Les spectateurs ne se firent pas prier pour y jeter quelques saphirs ou rubis et s'esquiver. Une fois le dernier homme hors de vue, Sachan fit rentrer son ours dans sa cage, remit la bâche sur celle d'Ëlanie et se fondit dans la nuit.

✦✦✦

Depuis que l'ours des cavernes était apparu, seul Sachan se chargeait de nourrir les occupants de sa cage. Personne d'autre n'en avait le courage. Venant justement accomplir cette tâche, il surprit des gamins du village qui tentaient de se faufiler sous sa tente. Le dompteur s'approcha en douce et arracha une sucette des mains de l'un d'eux.

— Rends-moi ça, espèce de gueux ! cria l'enfant d'une douzaine d'années en donnant un coup de pied sur un des tibias de Sachan.

Le dompteur l'empoigna par le collet et l'envoya valser entre ses copains.

— Tu es trop vieux pour les sucettes, grogna-t-il.

Dès qu'ils croisèrent le regard de Sachan, les trois enfants prirent leurs jambes à leur cou.

Sachan entra sous sa tente, leva la bâche et lança entre les barreaux de la cage trois gros poissons à l'odeur peu avenante destinés à l'ours des cavernes. Émergeant de derrière la bête, Ëlanie prit la miche de pain que lui tendait le dompteur et réveilla sa petite sœur, qui se glissa elle aussi devant l'ours pour grignoter son morceau.

— Voilà pour toi, petite, dit Sachan en lui donnant le bonbon dérobé au garçon.

— Merci, se réjouit Saphie en saisissant la sucrerie. Il est gentil, cet humain.

— Ce n'est pas un humain, c'est un elfe, rectifia Ëlanie à mi-voix.

— Un quoi ? grommela le forain.

« C'est vrai que ce bandit ressemble aux elfes, pensa Clovis. Mais il n'en est pas un, puisque le peuple de Baltica est revenu du néant. » D'ailleurs, aucune oreille pointue ne dépassait du bandeau qui encerclait le front de Sachan.

— Les elfes sont des créatures de légende, s'empressa d'intervenir Clovis. Ils ne vivent que dans les rêves des enfants.

Mais Sachan n'était pas dupe. Il avait beau être jeune, il avait déjà entendu un grand nombre de choses étranges.

— Les elfes ? répéta-t-il. Et à quoi ressembleraient-ils ?

— Celui que j'ai connu n'était qu'à moitié elfe, le renseigna Ëlanie de la voix sans timbre qui était désormais la sienne. Il avait les cheveux frisés et la peau cuivrée comme moi, mais ses traits étaient semblables aux vôtres. Sauf que les elfes ont de longues oreilles pointues.

Sachan semblait ébahi.

— Et ils sont plus sympathiques que vous, rajouta la sirène.

— Cette enfant a l'imagination fertile, expliqua Clovis en pressant une patte dans le dos de la jeune fille.

— Et où se cacheraient ces elfes ? demanda Sachan à Ëlanie.

Cette fois, la jeune sirène hésita à répondre.

Peu de temps après que Clovis se fut retrouvé prisonnier de la cage d'Ëlanie, le dompteur lui avait dit qu'il les sortirait de là, lui et les deux fillettes. C'était d'ailleurs pour cela que Clovis avait accepté de l'aider à se remplir les poches avec le numéro improvisé. Mais Sachan était le dernier homme avec lequel Clovis aurait parlé des peuples de magiciens qui avaient survécu au grand exil. Il fut donc fort soulagé lorsque la petite sirène se décida enfin à jouer elle aussi de prudence.

Le regard du dompteur passa et repassa lentement d'Ëlanie à Clovis, comme s'il cherchait le chemin pour le pays des elfes dans leurs yeux. Puis il donna un coup de pied dans la cage et repartit.

Les bandits d'Orphérion

LES VILLAGEOIS s'étaient peu à peu remis à fréquenter les grands sentiers de la forêt, qu'ils avaient évités au plus fort de la guerre entre les hommes et les cigognes. Et comble de surprise, la plupart de ces voyageurs étaient plutôt bien nantis. Les bandits d'Orphérion n'avaient donc plus à se déplacer pour tomber sur des gens à détrousser. Ils se postaient en bordure de l'un de ces sentiers et patientaient.

Le soir où Ghéaume permit enfin à Weliot de participer au pillage, un luxueux carrosse se pointa sur le chemin.

— Cette voiture est énorme, chuchota Joffre. Ils sont peut-être plus nombreux que nous à l'intérieur, et sans doute armés.

— Attendons les prochains, trancha le chef.

— Enfin, Ghéaume, protesta Lizbelle, imagine un peu le butin que doit contenir ce carrosse !

Il n'en fallut pas plus à Weliot pour bondir hors de sa planque et se dresser devant les deux bœufs qui tiraient la somptueuse voiture.

— Bon sang, maugréa Vianney, prêt à aller rattraper le gamin par la peau du cou.

— Qu'il se fasse découper en rondelles, grogna Ghéaume.

— Est-ce que Clovis pourra le retrouver, s'il est en rondelles ? se tracassa Joffre.

— Pourvu qu'on les récupère toutes, dit Colim.

— Ça va, vous deux, fermez-la ! ordonna Ghéaume.

Sur la route, le cocher avait immobilisé le carrosse.

— Que puis-je pour toi, mon jeune ami ? demanda-t-il à Weliot.

— Où allez-vous de si bonne allure ? se renseigna le garçon.

— Sur la plage, bien sûr, répondit le cocher, comme si cela allait de soi.

Weliot eut peine à cacher son étonnement. Sur la plage ? Pourquoi des gens aussi fortunés voudraient-ils se rendre sur les berges d'Aqua ? Cet endroit n'était-il pas redouté de tous ?

— C'est justement là que je vais aussi ! prétendit-il, faisant mine de se réjouir.

— Inutile d'y songer. Tu ne possèdes sûrement pas les pierres nécessaires pour payer ce voyage.

— Combien en faut-il ? s'enquit Yanni en sortant à son tour des bois.

— Qu'est-ce que... bafouilla le cocher, soudain sur ses gardes.

— Je vous ai effrayé ? J'en suis confus, s'excusa le jeune homme blond qui arborait une cicatrice en forme de losange en plein milieu du front. Alors, combien pour le voyage jusqu'à la plage ? répéta-t-il en agitant une bourse bien remplie devant les yeux du cocher.

— Aller jusqu'à Aqua est peut-être dans vos moyens, mais je vous préviens, les billets pour la traversée sont carrément hors de prix, répliqua l'homme en lorgnant les vêtements usés et sales des deux brigands.

— Oh ! mes cousins, s'exclama Lizbelle en surgissant elle aussi d'entre les arbres. Vous voilà enfin ! J'ai cru m'être perdue en forêt.

Pour la cause, la gueuse avait pris le temps de troquer ses habits noirs pour une longue robe rouge.

— Mademoiselle, la salua le cocher. C'est donc vous qui désirez un bébé ? Mon avis, c'est que tous ces gens sont bien fous de croire qu'ils trouveront des graines sur un autre continent.

Les trois bandits se regardèrent, étonnés, alors que le cocher poursuivait ses réflexions à haute voix :

— Encore faudrait-il qu'il y ait un autre continent ! Et que ces gens survivent à la traversée d'Aqua. Mais je vous le dis, c'est insensé ! Gardez vos pierres, ma jolie. Vous êtes toute jeune. Économisez quelques années de plus et allez vous acheter une graine à la Méloria.

— Gylhard, mon brave, que se passe-t-il ? l'interrogea un homme de l'intérieur du carrosse. Pourquoi nous sommes-nous arrêtés ?

— Ces trois jeunes gens voudraient se joindre à nous pour le voyage, lui apprit le cocher.

— Nous sommes déjà fort à l'étroit... commença le riche.

Mais en voyant Lizbelle dans sa robe rouge, il se ravisa.

— Allons, tout le monde ! cria-t-il à la cantonade. Tassez-vous un peu ! Laissez monter ces braves gens.

Lizbelle, Yanni et Weliot constatèrent bien vite que les individus assis dans le carrosse ne constituaient pas une grande menace. Les bœufs se remirent en route et la voiture disparut au bout du chemin. Un quart d'heure plus tard, les trois bandits revenaient à pied vers leurs complices. Yanni et Lizbelle riaient à gorge déployée. Weliot les suivait en traînant les pieds. Yanni avait mis la main sur le collier et le bracelet que portait une vieille dame, et Lizbelle avait la bourse de l'homme qui insistait pour qu'elle s'assoie à ses côtés. Weliot, pour sa part, avait dérobé une poupée à une gamine de deux ans.

Les anges

Le roi des anges refusait qu'Ashlar se mêle à ses sujets. Il ne voulait même pas que le peuple ait vent de sa présence hors du cratère. Pour calmer les angoisses du souverain et prouver ses bonnes intentions, le dieu des profondeurs avait donc accepté d'être enfermé temporairement dans un cachot situé sous le château. Mais il répétait à Aménuel que cette situation pouvait être dangereuse pour Myrliam. Le roi avait alors consenti à ce que son épouse se rende auprès du dieu déchu quelques minutes chaque jour.

La cérémonie au cours de laquelle le roi libérerait l'âme de sa fille aurait lieu ce soir-là. Les choses devaient être faites dans les règles. D'ici là, les Gondwanais comptaient bien interroger Ashlar au sujet d'Éliambre. Au cours des derniers jours, ils avaient découvert dans les livres angéliques plusieurs indices qui confirmaient que Marwïna avait un lien avec les dieux. Mais aucun ouvrage ne les aidait dans leur recherche des deux derniers joyaux.

Hormis le couple royal, l'inspirateur Liomel était le seul ange à savoir qu'il y avait un dieu des profondeurs au château. C'est donc lui qui guida Élorane, Aymric, Laurian, Trefflé et le coujara à travers les couloirs souterrains.

— Les anges n'aiment qu'une fois, et je suis déjà amoureux, confia Liomel à Zaèlie. Vous pouvez reprendre votre corps.

Zaèlie redevint une elfe tandis que l'inspirateur ouvrait la porte du cachot d'Ashlar. Le dieu avait les chevilles attachées au mur par de solides chaînes d'or, d'argent, de fer, de titane et de diamant noir, le seul alliage capable d'empêcher un dieu des profondeurs de disparaître pour réapparaître à l'endroit de son choix. Là, il n'arrivait à se déplacer que sur trois ou quatre pieds.

— Que me vaut l'honneur? fit Ashlar, le visage fermé.

Le dieu avait beau mesurer plus de six pieds, il avait l'air petit à côté de l'inspirateur du roi. Ses ongles durs et recourbés ressemblaient à des griffes, et même si ses cornes étaient coupées ras, elles formaient deux petites bosses sur sa tête. Élorane s'avança:

— En me voyant l'autre jour, vous m'avez dit que je venais du ciel. Vous avez aussi prononcé un nom: Éliambre.

Le visage du dieu s'adoucit, puis il s'assit sur sa couche.

— Vous savez que c'est le nom que porte l'île où vivent les sirènes? demanda Trefflé.

Cela parut amuser Ashlar.

— C'est une longue histoire, commença-t-il au bout d'un moment. Il y a près de mille ans, avant que les dieux rebelles ne soient chassés du ciel, ma femme a mis au monde une fille que nous avons nommée Éliambre. Elle était très belle. À vingt-cinq ans, l'âge où les dieux et les déesses cessent de vieillir, elle avait les pommettes rondes, la peau blanche, les yeux violets, de longs cheveux dorés et la taille fine. Sa mère et moi l'avions souhaitée semblable aux femmes de Rodinia. De toutes les créations célestes, elle était celle qui s'y apparentait le plus, et elle en tirait une grande fierté.

— Les dieux n'ont qu'à imaginer un enfant pour qu'il naisse et soit conforme à leur vision ? l'interrompit Laurian.

— C'est un peu plus compliqué, précisa Ashlar, qui souriait toujours au souvenir de sa fille. Les dieux doivent avoir des rapports charnels pour concevoir des bébés, comme c'était le cas, à l'origine, chez les hommes. Toutefois, les dieux de l'au-delà ont, oui, le pouvoir de choisir l'apparence et même le sexe de leur enfant à naître. Mais ils ne peuvent en avoir qu'un seul. Éliambre, elle, a voulu une fille qui lui ressemblerait. Elle ne désirait corriger qu'un détail : son enfant serait dotée d'une jolie paire d'ailes de papillon.

— Êtes-vous en train de nous dire qu'Élorane est une déesse de l'au-delà ? se troubla Aymric.

L'expression d'Ashlar devint mystérieuse.

— Éliambre effectuait parfois des voyages psychiques dans le monde des hommes. Les papillons l'enchantaient.

— Tous les dieux ont la faculté de voyager ainsi ? s'enquit Laurian.

— Oui, mais ces expériences sont désormais réservées aux plus vénérables d'entre nous. Pour les jeunes comme Éliambre, c'était un exercice périlleux. Il arrivait qu'un dieu soit si fortement attiré par un homme ou une femme qu'il se matérialisait dans son monde. Au bout d'un certain temps, il perdait son immortalité. Il se mettait à vieillir, et le retour au ciel n'était plus possible. Heureusement, la plupart des dieux avaient la sagesse de détourner le regard avant que cela ne se produise. Toutefois, jamais ils n'oubliaient.

— Car pour les dieux, l'amour est immuable, dit Trefflé en songeant au pouvoir de l'aigue-marine, qui rendait l'amour éternel.

— Éliambre n'a pas su résister à un mortel, reprit Zaèlie.

Ashlar approuva de la tête.

— Loin de l'homme qu'elle aimait, ma fille était toujours triste. À ses yeux, l'immortalité était devenue un poids. Aussi, Éliambre n'avait qu'à penser à son Shacob pour qu'un rayon d'étoile traverse le ciel et lui montre exactement où il était. Un jour, elle ferma les paupières, souhaita le rejoindre, et apparut devant lui.

« Le pouvoir de la pierre d'étoile, comprit Trefflé. Elle captait la lumière des étoiles puis la redirigeait pour nous indiquer où aller… »

— Un mortel aimé d'un dieu le ressent tout de suite, poursuivit Ashlar. Sans savoir pourquoi, il est attiré vers le ciel. Quand Shacob, un bâtisseur du village de Karimel, vit Éliambre devant lui, il comprit qu'il n'avait rien imaginé. Une femme venue d'en haut était amoureuse de lui ! Il s'éprit d'elle au premier coup d'œil. Éliambre pouvant passer pour une humaine, Shacob l'épousa devant tout le village. Mais les mortels qui croisaient le regard violet de la déesse devenaient tous fous d'amour et de jalousie. Les femmes voulaient l'amitié de l'étrangère et les enfants se disputaient son attention. Chaque jour, des bagarres éclataient et il y eut des morts. Catastrophé, Shacob entraîna son épouse dans la forêt et l'enferma dans une chaumière de pierre. Muni d'une porte de fer et d'un cadenas dont seul Shacob avait la clef, l'endroit était inviolable. On ne pouvait ni y entrer ni en sortir. Quand Shacob raconta à ses voisins qu'Éliambre avait quitté Karimel, il fut tué. En quelques jours, la folie atteignit son paroxysme. Seuls quelques fuyards échappèrent au massacre.

— Votre fille est donc restée prisonnière de cette chaumière ? demanda Élorane.

— Oui. Mais elle n'était pas seule, car l'enfant de Shacob grandissait dans son ventre. Éliambre passait ses journées à lui parler : « Tu ne souffriras jamais de solitude, car tu parleras aux animaux. Tu pourras rapetisser assez pour fuir cette prison. Plus jamais on ne t'enfermera ou te fera du mal sans en payer le prix. Tu seras d'une grande beauté, mais les hommes demeureront sains d'esprit en te voyant, car tu resteras une enfant toute ta vie. Et tu auras des ailes comme les papillons. »

Les ailes d'Élorane s'agitèrent malgré elle. Tous étaient pendus aux lèvres d'Ashlar.

— À sa naissance, la demi-déesse n'avait pas d'ailes, continua le dieu déchu, mais elle était d'une beauté hors du commun. Elle pouvait changer de taille à sa guise et discuter avec les animaux. Vers l'âge de dix ans, la petite cessa de vieillir et se mit à ressentir la faim. Prenant la taille d'un papillon, elle se faufilait parfois hors de la cabane par un trou entre deux pierres. Un jour qu'elle était en quête de fruits, elle découvrit au retour sa mère endormie les yeux ouverts. Certains dieux, déjà âgés de plusieurs siècles en arrivant du ciel, vécurent plus de cinquante années dans le monde des humains. Mais Éliambre perdit la vie en moins de dix ans.

Ashlar se tut.

— Mais puisque Shacob ne revenait pas, Éliambre n'a-t-elle pas tenté de regagner l'au-delà ? le questionna Élorane.

— Elle n'y parvint jamais, car voyant l'horreur de ce qui se passait à Karimel, les vénérables avaient refermé les portes du ciel. Je leur ai demandé d'aller chercher ma fille, mais ils m'ont dit qu'Éliambre ne se trouvait pas là par hasard, et qu'elle devait demeurer où elle était. Ils ne m'en ont pas révélé davantage… Sans doute avaient-ils manipulé son esprit et orienté son regard vers ce Shacob. Toujours est-il que toutes ces années où ma fille fut enfermée dans cette chaumière avec son enfant, je pouvais les voir, mais il m'était impossible de les rejoindre. Puis, Éliambre est morte, laissant ma petite-fille seule.

— On croirait entendre un père éploré ! ironisa l'ange Liomel, dont même Ashlar avait oublié la présence. Mais vous êtes de ceux qui voulaient notre mort à tous !

— Je viens de ciel, c'est vrai, mais je n'étais pas l'un de ces dieux insoumis, rectifia Ashlar avec calme. En me mêlant aux condamnés, je savais que j'allais me retrouver au cœur de la terre. Mais l'occasion de quitter le ciel ne se représenterait sans doute pas avant longtemps, et je voulais retrouver ma petite-fille. Cependant, tout ce que je suis parvenu à faire, c'est me couper d'elle.

— Où était votre petite-fille la dernière fois que vous l'avez vue ? voulut savoir Élorane.

— Malgré tout ce qu'Éliambre lui avait raconté sur les habitants de Rodinia, elle avait envie de les connaître. La petite se mit à la recherche d'un village. Sur son passage, elle attirait tous les animaux, et un papillon rose vint se poser sur sa joue pour s'abreuver à ses larmes. Elle pleura longtemps, car sa mère lui manquait. Partout où tombait une de ses larmes, une fleur à sept pétales poussait, d'où sortirent des créatures semblables à celles dont Éliambre rêvait. Avant même que sa fille n'atteigne un premier village, une centaine de ces petites fées folâtraient au cœur d'Orphérion. Et chaque fois que Marwïna pleurait, elle donnait vie à d'autres fées.

— Marwïna, l'ancêtre des sirènes, était donc votre petite-fille ! saisit Aymric. Elle était mi-déesse, mi-humaine. Voilà pourquoi ses pouvoirs s'apparentent à ceux des dieux !

— Mais Marwïna possédait aussi les dons des fées, souffla Élorane.

— Cela explique pourquoi les hyènes de la savane laurentienne la comprenaient, dit Aymric.

La fée s'approcha d'Ashlar et le toucha enfin. Les iris du dieu se brouillèrent. Il avait vécu des centaines d'années dans les profondeurs sombres et brûlantes de la terre, entouré d'êtres fourbes et furieux. Le geste d'Élorane agissait sur lui comme une bouffée d'air frais.

— Marwïna est la mère de toutes les fées, confirma-t-il. Tu es née de sa peine et des désillusions d'Éliambre.

Après un silence, Élorane apprit à Ashlar que Marwïna avait vécu pendant plusieurs siècles, mais que peu après l'exil des magiciens, elle avait été tuée par un puissant sorcier. La main d'Ashlar serra celle de la fée. Des larmes roulèrent sur les cicatrices qui couvraient ses joues.

— Ce sorcier a dû le payer très cher, maugréa-t-il.

— Nous ignorons ce qu'il est devenu, enchaîna Trefflé. Mais il a enfermé les pouvoirs de votre petite-fille dans cinq joyaux: un coquillage d'or, une pierre d'étoile, un morceau d'ambre, une aigue-marine et une perle. Ces objets vous rappellent-ils quelque chose ?

Le dieu déchu hocha la tête.

— Ils appartenaient à Éliambre. La pierre d'étoile venait du ciel, et les autres étaient des cadeaux qu'elle avait reçus de ses admirateurs humains. Marwïna les a emportés avec elle en quittant Karimel.

Étrangement, c'était sur les décombres de ce village oublié que l'immense volière des cigognes avait été construite.

Les hommes

NAXIME, LE NOUVEAU maître-régnant d'Isdoram, avait gardé à son service la femme de son prédécesseur. Mais dès qu'il s'était aperçu que Méliane développait un penchant pour l'alcool, il s'était débarrassé d'elle.

L'après-midi tirait à sa fin quand Méliane se réveilla. Elle avait dormi là, assise à la table de sa cuisine. Elle se redressa, tendit la main vers une bouteille d'eau-de-vie déjà presque vide et se versa un verre. Il y avait longtemps qu'elle souffrait d'insomnie. Mais depuis les meurtres de Louka et de Naisy, elle ne prenait même plus la peine de se mettre au lit. Elle avait troqué le thé contre l'alcool et buvait toute la nuit pour ne s'endormir qu'à l'aube, la tête sur la table, où elle passait une bonne partie de la journée.

Les habitants d'Isdoram croyaient qu'Armand avait disparu une deuxième fois, mais Méliane savait que ce n'était pas le cas. C'était Louka qui avait emprunté l'apparence de son mari et dirigé le village pendant quelques semaines avant d'être assassiné. Lors de cette nuit tragique, son fils Naëtan avait également disparu. Méliane n'arrivait pas à y voir une simple coïncidence.

Son fils était sûrement avec ses amis Weliot et Jamélie, eux aussi introuvables depuis cette nuit-là. Chaque fois que Méliane croisait les parents de Jamélie sur la place du marché, elle sentait sur elle leur regard lourd de reproches. Ils restaient persuadés que Naëtan avait entraîné leur fille de force. Mais n'était-ce pas lui qui avait toujours été manipulé ? Pour ajouter au malheur de Méliane, ses voisins l'accusaient encore d'avoir eu une liaison adultère avec Calixte, l'ancien chef du village.

— Tu me manques, mon ami, murmura-t-elle à cette pensée.

Mais Calixte ne lui répondait plus. À sa place, des voix haineuses résonnaient en elle.

« Comment expliques-tu qu'autant de gens meurent et disparaissent autour de toi, Méliane d'Isdoram ? Où est Armand ? Tu le sais, Méliane. Pourquoi ne le dis-tu pas ? »

— Je ne sais pas où il est ! hurla-t-elle en jetant son verre à travers la pièce.

Le gobelet ne se brisa pas, mais il heurta et fit tomber un petit objet qui prenait la poussière sur le rebord de la cheminée. Ne trouvant aucun autre verre propre à sa portée, la femme se leva pour aller récupérer celui qu'elle venait de lancer. En se penchant, elle vit une boîte à musique dans les cendres du foyer. Elle reconnut le cadeau que lui avaient offert Naisy et Louka lors de son mariage avec Armand. Elle avait l'impression que c'était dans une autre vie… Méliane retourna s'asseoir devant sa bouteille en emportant la boîte et le verre. Elle se reversa de l'eau-de-vie, mais ne la porta pas à ses lèvres.

La boîte ronde logeait au creux de sa main. D'un doigt, elle enleva la suie sur le couvercle d'argent terni. On pouvait y voir une gravure représentant deux graines de choux disposées l'une contre l'autre de façon à former un cœur. Méliane tourna la clef. Elle ne se rappelait plus quelle mélodie jouait la boîte à musique. Quand le couvercle se souleva, quelques notes s'échappèrent, puis une fumée d'un bleu-vert opaque s'éleva jusqu'au plafond.

Méliane se leva d'un bond. Elle accrocha son verre qui, cette fois, éclata sur le plancher. Le nuage coloré se dissipait à mesure que se précisait la silhouette translucide d'un homme qui flottait au-dessus de la boîte ronde.

— Louka ? articula la femme en reconnaissant le défunt.

Méliane ferma les yeux. Quand elle les rouvrit, l'étrange apparition était toujours là.

— Tu es un revenant ? Non, bien sûr que non. J'ai trop bu.

— C'est bien moi, Méliane. À ma mort, on m'a donné le choix entre rejoindre l'âme de Rhéïqua avec ma femme Naisy, ou errer seul au hasard du sous-continent tout en conservant ma volonté et mes souvenirs. J'ai choisi la deuxième option, car elle me permettait aussi d'insérer un peu de mon âme à l'intérieur d'un objet pour entrer en contact avec les vivants. Mais si j'avais su que notre cadeau t'intéressait si peu, je me serais glissé dans une bouteille d'eau-de-vie !

— Que me veux-tu, Louka ?

— Est-ce Naxime qui a remplacé Armand à la tête du village ?

— Oui…

— Et où en est son projet d'aller reprendre les chouffriers aux magiciens exilés ?

Méliane balaya l'air de la main, comme si tout cela n'avait pas d'importance.

— Des villageois de partout sont déjà en route pour la plage, répondit-elle. Ulvina, la sœur de Naxime, a épousé un homme très riche, Démien d'Aldoria, qui a commandité la construction d'immenses caravelles. À ce qu'on dit, ces engins-là peuvent voyager sur l'eau…

Méliane ricana.

— On sait tous que les magiciens exilés sont partis avec des terres du continent, continua-t-elle, dont les champs de chouffriers. Mais personne ne sait jusqu'où ces territoires ont dérivé, et encore moins si des magiciens les peuplent toujours.

— Et si c'était le cas ? demanda Louka. Ces magiciens ont déjà été chassés de Rodinia. Comment réagiront leurs descendants si les Gondwanais débarquent sur leurs terres ?

— Qu'attends-tu de moi, Louka ?

— Je connais des gens qui pourraient empêcher cela. Prends la boîte à musique et conduis-moi auprès d'eux dans les contrées inexplorées.

— Les contrées inexplorées ? répéta-t-elle, la bouche pâteuse.

Il lui laissa le temps de réfléchir.

— Tu as vu ton assassin, Louka ? l'interrogea-t-elle soudain. Qui était-ce ?

— Ils étaient plusieurs. Tous portaient l'écusson des délivreurs. C'était une bande de jeunes d'Adjudor, mais Jérémien d'Isdoram était leur chef.

— Jérémien, marmonna Méliane en baissant les yeux.

— Je n'ai jamais aimé ce petit prétentieux, soupira Louka. Je ne supportais pas qu'il traîne avec mon fils Clovis.

Quand Méliane avait découvert le secret de Louka, elle avait compris qu'Armand n'était pas rentré au village, contrairement à ce que tous croyaient. Elle avait trop bu, puis avait fini la nuit avec Jérémien… C'est ainsi qu'elle avait révélé à un délivreur que Louka était un magicien.

— Dis-moi, Méliane, Clovis et Weliot vont-ils bien ?

— Tais-toi ! Tu n'es pas réel ! s'écria la femme. Tu n'es que la voix de ma culpabilité.

Lentement, elle ferma le couvercle de la boîte à musique.

— Méliane, non ! Est-ce que mes fils…

Comme aspiré par l'objet, Louka y retourna. Trois ou quatre notes résonnèrent, et le silence revint. Cette fois, c'est à même la bouteille que Méliane se remit à boire.

Les anges

L'HISTOIRE QU'ASHLAR avait racontée aux aventuriers ne les aida pas à retracer les deux derniers joyaux. Mais ayant désormais la certitude que Marwïna était la fille d'une déesse, ils poursuivirent leurs investigations dans les livres angéliques. Aymric découvrit alors un texte qui parlait des fées et de la sorcière Nesmérald :

Venues d'on ne sait où pour embellir le monde, les fées firent don de la magie à plusieurs habitants de Rodinia. Parmi eux, des élus furent dotés de dons exceptionnels. Par exemple, la sorcière Nesmérald, qui vécut lors de l'exil des êtres blancs, ensorcela trois médaillons, les transformant en clefs qui, un jour, devaient permettre aux descendants des magiciens d'être réunis sur le vieux continent.

Mais rien ne leur fut dévoilé au sujet des joyaux.

Afin que tous puissent voir l'âme de la princesse sortir du cratère, le rituel qui ouvrirait la porte de flammes aurait lieu en plein air. Le toit de la plus haute tour du château avait été décoré de mille bougies et on y avait monté les trônes du roi et de la reine. Une neige légère tombait et l'air était frais, mais les anges, vêtus de leurs plus beaux atours, ne ressentaient aucun inconfort. Les épaules des femmes étaient drapées de châles blancs. Éclairés par la lueur des bougies, louangeurs et louangeuses dansaient sur une musique solennelle. Rassemblés tout autour de la piste recouverte de flocons blancs, les gens du peuple les admiraient, immobiles.

— Votre Majesté, le salua l'inspirateur royal en s'agenouillant devant le trône d'Aménuel.

— Liomel ! Où étiez-vous ?

— Nous avons eu un souci avec une louangeuse, mon Roi. Mais tout est réglé.

— Parfait.

La reine Myrliam, assise à côté de son mari, quitta les danseurs des yeux pour observer les deux hommes. Près des trônes, les étrangers assistaient à la cérémonie. Seule Ancolie, toujours enfermée dans la chambre de Xanaël, n'était pas présente. Pour éviter qu'un ou une ange ne tombe sous leur charme, le roi avait exigé que Laurian, Trefflé, Zaèlie et Aymric portent un long voile sur leur tête. Élorane seule en avait été dispensée. Un serviteur s'approcha d'eux et tendit aux adultes des coupes de métal remplies d'un vin fort et pétillant.

— Il est temps d'agir, Votre Majesté, dit Liomel.

Aménuel se tourna vers Laurian et Trefflé.

— Vous êtes certains que je ne devrais pas descendre dans le cratère ?

— L'endroit où vous êtes n'a pas d'importance, le rassura Laurian. Votre requête sera entendue.

Le roi se leva, suivi de la reine. Le couple s'avança sur la piste de danse jusqu'au centre de la tour. À cet instant, les louangeurs se dispersèrent, se mêlant à la foule. Les mains du roi tremblaient. Il serra celles de sa femme avant de soulever son médaillon d'or en direction des étoiles qui se cachaient derrière les nuages.

— Je suis le roi Aménuel de Sibéria, clama-t-il à voix haute. Avec cette clef, l'étoile d'or de Nesmérald, je veux ouvrir la porte de flammes des profondeurs pour que l'âme de ma fille Anawëlle en sorte. Je veux que cette porte reste ouverte jusqu'à la fin des temps pour qu'aucune âme ne puisse à nouveau être captive de cet endroit.

Émergeant tout droit du médaillon, un rayon doré s'élança vers le ciel, l'illuminant d'un seul coup. La foule s'empressa aux abords de la tour pour examiner le cratère. Pendant un long moment, rien ne se passa. Puis le sol trembla, de même que la tour. Un cri terrible déchira les entrailles de la terre et des flammes jaillirent du volcan. Stupéfaits, les anges reculèrent.

— Aménuel ! hurla la voix furieuse de Barchelas. Qu'as-tu donc fait ?

La question résonna en écho plusieurs fois, jusqu'à ce que les rugissements sauvages des êtres des profondeurs prennent le dessus. La tour tremblait encore et des morceaux de glace se détachaient de ses murs. Une forme spectrale apparut, mais elle se débattait dans la bouche du volcan, comme si Barchelas la retenait à lui. Toutefois, la magie de Nesmérald était plus forte que celle de tous les dieux déchus réunis. Une dizaine d'entre eux avaient beau se démener dans la mare de lave, ils ne pouvaient pas retenir plus longtemps l'âme de la princesse des anges.

Tout à coup, on entendit une explosion et le feu qui fusait du cratère s'éteignit, ne laissant qu'une fumée grisâtre. Sur le toit de la tour, la neige s'était changée en eau, et les flocons en pluie. Lorsque le nuage de fumée se dissipa, l'âme d'Anawëlle passa devant l'assistance trempée en montant vers le ciel. La pluie se recristallisa. Le spectre de la princesse s'arrêta pour contempler la foule qui la regardait. Elle semblait se demander ce qui lui arrivait.

Tout au fond du cratère, le maître des profondeurs avait compris que plus rien n'obligerait désormais les anges à lui apporter les corps de leurs défunts.

— Aménuel ! fulmina-t-il. Nous avons besoin de manger la chair de vos morts ! Ne nous abandonnez pas ! Sans votre aide, jamais nous ne pourrons regagner le ciel !

Aménuel n'ayant d'attention que pour l'âme de sa fille, Barchelas n'obtint aucune réponse et ragea davantage.

— N'avez-vous aucune pitié ? tonna-t-il.

La tour fut secouée une dernière fois, et le silence revint dans le cratère. Barchelas et les siens avaient replongé dans les profondeurs. C'est alors que la princesse afficha une mine réjouie. On aurait dit qu'elle souriait à quelqu'un tout près d'elle. Puis elle tendit les bras comme pour retenir cette personne. Tous virent le spectre d'un homme ailé prendre forme alors qu'il était aspiré par la bouche du volcan. Cet ange dut lutter pour parvenir à rejoindre Anawëlle. Ensemble, ils continuèrent leur ascension, puis disparurent dans les nuages.

Le peuple acclama si bien la scène que nul n'entendit les coupes de métal que Zaèlie et Laurian lâchèrent et qui tombèrent au sol avant même qu'ils y aient trempé les lèvres. Trefflé, lui, avala une longue gorgée.

— C'était Xanaël, souffla Élorane.

Jiolaine allait s'envoler pour rattraper son fils, quand son mari la serra contre lui.

— Le ciel lui est ouvert, murmura Hübel pour réconforter sa femme. Il ne souffrira plus.

À genoux, la reine Myrliam pleurait à chaudes larmes. Voir l'âme de sa fille avait ravivé sa douleur. Mais le soulagement de la savoir enfin en route pour l'espace étoilé, et en compagnie de Xanaël de surcroît, eut raison de sa retenue. Anawëlle aimait tellement ce jeune homme…

Aménuel posa ses mains sur les épaules agitées par les sanglots de son épouse et échangea un regard avec son inspirateur, qui en saisit aussitôt le sens.

— Clovis n'est toujours pas de retour, Majesté, dit Liomel à l'oreille du roi.

— C'est donc un autre qui devra réconforter Ancolie.

— Vous pensez à quelqu'un en particulier ?

— Envoyez Naraël, ordonna Aménuel.

Ce louangeur séduisant ressemblait à Xanaël. Dès qu'il fut appelé, il s'avança. Au même moment, Trefflé sortit de sa torpeur. Il devait aller consoler Ancolie ! Il s'élança vers la porte et descendit les escaliers à la course.

L'inspirateur revint près du roi, l'air satisfait.

— Que mijotez-vous tous les deux ? leur demanda la reine Myrliam entre deux soupirs.

— Notre peuple se meurt, ma Reine, répondit Liomel. Il faut y remédier.

— Jouer avec les sentiments de ces jeunes est indigne de vous, dit-elle à l'intention du roi.

— C'est vous qui me reprochez de jouer avec les sentiments des autres, ma chère ?

Le roi tendit une main vers ses invités et s'adressa à ses sujets :

— La libération de l'âme de la princesse a été rendue possible grâce aux visiteurs venus du vieux continent.

— Nous voulons voir leurs visages !

— Oui, nous voulons voir leurs visages ! clama le peuple à l'unisson.

— Mes amis, je vous en prie, soyez raisonnables, commença Liomel.

Mais le roi lui coupa la parole.

— Vous avez raison, proclama-t-il devant l'assemblée. Grâce à ces gens extraordinaires, Barchelas ne retiendra plus aucune âme contre son gré. Je les laisserai donc se mêler aux louangeurs pour la célébration qui débute à l'instant.

Surpris, Laurian et Zaèlie froncèrent tous deux les sourcils sous leur voile.

— Où est Trefflé ? s'inquiéta Laurian.

Quand Naraël entra dans la chambre, Ancolie était blottie contre le corps encore chaud de Xanaël. Le louangeur éloigna doucement la jeune femme de la dépouille. Elle avait du mal à tenir sur ses jambes, mais aucune larme ne mouillait son visage fermé.

— L'âme de Xanaël est montée dans l'espace étoilé avec celle de la princesse, lui rapporta Naraël. Il ne sera pas prisonnier des profondeurs de la terre.

Ancolie dévisagea longuement le louangeur. Puis, lorsque ses paroles se frayèrent un chemin dans son esprit, elle articula :

— Clovis...

Comme l'inspirateur Liomel l'avait prévu, l'humaine réclamait son ami magicien. Et Liomel avait dit à Naraël ce qu'il devait répondre.

— Clovis est retourné sur Gondwana. Il n'aimait pas que tu passes tout ce temps avec Xanaël.

Ancolie ferma les yeux, mais elle n'arrivait plus à contenir ses larmes.

La guerrière ignorait que Liomel s'était engagé, au nom du roi, à intégrer Naraël au Conseil des inspirateurs s'il parvenait à la convaincre de l'épouser. Être louangeur était déjà une position prestigieuse, mais les sièges des inspirateurs royaux étaient les plus convoités. En général, ils n'étaient attribués qu'à des hommes ou des femmes de grande expérience.

— Et s'il n'y a pas de coup de foudre entre nous ? avait tiqué le louangeur, tout en étant alléché par l'offre.

— Qu'importe ! Tu seras le plus jeune inspirateur que Sibéria ait connu. Dépêche-toi, vole vers elle !

À la seconde où Trefflé se retrouva face à Nowanne dans l'escalier de la haute tour, il en oublia qu'il courait consoler sa demi-sœur.

— Excusez-moi, fit l'ange, je vous ai effrayé.

— Pourquoi êtes-vous ici ? demanda timidement Trefflé en reconnaissant la jeune femme à qui il avait évité la noyade. Vous n'avez pas assisté à la cérémonie ?

— Je quitte mon poste. Je m'apprête à rentrer chez mon père. Mais je suis très heureuse de vous croiser. Je voulais vous remercier de m'avoir sauvé la vie.

— Je suis guérisseur… C'est tout naturel. Mais comment savez-vous que c'est moi qui vous ai sortie de l'eau ?

— Votre voix, répondit-elle, sans avouer qu'elle l'avait épié par la fenêtre de la pièce de l'âtre écarlate.

— Je ne devrais pas être ici, dit Trefflé. Le roi me défend d'être seul avec une ange.

— Vous rougissez ? s'amusa Nowanne.

Trefflé rougit encore plus et resserra le voile blanc sur son visage.

— Vous ne risquez pas de vous éprendre de moi, mais le roi tient à ce qu'aucun d'entre nous ne parle aux anges. Par mesure de prudence.

— Mais mon cœur est bien plus résistant que celui de mes consœurs. Il paraît même que j'ai un cœur d'humaine.

— Vous ne pouvez pas mourir d'amour, comme la princesse Anawëlle et Xanaël ?

La jeune ange haussa ses sourcils blonds.

— Je ne le crois pas.

— Je dois partir.

— Pour aller où ? On raconte que vous êtes mi-homme mi-dragon, que vous avez plongé dans les profondeurs, et que c'est grâce à vous si mon peuple échappe aux flammes éternelles.

— S'il vous plaît, reculez, implora Trefflé.

La belle jeune femme avait le regard ardent.

— Vous avez une très jolie voix, le flatta-t-elle en s'approchant davantage du guérisseur, jusqu'à frôler sa main.

— S'il vous plaît, répéta Trefflé. Les humains n'ont pas le cœur aussi dur que vous semblez le croire.

Lorsque l'ange fit mine de poser ses lèvres sur les siennes, Trefflé s'écarta comme si elle cherchait à le brûler. Nowanne ouvrit alors ses grandes ailes blanches et le plaqua contre le mur de pierre d'un seul et puissant battement. Elle lui retira son voile, qui tomba par terre. Coincé, le magicien laissa la louangeuse l'embrasser, puis répondit à son baiser avec ferveur.

— On jurerait que vous n'avez jamais embrassé une fille, fit Nowanne en reculant d'un pas.

— Il est possible que… je manque d'expérience, reconnut Trefflé en rougissant de plus belle.

— Non, je n'ai pas voulu insinuer que… je veux dire… vous êtes très passionné.

— Oh !… je… pardon… C'est que vous êtes si belle…

— Trefflé ?

— Monsieur Laurian ! bondit le magicien en retirant ses bras de la taille de l'ange.

Le professeur ne portait plus son voile.

— Que fabriques-tu avec cette jeune femme ? demanda-t-il à Trefflé. Sur le toit, les louangeuses font la file pour danser avec moi, et le roi n'essaie même pas d'empêcher cela ! Il se passe quelque chose d'étrange ici.

— La fille d'Aménuel vient d'être arrachée à un gouffre de souffrances sans fin. Il a le cœur à la fête, je suppose. Mais il est vrai qu'il ne faut pas en profiter.

Trefflé vit que Nowanne le fixait toujours d'un regard intense.

« Elle ne s'intéresse pas vraiment à moi, se dit-il. Monsieur Laurian ne peut qu'avoir raison. Les anges nous cachent quelque chose. »

Les forains

DEPUIS QU'IL AVAIT réintégré la troupe de Charmène, Sachan se questionnait chaque jour sur les raisons qui le poussaient à rester auprès d'elle. Maintenant qu'il avait appris qu'un sort était à l'origine de l'amour qu'il ressentait pour la défunte fille de la patronne, il se disait que cette vieille sorcière lui en avait peut-être jeté un autre pour l'obliger à demeurer dans la troupe.

Même en sachant que ce qu'il éprouvait pour Myrlande n'était qu'une illusion, Sachan ne pouvait guérir de la souffrance que lui causait sa mort. Ses cauchemars étaient toujours aussi fréquents, mais ils avaient changé. Les événements qui avaient réellement eu lieu, aussi précis que pouvaient l'être de mauvais souvenirs, remplaçaient les fragments sans queue ni tête qui tissaient ses rêves depuis six ans.

Désormais, quand Sachan voyait sa promise dans le lit de Samir, une colère sourde s'emparait de lui. Il ne se rendait compte de ses gestes qu'une fois la caravane de son rival complètement détruite. Myrlande lui hurlait d'arrêter. Elle était hystérique : « Comment ai-je pu te laisser me toucher ? Tu n'es qu'un animal ! »

Et le rêve recommençait chaque nuit ainsi.

Ensuite, juste avant le numéro du trapéziste, Sachan ouvrait la porte de la cage de l'ours et lui pointait le traître du doigt. L'animal était autorisé à manger ce qu'on lui montrait. Puis Sachan allait prendre place parmi les spectateurs. Chaque nuit, il oubliait que Myrlande irait rejoindre Samir sur la scène. Et chaque fois, quand il voyait arriver la belle danseuse, il comprenait qu'il était trop tard. Sachan avait beau courir vers la cage, son ours n'y était plus. L'animal montait alors sur la scène, menaçant. D'abord, l'amant de Myrlande échappait de justesse à l'attaque. Lors d'un rapide retour du trapèze, Samir poussait l'ours de ses pieds de toutes ses forces. Et l'animal tombait à la renverse sur la danseuse. Des forains se ruaient sur la scène pour porter secours à Myrlande, tandis que Sachan parvenait à ramener l'ours dans sa cage. Étendue et immobile, Myrlande semblait dormir. Son corps était dans une curieuse posture, mais cela n'avait rien d'extraordinaire pour une contorsionniste.

Parmi les villageois de Vasmori qui évacuaient le site de la foire en toute hâte, il y avait Sachan, qui s'enfuyait dans la nuit. Le meurtrier pouvait courir des heures et des heures avant de s'éveiller enfin.

Une vingtaine d'années plus tôt, peu après la naissance de Sachan, une histoire avait circulé dans le nord. On disait qu'un magicien nomade d'une étrange beauté parcourait le continent en solitaire. Partout où il passait, la végétation devenait luxuriante. Ses longs cheveux noirs flottaient au vent, mais de petites tresses entouraient son front tel un turban, cachant la difformité de ses oreilles. Cet homme ne restait jamais longtemps au même endroit. Pourtant, à Dergamont, une femme avait su le retenir. Il ne l'avait pas épousée, mais il était demeuré quelques mois auprès d'elle. Curieusement, cela avait suffi pour que le potager de cette femme reçoive la visite d'une cigogne. Mais bien avant que leur enfant ne sorte de son chou, le magicien avait été chassé du village. Ce qu'il était devenu différait d'un récit à l'autre. Or tous s'entendaient pour dire que lors du passage des forains à Dergamont, la mère en avait profité pour se débarrasser de l'enfant, qui était anormal.

Charmène avait mis la main sur ce bébé alors qu'il avait à peine un an. C'est là qu'elle se mit à répandre, de village en village, sa propre version de l'histoire. Elle affirmait qu'une femme avait été enlevée puis séquestrée par un loup noir. Charmène prétendait avoir abattu cet animal et trouvé dans sa tanière la femme à moitié dévorée par le loup, ainsi qu'un bébé, celui-là bien vivant. Après avoir raconté de quelle façon se reproduisaient les bêtes, la foraine poussait Sachan devant elle. Le petit garçon avait les yeux bridés, les cheveux d'un noir d'encre et les oreilles pointues.

Le père de Sachan était un être blanc, mais pas sa mère. Donc, même si Sachan avait un physique semblable à celui des elfes, il n'était pas magicien. Des années durant, il ne fut qu'une bête de foire vouée à remplir les coffres de Charmène. Son corps intriguait les spectateurs. Entre les représentations, on le gardait en cage. En grandissant, il n'avait cessé d'implorer qu'on le laisse sortir.

—Je pourrais me rendre utile, répétait-il.

Mais il était sans doute plus rentable pour la patronne de refuser. Parce qu'il était différent, Sachan se faisait injurier et maltraiter par les autres enfants, ceux des villageois comme ceux des gitans. À douze ans, il prit une pierre qu'il avait reçue en plein visage, l'affûta discrètement, puis se coupa le bout des oreilles. En découvrant le garçon ensanglanté, Charmène l'avait fait fouetter et rouer de coups. Néanmoins, quand l'infection puis la fièvre s'étaient emparées de lui, la patronne l'avait elle-même porté dans sa roulotte et étendu dans son propre lit. Une fois guéri, l'enfant s'était vu confier les petits boulots dont personne ne voulait, jusqu'à ce qu'un ours sauvage soit ramené d'Orphérion. Sachan fut le seul qui réussit à s'en approcher. À seize ans, il avait déjà le regard et l'allure d'un homme, et il devint la vedette d'un numéro de dressage des plus appréciés.

Le jour où Sachan s'était mutilé, il s'était attendu à ce que Charmène l'abandonne sur le bord d'un sentier. Au lieu de ça, elle avait sorti quelques rubis de son précieux coffret pour payer les remèdes qu'il lui fallait. Encore aujourd'hui, Sachan détestait Charmène, et c'était en partie parce qu'il se sentait redevable envers elle.

Quand le dompteur remit à la patronne l'argent rapporté par le numéro avec l'ours des cavernes, elle éclata d'un rire tonitruant.

— Tu ne cesseras jamais de me surprendre, Sachan ! Ce soir, tu as mérité ton remontant !

Toujours debout, le jeune homme ne toucha pas le verre qu'elle lui tendait.

— Tu ne t'assois pas ? demanda la gitane en prenant elle-même un siège.

— J'ai un plan qui pourrait te rapporter plus de pierres précieuses que ton coffre peut en contenir.

— J'aime déjà cette idée.

À mesure que le dompteur d'ours s'expliquait, le sourire de la foraine s'élargissait. Mais bientôt, son visage se crispa.

— Tu ne présenteras ce numéro que trois fois ? s'exclama-t-elle.

— Oui, et dans trois villages différents. Mais les pierres seront toutes pour toi, lui assura Sachan. Et il y en aura assez pour te rendre riche. Cependant, en échange, je veux que tu me libères…

— Te libérer ? le coupa la gitane. Mais tu peux foutre le camp quand tu veux.

— Je ne crois pas, non. Tu vas me délivrer de ton emprise, et tu me confieras l'ours géant et la fille-poisson.

La patronne échappa un grognement de surprise.

— Qu'est-ce que tu t'imagines ? Que je vais te laisser monter ta propre affaire et me faire ombrage ?

— Tu as les bras trop longs pour qu'on te fasse de l'ombre, Charmène. Tout ce que je veux, c'est ma liberté, celle de l'ours et celle d'Ëlanie. Je ferai d'abord mon numéro ici, à Karadec. Ensuite, nous partirons pour Ormanzor, puis pour Yasdolar.

— Nous n'allons plus à Yasdolar. Les gens y sont trop suspicieux.

— Cette fois, tu feras une exception. Et après la représentation qu'on y donnera, on se fera nos adieux.

Charmène chercha l'embrouille dans les yeux de Sachan, puis trancha :

— C'est bon. Je ne vois aucun problème à me débarrasser de toi et du monstre, mais il est hors de question que je t'abandonne la fille-poisson. Tu as tué ma fille, Sachan, tu t'en souviens ? En plus, tu me dois la vie.

— J'emmène Ëlanie, ce n'est pas négociable.

Un rictus mauvais tordit le visage de la foraine.

— Tu es mignon, Sachan. Qu'est-ce qu'un gars comme toi offrirait de plus à cette pauvre créature, tu peux me le dire ?

— La liberté !

— Encore ce grand mot ! La première fois que tu m'as quittée, tu es revenu en rampant, avec une offrande en plus ! Mais j'en ai assez de voir ta sale gueule, Sachan.

Et je te préviens, si tu essaies de m'embobiner, je te tuerai !

Le dompteur s'avança vers la gitane.

— Tu n'es qu'une vieille sorcière. Tu n'es rien sans tes potions, et tes mauvais sorts ne m'atteindront plus.

Sachan prit le verre auquel il n'avait pas touché. Scrutant le liquide ambré, il ajouta :

— Plus jamais je ne serai à ta merci.

Quand il fit mine de tremper ses lèvres dans l'alcool, Charmène ne put retenir un sourire. Mais Sachan suspendit son geste et lança le verre contre le mur, où il éclata. La gitane serra les lèvres jusqu'à ce qu'elles deviennent blanches.

— Tu serais mieux de recommencer à boire, mon gars.

— Je ne veux pas de tes conseils, Charmène ! Sois maudite !

Sachan tourna les talons, claqua la porte de la roulotte et s'enfonça dans les bois.

Les hommes

ÉTENDU À L'ENTRÉE de sa tanière, le chacal rongeait l'humérus d'Amira. Il n'y avait pas trace des autres os de son bras droit qui, selon Sortima, étaient tous dans le repaire de la bête. Caché dans les fourrés, Exandre guettait le chacal. L'animal avait senti la présence de l'homme. Prudent, il faisait comme si de rien n'était, mais ses moustaches remuaient nerveusement. Si l'odeur s'intensifiait, il détalerait au fond de son abri.

Tous les sens du chacal étaient en alerte. Pourtant, il ne soupçonnait pas que deux fillettes étaient penchées sur lui, leur visage à deux pouces de son museau. Amira passa à travers le corps efflanqué de la bête et se glissa dans son trou. Elle en revint avec un large sourire. Si elle avait les mains vides, c'était seulement parce qu'il lui était impossible de prendre quoi que ce soit.

— C'est bien ce petit fripon qui a le reste de mon bras ! annonça-t-elle à Exandre.

Sans plus attendre, le garçon encocha une flèche sur l'arc qu'il avait trouvé. Ensevelie sous une couche humide de feuilles mortes, l'arme était exactement à l'endroit que lui avait mentionné la vieille Sortima. Concentré, il visa de son mieux. Le projectile frôla le chacal, qui déguerpit dans sa tanière avec l'humérus.

— Bravo, ne put s'empêcher de commenter Arilianne.

Exandre ne releva pas le sarcasme. Tout compte fait, la jeune fille avait même bon caractère pour une revenante.

— Les chacals chassent la nuit, dit Amira, qui avait eu trois longues années pour observer les animaux de la forêt. Revenons dans quelques heures, lorsque ce filou aura quitté sa tanière.

— Ce n'est peut-être pas votre cas, fit remarquer Exandre, mais moi, j'ai besoin de sommeil.

— C'est ça, va roupiller, grommela Arilianne. Pendant ce temps, j'irai repêcher le bras gauche d'Amira dans la rivière.

Au lieu de s'offusquer, Exandre s'excusa.

— Je passe plus du quart de la journée à dormir, admit-il. Je comprends que ce ne soit pas amusant pour vous. Désormais, je me lèverai plus tôt et me coucherai plus tard.

Les sœurs se jetèrent un regard consterné. Amira était habituée aux réflexions d'Arilianne, mais de leur vivant, les gens autour d'eux avaient souvent eu tendance à s'en montrer contrariés. Ce n'était pourtant jamais le cas de leur nouvel ami.

Arrivé près de la rivière, à l'endroit indiqué par Sortima, Exandre retira son manteau, sa tunique et son pantalon. Il était sur le point d'enlever ses sous-vêtements quand Arilianne posa ses mains sur les yeux de sa petite sœur.

— Est-ce vraiment nécessaire ? demanda-t-elle.

— Il fait froid, lui rappela le garçon. Si je mouille mes vêtements, je vais attraper la mort.

Arilianne fit mine de regarder ailleurs, mais elle ne put s'empêcher de loucher vers son ami. Travailler dans les mines ne devait pas être facile, car s'il était maigre, il était aussi musclé et fort. Au moment où Exandre mit un pied dans l'eau froide de l'Orée, un frisson parcourut tout son corps et la jeune fille crut le sentir sur sa propre peau.

Exandre marchait en scrutant le fond de la rivière. L'eau lui couvrait à peine les hanches. Arilianne observait ses omoplates. Saillantes, elles bougeaient sous la peau qui semblait si douce…

— Ça y est! déclara-t-il sans lever la tête. Je l'ai repéré.

L'adolescent plongea. Arilianne ne put retenir un soupir. Elle avait seize ans, mais elle gardait l'apparence d'une enfant. Et sans corps tangible, ce désir qu'elle avait au fond du ventre ne serait jamais assouvi.

Exandre sortit de l'eau en brandissant le bras gauche d'Amira, dont tous les os étaient encore rattachés. Sa peau était rougie par le froid.

— Nous avons de la chance, dit Exandre. Récupérer les os de ce bras était un jeu d'enfant. Il n'en manque aucun! Même l'épaule y est toujours fixée.

Ses cheveux foncés lissés vers l'arrière, l'adolescent avait l'air plus vieux et plus… Arilianne se força à penser à autre chose.

Exandre se sécha avec ses sous-vêtements et enfila sa tunique et son pantalon. Il accrocha ses dessous mouillés au squelette du bras, qu'il posa sur son épaule tel un baluchon, avant de ramasser le sac qui contenait le fémur et les crânes.

— Qu'attends-tu pour retirer tes mains des yeux de ta sœur? se moqua-t-il.

✦✦✦

Dans la forêt d'Orphérion, Peli et Raka étaient réputés pour être des enquiquineurs. S'étant mis à dos une bonne partie de la faune du sud, la belette et le raton laveur avaient jugé plus prudent d'aller faire leurs mauvais coups un peu plus au nord. C'est quelque part entre Sylvarion et Esmarok qu'ils tombèrent sur une énorme carcasse d'ours dont il ne restait que les os. Raka le raton s'inquiéta de la forte odeur musquée qui flottait dans l'air, et de l'écorce rongée des arbres entourant le squelette.

— C'est la marque du glouton, Peli. Il ne faut pas s'attarder ici.

— Viens voir un peu, dit la belette en se faufilant entre deux côtes du squelette. Il est mort, ton glouton.

Le raton laveur s'approcha, les narines frémissantes, sa longue queue bougeant nerveusement. Comme si l'ours avait avalé un animal avant de mourir, un tas d'os reposait sur le sol, sous ce dôme que formait la carcasse.

— Ces os sont trop gros pour être ceux d'un glouton, affirma Raka.

Un grondement sourd attira derrière eux l'attention des deux petits gredins.

— Tu as raison, le glouton est vivant… fit Peli en se retournant lentement.

À quelques pieds de là, un animal les fixait de ses yeux noirs, l'air féroce. Il ressemblait à un ourson à la queue touffue. Comme Raka, il était affublé d'un masque noir sur sa large face ronde.

— À la vitesse à laquelle tu cours, vaut mieux attaquer les premiers, décréta la belette.

— Attaquer ? faillit s'étouffer Raka. Tu es malade ? Les gloutons peuvent s'en prendre à des loups, et même à des ours !

— Seulement s'ils sont blessés ou pris au piège.

Se sentant lui-même prisonnier de la carcasse d'ours, le raton déglutit avec difficulté.

— Voici le plan, commença Peli. Je sors d'ici, je lui saute à la figure et je file droit devant. Quand il se lancera à ma poursuite, tu en profiteras pour t'échapper. Ne va pas te cacher en hauteur, les gloutons grimpent aux arbres. Et ne t'arrête de courir que si la poitrine menace de t'exploser. On se retrouve là où on a dormi la nuit dernière.

Le raton n'avait encore rien répondu que la belette se jetait déjà sur l'animal en face d'eux. Quand elle retomba sur le sol, elle se mit à courir à toute vitesse. Le glouton considéra alors le raton laveur avec étonnement. Puis, décidant sans doute qu'il n'était pas un adversaire digne de ce nom, il partit aux trousses de la belette. Au bout de quelques secondes, le raton laveur allait mettre une patte hors de la carcasse quand un homme surgit d'un sentier. Puisqu'il parlait à voix haute, Raka se recroquevilla et attendit. Combien d'humains l'accompagnaient ? Mais, curieusement, personne d'autre ne se montra.

— Le voilà ! s'exclama Exandre en se dirigeant vers le squelette de l'ours.

— Sortima a précisé qu'ici, c'est un glouton qui a rongé nos os. Cet animal est peut-être dans le coin, dit Arilianne. Dépêche-toi !

Amira alla se poster un peu plus loin pour surveiller.

— Ça empeste ! ronchonna Exandre en se penchant pour se glisser dans le ventre de l'ours. Ce maudit glouton a enduit toute la carcasse de sécrétions… Ahhhh !

Raka venait de lui bondir à la figure. Le magicien empoigna le raton laveur et le jeta sur le sol. La bête s'esquiva sans demander son reste. Après avoir récupéré tous les os qui étaient dans la carcasse, Exandre prit lui aussi ses jambes à son cou.

— On forme un joli trio, plaisanta Amira quand elle rattrapa le garçon et vit les griffures sanglantes sur son visage.

— Alors, qu'est-ce qu'on a ? l'interrogea Arilianne en fouillant du regard le tas d'os que l'adolescent venait de laisser tomber sur le sol. Tu peux bouger celui-là, que je vois ce qu'il y a dessous ?

— Donne-lui le temps de souffler un peu, râla Amira. Tu vois bien qu'il est blessé. Et cesse de rouler des yeux de cette façon, sinon il y en a un qui va finir par se décrocher !

Les trois jeunes passèrent le reste de la journée à tenter de reconstituer les squelettes. Il était évident que certains os n'étaient pas humains et qu'ils appartenaient à d'autres victimes du glouton, ce qui ne leur facilitait pas la tâche.

— Voilà ! s'écria Exandre, alors que le soleil menaçait de disparaître avant qu'ils aient terminé.

— Tu es certain qu'ils sont tous à nous ? rétorqua Amira. Selon Sortima, les os de la jambe droite d'Arilianne ne devaient pas être dans le repaire du glouton. Mais si on se fie à ces squelettes, il ne nous manquerait que le tibia de sa jambe gauche.

— Remerciez le glouton ! De toute évidence, il a rassemblé ces os pour nous. Nous n'aurons pas besoin de gravir une montagne pour atteindre le nid d'un aigle, ni de mettre les pieds sur le territoire d'un ours vivant.

Exandre se rappela la mise en garde de la vieille magicienne : « Les os ont été séparés. Des dangers considérables t'attendent le long des chemins qui te conduiront à chacun d'eux. »

« Jusqu'à maintenant, tout s'est plutôt bien passé, se dit-il. Mais c'est vrai qu'il y a encore un os à trouver. »

Plus tard, croyant qu'il ne s'apercevrait de rien, Arilianne s'installa à côté d'Exandre pour le regarder dormir. Mais le jeune homme était toujours éveillé. Du coin de l'œil, il vit la revenante s'allonger près de lui et en ressentit une bouffée de bonheur. Elle était si près qu'il sentait sur sa nuque le baiser de Rhéïqua, ce souffle froid de la mort.

Arilianne n'avait jamais été jolie, elle était défigurée et n'était plus qu'un spectre. Exandre ne s'expliquait pas les sentiments qu'il avait pour elle. Jusque-là, la perspective d'avoir à affronter un aigle ou un ours ne l'avait pas arrêté. Exandre aurait entrepris n'importe quoi pour Arilianne, pourvu qu'elle le lui demande. Mais il tremblait à l'idée de mettre la main sur le dernier os de son squelette…

Le loup-garou

À MESURE QUE L'AUTOMNE progressait, la lune se levait de plus en plus tôt. Et cette nuit-là, elle serait pleine.

— Toutes ces feuilles qui tombent, murmura Némossa à son mari, qui la rejoignit devant la fenêtre. Je ne m'habitue pas à ces changements de saisons. Sur ce continent, la nature tient absolument à nous rappeler que le temps passe.

Le bonnet de laine de Micolas était déformé par sa nageoire crânienne, qu'il cachait au cas où un inconnu s'aventurerait dans les environs.

— Nous voilà aux portes d'un quatrième hiver, dit-il. Ëlanie ne nous a toujours pas été rendue et Saphie ne réapparaît pas…

— Nous n'avons plus aucune vision d'Ëlanie…

— Quelqu'un prend sûrement soin d'elle, avança Micolas.

Némossa se tourna vers son mari. « Tu n'en crois pas un mot », semblait-elle l'accuser.

Puis son visage se ferma et elle revint à la fenêtre. Micolas frôla l'épaule de sa femme du bout des doigts, avant de s'éloigner. Depuis la disparition d'Ëlanie, les deux sirènes ne s'étaient pratiquement pas touchés. Seuls leur malheur et celui de leur fille les rapprochaient encore.

— J'adore cet arbre, lui confia Némossa en pointant un jeune chêne près de la cabane. Il garde quelques feuilles tout au long de l'hiver, comme s'il ne perdait jamais espoir.

« N'empêche que ces feuilles sont mortes », songea Micolas en retournant s'asseoir avec Zavier, qui distribuait les cartes à jouer. Contrairement à sa femme, lui avait perdu espoir depuis longtemps. Mais l'un et l'autre ignoraient qu'à la fin de ce quatrième hiver, ils ne seraient plus là pour voir la dernière feuille du chêne s'envoler.

— Tu joues une partie avec nous ? demanda l'elfe à la sirène.

— Ça suffit ! se rebiffa-t-elle. Je ne resterai pas une seconde de plus ici sans rien tenter. Je pars chercher mes filles !

— Némossa, nous en avons discuté des milliers de fois ! Ce continent est immense et Saphie n'est peut-être pas avec Ëlanie. Si ça se trouve, elle est rentrée sur Éliambre.

— Quand Saphie a disparu, j'étais justement en train de lui parler d'Ëlanie ! Il est évident que c'est à elle qu'elle a pensé. Elles sont ensemble, j'en suis certaine !

— Némossa…

— Tu ne me feras pas changer d'idée, Micolas !

— Attends au moins que le jour se lève, suggéra Zavier, les yeux fixés sur la lune pâle qui montait lentement au loin. On ne doit jamais prendre de décision importante les nuits de pleine lune.

— Oui, attendons demain, répéta Micolas d'une voix grave, même s'il savait déjà qu'il n'aurait pas le dessus sur sa femme.

— Au contraire, insista Némossa. C'est une nuit idéale pour voyager. Les humains mettent rarement le nez dehors les soirs de pleine lune.

— Quel est ton plan ? s'enquit Micolas. Parcourir le continent à pied sans même savoir où nous allons ?

La sirène tira les volets. Après avoir vérifié qu'ils étaient bien fermés, elle se mit à fouiller parmi les objets qui recouvraient la table. Elle y dénicha un parchemin vierge et une plume, qu'elle tendit à Zavier.

— Dessine-moi une carte. Je veux savoir où est la grotte magique. Celle où les elfes se sont éveillés.

— Tu ne projettes tout de même pas d'emprunter le corps d'un animal disparu ! s'objecta Micolas.

— Et pourquoi pas ? Apparemment, on ne peut pas compter sur Clovis. Je ne me morfondrai pas ici éternellement !

Zavier avait déjà commencé à tracer le chemin qui allait de la cabane d'Alen à la grotte de Drugo. S'avouant vaincu, Micolas ramassa deux sacs dans lesquels il mit des vêtements chauds, un harpon, un couteau et des provisions.

Quand elle eut le parchemin en main, Némossa serra l'elfe dans ses bras.

— Cette carte n'est pas très précise, s'excusa-t-il. J'aurais aimé pouvoir vous accompagner.

Micolas étreignit Zavier à son tour, avant de dire :

— C'est le moment, mon ami.

L'elfe retira tous ses vêtements. Il ne garda sur lui que la bague qu'il avait à la main droite, un bijou gravé d'une feuille de laurier que portaient la reine Yazmine, ses proches conseillers et les soldats de sa garde personnelle. Puis Zavier s'enroula dans une couverture de laine et gagna le fond de la cabane où il souleva le drap qui dissimulait l'étrange machine. Il prit place sur le siège et tendit les bras devant lui. Micolas referma les menottes de métal autour de ses poignets couverts de cicatrices et vérifia qu'elles étaient bien verrouillées.

Il enclencha ensuite l'ingénieux système d'Alen en renversant un gros sablier. Les entraves ne se détacheraient d'elles-mêmes que seize heures plus tard, une fois que tout le sable se serait écoulé. Et la pleine lune serait alors achevée.

— Que feras-tu sans nous le mois prochain ? s'inquiéta Micolas.

— Zaèlie reviendra d'ici là, le rassura l'elfe. Et si ce n'est pas le cas, j'aurai eu un mois pour apprendre à m'attacher seul. Alen y arrivait bien. Les volets sont-ils bien clos ?

— Oui. Mais cela n'a jamais empêché ta transformation, lui fit remarquer le sirène.

— Non, mais moins il y a de rayons de lune qui m'atteignent, moins la bête est forte. Si on laissait les volets ouverts, je serais peut-être capable de briser cette machine.

— Tout ira bien, le tranquillisa Némossa de sa voix envoûtante, et Zavier se détendit.

La sirène déposa un baiser sur le front de l'elfe, et son mari s'assura une dernière fois du blocage efficace des menottes. Lorsqu'ils refermèrent la porte derrière eux, Zavier commençait déjà à se transformer.

L'elfe sentait des picotements sous sa peau. Il pressa les paupières, prêt à lutter contre la douleur. Puis, un lent et sinistre grincement se fit entendre. La porte s'ouvrait ! Un homme entra dans la cabane, une hache dans une main. De l'autre main, il fit signe à l'elfe de se taire. Il s'approchait de Zavier en jetant des regards furtifs derrière lui.

Alors qu'il passait par là, le bûcheron avait vu sortir de la cabane un couple étrange. En y entrant, l'individu conclut tout de suite qu'il était tombé sur un homme prisonnier d'une machine de torture.

— Pauvre malheureux, chuchota-t-il. Je savais que ces gens n'étaient pas nets! Des magiciens, sans doute. Que vous ont-ils fait? Et que se passera-t-il quand ce sablier se sera vidé?

Zavier, qui était en proie aux crampes qui précédaient chaque métamorphose, échappa un grognement.

— Fermez... la porte, réussit-il à articuler.

— Reprenez-vous, mon vieux, l'encouragea l'inconnu en déposant sa hache. Ils ne vous maltraiteront plus. Mais ne criez pas, ils sont encore tout près. Je vais vous sortir d'ici. Seulement, dit-il en scrutant les mécanismes de la machine insolite, il faut m'expliquer comment fonctionne ce truc. Ces sorciers font-ils des expériences sur vous?

— Partez... l'implora l'elfe avant de pousser un rugissement qui ne figea l'homme qu'un instant.

— Bon! lâcha-t-il. Ça ne doit pas être si compliqué! Donnez-moi quelques secondes.

Mais Zavier hurla de plus belle et se mit à se débattre comme un forcené. Il tira sur ses poignets, qui se mirent à saigner.

— Ne me regardez pas ainsi! s'énerva le bûcheron. Je n'y suis pour rien, et je fais de mon mieux.

L'homme leva sa hache et l'abattit sur le sablier. Le sable recouvrit le plancher et les bracelets de métal s'ouvrirent telles des huîtres, libérant les poignets ensanglantés de l'elfe. Zavier s'était tu. Ses iris brûlants fixés sur l'humain, il laissa choir la couverture de laine qui le couvrait.

— Bon sang! s'horrifia le bûcheron. Vous êtes nu! Mais à quelle sorte de jeu jouez-vous ici? Cette machine... et pourquoi me dévisagez-vous de cette façon?

L'elfe tendait la main vers celui qui était venu le secourir.

— Je vous interdis de...

— Partez, répéta Zavier avec calme, mais le regard aussi ardent que de la braise. Partez tout de suite.

— Vous pourriez avoir la décence de me remercier avant de me mettre à la porte !

Derrière les paupières agitées de l'elfe défilaient des souvenirs : les yeux en amande de Zaèlie qui reflétaient un amour infini ; le rire de Patrizia, sa grande sœur disparue puis retrouvée morte dans la chouffrière de Lomer ; Heztor, qui l'invitait à joindre la garde royale pour faire de lui son bras droit.

Le bûcheron remarqua les tics bizarres qui secouaient le visage du jeune homme. Pourtant, il tardait à s'enfuir. Tout à coup, Zavier se plia en deux, comme frappé par une arme invisible. Le bûcheron serra sa hache un peu plus fort en le voyant redresser sa tête où d'épaisses touffes de poils étaient apparues. Elles lui avaient déchiré la peau des joues et du cou.

— C'est à cause des expériences, ça ? demanda le bûcheron. Qu'est-il en train de vous arriver ?

— Préoccupez-vous plutôt ce qui *vous* arrivera ! rétorqua Zavier en s'avançant.

Le loup-garou contourna l'homme pour se placer dos à la porte demeurée ouverte. La lune caressait sa créature, tirant ses poils vers l'extérieur et l'habillant de sa fourrure de prédateur. Les membres de l'elfe s'allongeaient et se déformaient. Son dos se courba dans un craquement et ses vertèbres remuèrent sous sa peau, saillantes telle l'épine dorsale d'un dragon. Le monstre n'avait plus rien d'humain.

Le bûcheron, obnubilé par ce qu'il voyait, fut soudain arraché du sol. Des griffes s'enfoncèrent dans la chair molle de son cou. La face de la bête, couverte de poils rêches, se tordit. Son nez était devenu un museau et sa gueule s'ouvrit dans un cri à glacer le sang. Après avoir planté sa hache dans l'épaule du loup-garou, l'homme tomba à la renverse. La bête extirpa l'objet de son corps et le lança vers le bûcheron, le mettant au défi de recommencer. L'homme s'en empara en se relevant. Il s'imaginait déjà rentrer chez lui victorieux. Son combat contre un loup-garou, il le raconterait à tout le monde !

— Sale bête ! explosa-t-il en essayant d'atteindre le crâne de Zavier de sa lame. Saleté d'être noir ! Approche, pour voir !

— Sortez d'ici immédiatement ! ordonna une voix féminine.

Le bûcheron tourna la tête vers la porte. Némossa et Micolas, alertés par les cris, avaient rebroussé chemin. Sous l'emprise de la sirène, le bûcheron oublia qu'un loup-garou le menaçait du haut de ses sept pieds.

— Oui, madame. Au revoir, madame. Désolé pour le dérangement.

Obéissant aveuglément, le bûcheron quitta la cabane de bois rond, une main sur la plaie de son cou, traînant sa hache comme s'il s'agissait d'un chien en laisse. Dès qu'il fut dehors, Némossa s'empressa de fermer la porte.

— Zavier ! dit Micolas d'un ton assuré, il faut te rasseoir sur le siège.

Mais le loup-garou marchait déjà vers lui, de la bave dégoulinant de ses babines retroussées, les yeux vitreux.

— Zavier, va t'asseoir, insista Némossa.

— C'est trop tard, comprit Micolas en agrippant sa femme par le bras. La transformation est achevée. Notre pouvoir n'a plus aucun effet sur lui.

— Mes amis, bredouilla Zavier entre deux grondements, pourquoi êtes-vous revenus ?

Dans la voix de la bête, les sirènes crurent percevoir de la tristesse.

— Le cours d'eau, chuchota Némossa à l'oreille de son mari. C'est notre seule chance !

Les sirènes s'enfuirent de la cabane en claquant la porte à la face de la bête. Le loup-garou rugit et la fit sortir de ses gonds d'un seul coup de patte. Il huma l'air, cherchant dans quelle direction étaient partis les deux sirènes. Puis il se précipita à leur poursuite.

Les sirènes

La patience de Cyprin avait des limites, et là, elles venaient d'être franchies.

À la vue de tous, Loristan fraternisait avec l'ennemi. Confortablement installé sur un tapis tressé, il regardait l'océan avec Yasmine. Ensemble, ils savouraient un caviar d'étoiles d'Aqua et buvaient un vin de fleurs d'ananas rose, un des meilleurs nectars de Laurentia.

En retrait, deux des serviteurs de Cyprin surveillaient la prisonnière.

— Messieurs, leur ordonna-t-il, reconduisez l'elfe chez elle.

— Sur Baltica ? s'étonna l'un d'eux.

Le représentant du roi ouvrit des yeux outrés. Pour peu, sa nageoire crânienne se serait arrachée d'elle-même de sa tête pour aller gifler l'idiot.

— Dans sa hutte, répondit-il le plus calmement possible.

— Cyprin ! protesta Loristan, qui avait tout entendu.

Cyprin s'avança.

— Je te rappelle que cette femme est notre otage, pas notre invitée ! hurla-t-il en donnant un coup de pied dans le panier qui contenait la bouteille de vin et les œufs rares.

L'elfe se leva, salua Loristan de la tête et prit de vitesse ses deux geôliers.

— Yazmine n'a commis aucun crime ! se fâcha Loristan. N'est-elle pas ici en attendant que la fille de ma cousine et les joyaux nous soient rendus ?

— J'ai besoin de toi pour m'assister dans plusieurs affaires, Loristan. La vie ici ne s'est pas arrêtée avec l'arrivée de cette elfe.

— La vie que j'avais s'est arrêtée le jour où tu as permis à des humains de mettre les pieds sur notre île.

— Yazmine n'a pas à souffrir, je te l'accorde. Mais d'autres que toi s'occuperont d'elle.

— Il n'en est pas question ! Vous êtes tous tellement odieux !

— Vous ? Tu ne te considères donc plus comme l'un des nôtres, Loristan ?

— Il y a des jours où...

— Des jours où quoi ?

— Laisse tomber.

— Je pourrais t'obliger à sortir ces mots de ta bouche !

— Voilà ! C'est exactement ce que je veux dire !

— Yazmine est notre otage, Loristan, et tu es le sien.

— Ce que tu dis est ridicule...

— Tu ne te mêles plus à nos réjouissances et...

— Vos réjouissances ? Et que célébrez-vous, exactement, Cyprin ?

— Tu sais bien, Loristan, que chaque jour se doit d'être plus amusant que le précédent. Et si je permettais à ton amie de se joindre à nous ? Venez ensemble à la fête de ce soir !

Cyprin n'avait lésiné sur aucun détail pour rendre cette soirée mémorable. Les mets les plus raffinés y étaient servis et les boissons enivrantes coulaient à flots. Les musiciens étaient déchaînés et les danseurs infatigables se déhanchaient dans l'océan et sur la plage au rythme des tambours. Une douce brise s'était même invitée à la fête. Pour prouver sa bonne foi à la reine, Cyprin lui avait offert une robe de soirée laurentienne. La jeune femme, enroulée dans le tissu coloré de la poitrine jusqu'aux hanches, arracha un sourire à Loristan.

En invitant Yazmine à la fête, il était convaincu d'essuyer un refus. Mais à son plus grand plaisir, elle avait accepté et avait même enfilé la robe insulaire, qui lui allait à ravir. À l'arrivée de l'elfe et du sirène sur les lieux du rassemblement, certains semblèrent surpris, mais la plupart des fêtards leur souhaitèrent la bienvenue.

Adossé à un palmier, Cyprin les observait. Le nectar de lotus, la musique et les noceurs eurent tôt fait de détendre Loristan et sa cavalière. Au cours de la soirée, la musique ralentit et devint de plus en plus langoureuse, jusqu'à ce que Yazmine se retrouve dans les bras de Loristan. Pour le sirène, plus rien n'existait que le parfum de cette femme, la proximité de son corps et le regard tendre dont elle l'enveloppait. Sa ceinture de perles effleurait son ventre. Bientôt, il n'entendit plus la musique.

Ayant les paupières closes, Loristan ne vit pas Céphan s'approcher et susurrer quelques mots à l'oreille de Yazmine. Il ne sentit que les lèvres de l'elfe qui se pressèrent contre les siennes. Voulait-elle le rendre fou ?

Le sirène et l'elfe dansèrent longtemps enlacés. Loristan la tenait par la taille, tandis que la belle était blottie contre lui. Lorsque la chaleur quitta son cou, il ouvrit les yeux. La tête tournée, Yazmine embrassait un autre homme !

Loristan se figea. Emportée par le mouvement, Yazmine se laissa attirer par Céphan. La voyant danser contre ce sirène sans aucune pudeur, Loristan comprit ce qui se passait.

« On l'a envoûtée », conclut-il avec horreur.

Au même moment, Cyprin lui demanda :

— Alors, reviendras-tu sur terre ?

Sans même que Cyprin ne voie le coup venir, il se retrouva au sol. Plusieurs sirènes se précipitèrent pour aider le représentant du roi à se relever, mais il les pria de continuer à s'amuser. Il essuyait le sang sous son nez quand Loristan lui cracha au visage.

— Oublie notre amitié !

— Je ne peux pas t'obliger à être mon ami, mais je reste ton chef, dit Cyprin en attrapant Loristan par le bras.

La musique s'accéléra. À quelques pieds de Loristan, Yazmine se trémoussait entre trois hommes qui la pelotaient sans gêne.

— Ça suffit ! cria-t-il en se dégageant brusquement. Écartez-vous de cette femme !

— Tu es certain ? le railla Cyprin. Parce que si tu veux en profiter…

— Tu n'es qu'un…

— Elle ne t'aime pas, Loristan.

— Toute cette mascarade, c'est pour que j'admette ça ? Et si tu te trompais ? Elle a bien accepté de venir à cette fête avec moi…

— Parce qu'elle croit qu'il est temps pour toi de recommencer à fréquenter les tiens.

— Cyprin, par pitié, cesse cet envoûtement.

Le représentant du roi fit un signe à Céphan. Ce dernier eut un large sourire et entraîna l'elfe avec lui en direction du hameau.

— Il l'emmène dans sa hutte ? Tu le regretteras, Cyprin ! rugit Loristan, qui se frayait un passage entre les danseurs.

Il les poussait sans ménagement pour rattraper Yazmine, pendue au cou de Céphan.

— Oh ! Loristan, vous voilà, minauda-t-elle en lui tombant dans les bras. Où étiez-vous passé ? Je m'ennuyais.

Elle se pressa contre lui. Elle allait l'embrasser quand Cyprin s'interposa :

— Yazmine, que dirait Laurian s'il te voyait agir de la sorte ?

— Quoi ?

La musique était trop forte.

— Que dirait Laurian s'il te voyait agir de la sorte ? répéta Cyprin plus fermement, un rictus satisfait aux lèvres.

Le puissant sirène avait relâché son envoûtement. En entendant le nom de celui qu'elle aimait, une lueur s'alluma dans le regard de la reine des elfes. Elle se redressa pour s'éloigner de Loristan et de Céphan. Ce dernier n'insista pas et retourna danser. Désorientée, Yazmine semblait mal à l'aise. Loristan replaça doucement le haut de sa robe et lissa ses longs cheveux derrière ses oreilles pointues.

— Venez, dit-il en la prenant par la main, je vous ramène chez vous.

— Sur Baltica ? fit l'elfe.

— Non, Yazmine. Pas sur Baltica.

Furieux contre Loristan, Cyprin quitta la fête. Il plongea dans Aqua et sa longue queue argentée fendit l'eau sans un bruit. Voulant se changer les idées, il nageait à toute allure. Puis le sirène se pétrifia avant de porter les mains à sa tête, comme pour l'empêcher d'exploser.

Même si Némossa et Micolas étaient sur un continent lointain, la vision de Cyprin était très claire. Le couple courait à travers de hauts arbres, pourchassé par une créature mi-homme mi-loup. Arrivée devant un cours d'eau, Némossa y sauta. Micolas la suivit, mais, étrangement, ses jambes ne se transformèrent pas en queue de poisson.

Le monstre qui les talonnait n'eut qu'à tendre le bras pour agripper le sirène et le traîner sur la berge. À son grand désarroi, Cyprin vit alors Némossa revenir sur la terre ferme. Dressée sur ses pattes arrière, la bête jeta Micolas à terre et déchira d'un seul coup de griffes le ventre de la femme qui marchait vers lui. Elle poussa un cri que Cyprin ne put entendre. La créature sanguinaire la souleva au-dessus de lui comme il l'aurait fait d'une poupée de chiffon et ouvrit la gueule. Les tripes de la sirène s'y déversèrent telles des couleuvres mortes.

Ayant réussi à se relever, Micolas se rua sur le dos du monstre qui se débarrassa de Némossa pour s'en prendre à lui. Le corps de la sirène rebondit contre le sol et s'affaissa dans une position grotesque. Toujours ouverts, ses yeux turquoise étaient remplis de peur et de douleur.

— Cyprin, souffla-t-elle. Je sais que tu peux me voir. Retrouve Ëlanie, je t'en supplie. Ramène-la sur Éliambre. Ne la laisse pas ici…

La vision était si nette que Cyprin n'eut aucun mal à lire sur les lèvres de la sirène et à saisir l'essentiel de son message. Non loin de là, Micolas lâcha son dernier râle, et la gueule meurtrière hurla à la lune. La vision de Cyprin commençait à se brouiller.

Sur le sol, le regard vitreux, Némossa semblait morte. Mais elle était vivante, puisque Cyprin pouvait encore la voir. Elle tressaillit à peine quand le monstre se pencha vers elle pour fouiller son ventre de son museau hideux. Il arracha la chair et lécha le sang qui maculait son corps. Puis, il enfonça ses doigts dans les orbites de la mourante et pressa jusqu'à ce que gicle un liquide visqueux, dont il se délecta.

Dans l'océan, Cyprin flottait comme un poisson mort, les yeux ouverts, vidés de toute émotion. Tant que Némossa n'aurait pas rendu l'âme, aucune partie de son supplice ne lui serait épargnée, lui qui l'aimait depuis si longtemps.

De ses longs pieds poilus et déformés, l'impitoyable bête piétina le corps désarticulé de la sirène. Le sang continua à couler, jusqu'à ce que la vision s'arrête enfin.

Trois ans auparavant, sur les berges de Baltica, Micolas avait promis à Laurian qu'aucun Laurentien ne maltraiterait la reine Yazmine. Mais Laurian avait exigé de Micolas qu'il fasse cette promesse à un sirène. Ce à quoi il s'était plié.

Ce soir, pour donner une leçon à Loristan, Cyprin avait incité les siens à abuser de la reine des elfes. Pourtant, il savait que Micolas risquait de perdre ses pouvoirs. Mais il n'y avait vu qu'un avantage, car il rêvait encore que Némossa lui appartienne un jour.

Tout était sa faute. Les jambes du sirène ne s'étaient pas changées en queue au contact de l'eau et à la suite de cela, Némossa était morte de la façon la plus abominable qui soit.

Toujours immobile, Cyprin se laissa couler jusqu'au plus profond d'Aqua.

Les anges

LES FUNÉRAILLES DE XANAËL eurent lieu une semaine après sa mort. Son âme avait sans doute déjà atteint le ciel, mais selon les croyances des anges, la cérémonie était essentielle pour qu'elle puisse accéder à l'espace étoilé.

Entre-temps, et malgré tous les avertissements, Trefflé et Nowanne s'étaient épris l'un de l'autre. L'ange avait même décidé de rester à la cour du roi pour être près du guérisseur. Tous deux se voyaient en cachette sur le balcon à l'étage de l'âtre écarlate, où l'air glacial ne les refroidissait en rien.

— Elle est si… commença le jeune homme en regardant l'ange s'éloigner vers la tour des louangeuses.

— Bon sang, Trefflé ! le coupa Laurian, qui venait de surprendre les amoureux. Ferme cette fenêtre avant qu'on attrape la mort.

Trefflé prit tout à coup conscience qu'il n'avait pas pensé à Miranie depuis le jour où Nowanne l'avait embrassé. Et maintenant qu'il songeait à elle, il ne ressentait plus aucune émotion particulière. Comme s'il avait été libéré d'un mauvais sort.

— Où sont Aymric, Élorane et Zaèlie ? demanda-t-il en émergeant de ses réflexions.

— Qu'en sais-je ? s'impatienta Laurian. Tout le monde n'en fait plus qu'à sa tête, ici ! Tu veux que je te dise ? Il est grand temps de partir. Comment as-tu pu te laisser entraîner dans tout ça, Trefflé ? s'emporta-t-il.

— Nowanne et moi sommes amoureux. Mais elle ne mourra pas, puisque je m'établirai sur Sibéria avec elle.

— Quoi ? s'étrangla Laurian.

— Vous avez très bien entendu.

Marchant aussi vite que le lui permettait sa mauvaise jambe, le professeur se rua hors de la pièce.

— Appelez le premier conseiller du roi, ordonna-t-il à un veilleur.

— Tout de suite, monsieur, répondit l'ange en ouvrant les ailes.

Quand Liomel se présenta dans la pièce, Laurian n'avait toujours pas décoléré.

— À quoi jouez-vous ? rugit-il. Vous nous séquestrez en disant craindre qu'on séduise vos anges, et voilà que vous envoyez une louangeuse charmer Trefflé ! Que devons-nous comprendre ?

— Qu'est-ce qui vous permet de croire que Nowanne agit sous les ordres du roi ?

— Plusieurs jeunes femmes ont aussi tenté de me séduire, et ce Naraël ne sort plus de la chambre d'Ancolie. Xanaël vient tout juste de rendre l'âme, nom d'un loup !

— Vous nous avez été d'un grand secours, nous voulons seulement vous remercier…

— Cessez de me prendre pour un imbécile, Liomel !

— Laurian, calmez-vous, le pria l'inspirateur du roi.

— Dites-lui qu'il délire, Liomel, intervint Trefflé, même si le doute s'était de nouveau insinué dans son esprit.

— Nowanne n'est pas amoureuse de toi ! insista Laurian.

— Bien sûr que non, grogna le jeune magicien.

— Trefflé, ce n'est pas…

— Je ne suis plus le petit épouvantail que vous avez connu, monsieur Laurian. Je suis…

— Mon ami, se radoucit le professeur, tout le monde ici sait que tu es un jeune homme séduisant, intelligent et fiable, doté d'un pouvoir extraordinaire. Tu es un héros, Trefflé.

— Je…

— Mais cela ne change rien à la réalité. Les anges essaient de se servir de nous, comme l'ont fait les sirènes avant eux. Et je ne partirai pas d'ici en te laissant derrière. Trefflé, le monde a besoin de toi.

Sa tirade terminée, Laurian se tourna vers Liomel, qu'il foudroya du regard.

— N'en voulez pas au roi, la supercherie était de mon cru, avoua l'inspirateur en prenant un siège. Il vous faut comprendre que nous ne sommes plus que trois cent douze anges sur tout le continent. Et malheureusement, plusieurs d'entre nous meurent très jeunes d'une faiblesse au cœur.

— Vous avez besoin de sang neuf, supposa Laurian. Vous croyez que les humains vous aideraient à mettre au monde des enfants en meilleure santé ?

— Vous avez vu juste, Laurian.

Le professeur respira profondément et s'assit face à Liomel. L'inspirateur allait enfin lui expliquer ce qui se passait.

— Mais il y a peu de temps, vous nous interdisiez de rencontrer les anges !

— Avant de vous laisser les séduire, nous voulions vous convaincre de vous installer sur Sibéria. Sinon, votre départ aurait pu les condamner. Mais notre problème avec les dieux des profondeurs étant résolu, vous étiez sur le point de nous quitter, il fallait agir…

— Au risque de voir des anges mourir ?

— Seuls les louangeurs ont reçu la permission de vous approcher. Leur cœur est plus résistant, il y a peu de risques qu'ils tombent malades à cause d'un chagrin d'amour. Et puis les louangeurs ont beaucoup de charme. Nous espérions que cela suffirait à vous garder parmi nous.

— Ils ont reçu la permission de nous approcher ? Ne leur en avez-vous pas plutôt donné l'ordre ?

Liomel leva les yeux vers Trefflé.

— L'ordre, admit-il.

Tous demeurèrent muets.

— Ne vous inquiétez pas, monsieur Laurian, finit par dire Trefflé. Je vais régler ça.

En ouvrant la porte, le jeune homme recula d'un pas. Nowanne était devant lui, adorable et souriante. Mais en voyant le visage grave de son prétendant, l'enthousiasme de l'ange s'évanouit.

— Tu ne resteras pas, devina-t-elle.

— Non. Mon peuple a besoin de moi.

Le regard de Nowanne chavira, mais rien d'autre ne trahit sa peine.

— J'ai vraiment cru que tu m'aimais. Quelle idiote je suis !

Trefflé sortit et entraîna l'ange dans le couloir.

— Je t'aime, Nowanne, n'en doute pas. Seulement, je ne crois pas que ce soit réciproque.

Il l'embrassa sur le front, posa une main sur sa tête blonde et la fit glisser le long d'une mèche jusqu'à frôler sa taille. Puis il lui tourna le dos et revint vers l'âtre.

— Je vais partir avec toi, lança l'ange derrière lui, pétrifiant le jeune homme sur place.

— Ne l'écoute pas, s'en mêla Laurian du seuil de la porte.

— Tu ne peux pas venir, souffla Trefflé sans se retourner. Sur Gondwana, les jolies femmes n'ont pas d'ailes. Tu te ferais tuer.

Trefflé fit soudain volte-face et passa devant Nowanne sans même lui accorder un regard. Les yeux mouillés, il marcha jusqu'au bout du couloir, où il prit la direction des appartements des parents de Xanaël.

Naraël était étendu sur le lit de Xanaël. Il enveloppait Ancolie de ses bras en lui chuchotant des choses à l'oreille. Les découvrant ainsi, Trefflé s'emporta.

— Sors d'ici ! ordonna-t-il au louangeur. Et ne t'avise plus d'importuner ma sœur.

Naraël se leva et quitta la chambre sans ouvrir la bouche.

— Quoi ? soupira Ancolie en se redressant.

— Ce n'est pas Xanaël, lâcha Trefflé.

— Ah non ? répliqua-t-elle, une moue moqueuse sur les lèvres. Je n'avais pas remarqué !

— Vous n'avez pas ?... insinua Trefflé en lorgnant les couvertures froissées.

— Bien sûr que non ! Pour qui me prends-tu ?

— Aménuel et Liomel ont élaboré toute une stratégie pour nous convaincre de demeurer sur Sibéria et de nous unir aux anges. Naraël ne t'aime pas.

— Qui le lui demande ?

Trefflé ne s'attendait pas à cette réponse.

— Excuse-moi, j'ai cru que...

— On s'est joué de toi, c'est ça ? fit Ancolie.

— Ne te moque pas, dit Trefflé en s'assoyant sur le lit moelleux.

Ancolie finit par poser la question qui lui brûlait les lèvres.

— Crois-tu que Clovis est parti à cause de Xanaël ?

— Je ne sais pas, Ancolie. S'il a retrouvé Ëlanie et qu'il est allé la conduire sur Laurentia, il se peut qu'il ait eu des problèmes avec les sirènes, mais…

— Mais quoi ?

— Laurian pense qu'il s'est défilé encore une fois, qu'il a eu peur des dieux des profondeurs…

Ancolie posa une main sur celle de Trefflé.

— S'il est parti, c'est qu'il ne pouvait pas faire autrement.

— Je le pense aussi. J'ai toujours été le souffre-douleur des autres enfants. Clovis me défendait, même contre ses propres amis.

— Je me souviens…

— Toi-même, tu envoyais balader tout le monde. Mais tu n'as jamais été méchante avec moi.

— Tu étais comme moi : différent.

— La vie t'a rendu forte, Ancolie. Moi, j'avais tellement peur de déplaire…

— Aujourd'hui, tu es un héros, toi aussi. Un homme fiable, intègre et courageux.

— C'est drôle, monsieur Laurian vient de me faire le même genre de compliment, dit Trefflé. Lorsque je lui ai annoncé que je m'installerais peut-être ici avec Nowanne, j'ai cru qu'il irait lui arracher la tête.

— Tu comptes beaucoup pour lui.

— Quoi qu'il en soit, maintenant que Xanaël a rejoint l'espace étoilé, nous n'allons plus tarder à rentrer chez nous. Les livres angéliques ne nous apprendront rien de plus sur les joyaux.

— Et que va-t-il arriver à Ashlar ? voulut savoir Ancolie. Il restera emprisonné ?

— Parce qu'il vit désormais dans notre monde, ses pouvoirs finiront par disparaître. Je suppose que ce jour-là, il n'aura plus d'emprise sur la reine et qu'il ne représentera plus aucun danger. Aménuel le fera sûrement libérer.

Ancolie hocha la tête.

— Reviens me chercher quand ce sera le moment du départ, dit-elle à Trefflé.

Dès que le guérisseur quitta la chambre, Xanaël s'approcha d'Ancolie et l'entoura de ses bras. La jeune femme n'en eut pas conscience. Elle ne sentit qu'un souffle froid, comme un baiser glacé sur sa nuque.

Les forains

SACHAN CROYAIT CACHER ses sentiments, alors qu'il les exposait telles des plaies béantes. Les gens devinaient qu'il avait vécu l'horreur. Malgré son jeune âge, il inspirait la crainte, et c'était pourquoi son numéro marchait aussi bien.

À Ormanzor, cette nuit-là, les spectateurs furent nombreux à demeurer assis à la fin de la représentation. Dos à l'assistance, feignant l'indifférence, Sachan rangeait ses accessoires. L'ours brun ronflait bruyamment dans sa cage quand un homme s'impatienta.

— Nous voulons voir l'ours des cavernes !

— L'ours des cavernes ! scanda aussitôt la foule.

— Quel ours des cavernes ? fit le dompteur sans même se retourner.

— Nous avons entendu deux forains en parler. Il paraît qu'il est trois fois gros comme le vôtre !

Sachan secoua la tête.

— Cette bête est trop dangereuse. Ce matin, elle a bien failli tuer celui qui lui apportait à manger.

Sachan se tourna enfin. En voyant tous ces gens, il eut un sourire victorieux.

— Vous êtes le meilleur dompteur de tout le continent, le complimenta une femme. Avec vous, nous n'avons peur de rien.

— Désolé, braves gens. La patronne m'interdit de vous montrer cet ours.

— Vous laissez une femme vous dicter votre conduite ? s'offusqua un spectateur.

— Je risque ma place, dit Sachan.

— Je suis prêt à vous donner plusieurs pierres pour voir cet ours, insista un autre.

— Oui, nous paierons, acquiesça sa voisine.

— C'est bon ! capitula Sachan en lançant son chapeau à la femme. Que ceux qui sont prêts à payer une émeraude le fassent. Les autres, je vous invite à sortir.

— Une émeraude ? s'insurgea un homme. Je ne gagne même pas ça en un mois !

— Alors, sortez.

Une bonne partie des spectateurs se retirèrent en jurant, mais il en resta assez pour alourdir considérablement le chapeau. Dès que Sachan fit rouler la cage sous le chapiteau avec l'aide de deux forains, un tonnerre d'applaudissements retentit. Sachan vérifia qu'Ëlanie et Saphie étaient bien dissimulées derrière l'ours et retira la bâche. Exhibant ses canines pareilles à deux couteaux tranchants, l'animal qu'était devenu Clovis poussa un rugissement terrifiant.

Après avoir exécuté quelques pitreries destinées à enflammer la foule, Sachan trébucha et tomba contre la cage. Surgie d'entre les barreaux, une grosse patte l'agrippa par le cou. Le sang gicla jusqu'au premier rang. Peu de spectateurs s'enfuirent, mais personne ne s'approcha pour porter secours au dompteur.

Entendant Sachan hurler à mort, Charmène accourut. Ses voiles colorés virevoltant autour d'elle, la sorcière écarta les gens et monta sur la scène, où Sachan gisait devant la cage. Fou furieux, l'ours tentait de l'atteindre à nouveau de sa patte barbouillée de sang. Charmène éloigna le blessé.

— Sachan, gémit-elle en posant les mains sur la blessure de son cou, tiens bon ! Admon ? appela-t-elle, paniquée. Trouvez-moi Admon !

Lorsque le forain se présenta enfin devant Charmène, elle ordonna aux villageois d'Ormanzor de quitter la tente.

— Et que fera cet homme ? demanda quelqu'un. Ce malheureux a déjà perdu tant de sang qu'il ne tardera pas à mourir.

Sachan avait cessé de bouger.

— Sortez ! s'écria la foraine. Admon est un puissant guérisseur. Il ramènera ce courageux dompteur à la vie. Hâte-toi, Admon ! Et vous autres, dehors !

Mais nul ne bougea.

— Tu sais ce qu'il me faut, patronne.

— Le diamant, oui… bafouilla la gitane.

Elle détacha un bijou de son oreille et le tendit au forain, qui le posa sur la poitrine de Sachan et le pressa de ses deux mains jointes.

— Ça ne marche pas, Charmène. Ce diamant est trop petit. Sachan est sur le point de mourir. Pour le sauver, il me faudrait une pierre de la taille d'une cerise, une de celles qui valent cent émeraudes.

— Mais personne ici ne possède un tel diamant ! s'exclama la gitane.

— Qu'adviendrait-il de ce diamant ? s'informa un homme toujours assis dans les gradins.

— Je le glisserais sous la peau du dompteur et il lui servirait de cœur, répondit le guérisseur.

— Vous en avez un ? glapit Charmène.

L'homme fit signe que non.

— Bien sûr qu'il en a un ! cria une femme.

Bientôt, toute la foule fut tournée vers l'homme riche, menaçante. Et quand il mit sa main dans sa bourse, tous soupirèrent de soulagement.

— Reculez ! hurla-t-il. Reculez ou j'avale ce diamant !

— Ne faites pas ça, lui conseilla Admon. Celui qui guérit grâce à un diamant ne survit pas une année s'il ne rembourse pas trois fois ce qu'il vaut à son propriétaire.

Il n'en fallut pas plus pour convaincre l'homme. Après un rapide jeu de mains, la pierre précieuse disparut dans la poche de chemise de Sachan. Le dompteur poussa un gémissement, releva la tête et sourit béatement à la foule en délire. Le guérisseur, lui, semblait à bout de force.

Fier de son investissement, celui qui avait prêté le diamant s'assura que les forains savaient où le trouver, puis il quitta le chapiteau.

— Mes amis, il ne faut pas ébruiter cette affaire, dit Charmène aux derniers badauds. Vous comprenez, on ne voudrait pas que tous les malades et les impotents se présentent devant la porte d'Admon. Il doit se reposer.

Au matin, quand des villageois mal en point voulurent bénéficier à leur tour du grand savoir-faire d'Admon, les forains étaient déjà loin d'Ormanzor. Vers midi, lorsque la troupe s'arrêta pour que les bœufs puissent souffler un peu, Sachan se pointa dans la roulotte de Charmène.

— Tiens, tiens, un revenant.

— Satisfaite ?

— Bien sûr, Sachan. Mais toi, tu as encore quelque chose à me demander.

— Je veux que tu brises le sort qui me lie à Myrlande. Sinon, oublie la représentation à Yasdolar.

— Je te le répète, tu ne cesseras jamais d'aimer ma fille. Même si je voulais y changer quelque chose, je ne le pourrais pas.

— Et pourquoi cela ?

— Quand j'ai prononcé la formule magique, j'ai précisé que ce charme se brisera le jour où une femme tombera amoureuse de toi.

— Parfait ! Dans ce cas, jette un sort à la première venue et on n'en parle plus !

— Non, Sachan. Elle devra t'aimer sincèrement.

Charmène retenait un sourire. C'était seulement devant cette femme que le dompteur perdait son air menaçant. Elle était bien la seule à ne pas le craindre.

— Tu crois que cela n'arrivera jamais, conclut Sachan.

La sorcière gloussa.

— Tu sais, pendant un moment, j'y ai vraiment cru, lui dit-il.

— À quoi donc, mon cher ?

— Que ma mort t'attristerait.

En regagnant ses quartiers, Sachan ne vit pas l'homme défiguré qui se glissait furtivement sous sa roulotte. Lui aussi comptait se rendre à Yasdolar.

Les hommes

NON LOIN D'ESMAROK, Exandre atteignit une prairie où se dressait une petite ferme isolée. Des vaches broutaient, et des cris de volatiles fusaient de la grange.

Le garçon se faufila derrière un rocher.

— Vous êtes certaines de vouloir continuer ? demanda-t-il à Arilianne et Amira.

Il n'avait pas oublié les mises en garde de la vieille magicienne.

Arilianne haussa les épaules. Arraché de son orbite, son œil se balançait au bout d'un nerf.

— Le dernier os qui nous manque serait dans cette grange. Jusqu'ici, Sortima ne s'est pas trompée. Nous n'allons pas abandonner si près du but. Attends-nous ici. Amira et moi allons nous assurer que tu ne risques rien.

Les taches de sang sur le visage de la revenante étaient aussi rouges que s'il venait tout juste d'en être éclaboussé. Elle se tourna vers sa sœur.

— Amira, va vérifier s'il y a quelqu'un dans la chaumière, je vais inspecter la grange.

Deux minutes plus tard, Arilianne faisait signe à Exandre de l'y rejoindre.

— Je te préviens, lui dit-elle, ce n'est pas beau à voir.

Tendu, le jeune magicien poussa la porte à travers laquelle la revenante venait de disparaître. Le plancher du bâtiment était couvert de foin que des poules, des cochons, des moutons, des chiens et des chats avaient tapissé d'excréments. Tout au fond se trouvait une table garnie de bouteilles d'alcool vides. Au centre, un crâne fixait Exandre de ses deux orbites noires. Un petit mulot s'amusait à circuler de l'un à l'autre.

Le garçon s'approcha de la table. Deux os étaient entrecroisés devant le crâne. Le tibia le plus long était encore recouvert de parcelles de chair. Le plus court devait être l'os qu'ils convoitaient : le tibia gauche d'Arilianne.

Un faible gémissement attira l'attention d'Exandre, qui leva les yeux. Aussitôt, il eut un mouvement de recul.

Un homme était cloué au mur de la grange avec une série de couteaux. Il en avait dans les épaules, dans les cuisses et dans les bras. Le malheureux avait survécu à cette torture. Ses cheveux blancs cachaient son visage, mais à voir son corps, Exandre déduisit qu'il devait avoir plus de soixante ans. De chaque côté de lui, un putois et un renard roux avaient subi le même sort. Le pantalon de l'homme était déchiré, exhibant la jambe qu'on avait tranchée depuis le genou.

— Monsieur ? balbutia Exandre en tentant de contenir son dégoût.

Mais pour toute réponse, il entendit un râle rauque. C'était le dernier souffle de la victime.

— Pourquoi a-t-on traité ce fermier de cette façon ? demanda Arilianne. Et ces animaux…

— Une tête de mort au-dessus de deux os entrecroisés, dit Exandre. C'est le symbole des délivreurs !

La forte odeur dans la pièce lui donna envie de vomir. Exandre allait ramasser le tibia d'Arilianne lorsqu'il remarqua qu'un jeu de cartes avait été abandonné sur la table. Apparemment, la partie avait été interrompue.

— Trois hommes viennent par ici ! les avertit Amira en passant de part en part de la porte de la grange.

Affolé, Exandre inspecta les alentours et se précipita derrière une botte de foin. Les revenantes, elles, restèrent où elles étaient. Entrant en trombe, un des hommes traversa le corps d'Amira. Après leur crime, les délivreurs étaient allés fouiller la chaumière en quête de bouteilles, et ils en avaient dégoté deux. Déjà passablement éméchés, ils reprirent leur partie de cartes autour de la table. Tous trois avaient entre vingt-cinq et trente ans. Leurs cheveux étaient propres, ils étaient rasés de près et leurs vêtements laissaient croire qu'ils vivaient aisément.

— Le vieux a rendu l'âme, constata l'un d'eux.

— Qu'est-ce que tu racontes, Jéon ! Les magiciens n'ont pas d'âme. C'est à toi de jouer.

— Il est mort sans avoir avoué.

— C'était un magicien, pour sûr, dit le troisième. Il parlait aux animaux sauvages, qu'est-ce que ça vous prend de plus ? Le renard était carrément couché sur ses genoux ! Il le berçait comme un bébé. Il fallait que cette bête soit ensorcelée.

Un chien se faufila derrière la botte de foin et renifla Exandre, sa queue battant l'air. Son pelage était lustré et il était gras comme un voleur. Visiblement, le fermier avait pris grand soin de lui. L'animal n'avait sans doute jamais appris à se méfier des hommes. Il jappa joyeusement. Exandre lui fit signe de décamper, mais le chien se mit à lui lécher le visage.

— Tu ne dois surtout pas être découvert, insista Arilianne. Ne bouge pas et regarde ailleurs. Il finira par décamper.

Trois chats montaient la garde près du corps de leur maître, mais les autres animaux semblaient tous attirés vers la cachette d'Exandre.

— Qu'est-ce qu'elles ont à gémir, ces sales bêtes ? Je t'avais pourtant demandé de les faire sortir d'ici, Kén !

— J'y vais, Gragoire. As-tu pensé à ce que je t'ai dit, pour le grand voyage ?

— Et qu'est-ce qu'on irait foutre là-bas ? Les corsaires s'occupent déjà des chouffriers.

— Mais les magiciens qui ont pris le large avec ces arbres ne sont peut-être pas tous morts. Certains disent qu'il y aura un grand ménage à faire sur ces terres. Plusieurs groupes de délivreurs vont embarquer sur les caravelles pour voir à ce que les êtres blancs ne prospèrent pas ailleurs.

— Qu'est-ce qu'elle a de si intéressant, cette botte de foin ? lança Gragoire en repoussant brusquement sa chaise.

Exandre blêmit.

— Laisse ces animaux tranquilles, renâcla Kén, et réfléchis à ce que je t'ai dit. Imagine notre popularité si on débusquait des êtres blancs de l'autre côté d'Aqua et qu'on rapportait leurs scalps sur le continent.

Les scalps étaient les seuls trophées que les délivreurs gardaient en souvenir de leurs victimes. Les os étaient ensevelis profondément sous terre pour que les magiciens rejoignent le domaine des morts et ne reviennent pas les hanter.

— C'est bon, souffla Arilianne à Exandre, l'homme s'est rassis.

Une fois complètement soûls, les délivreurs décidèrent qu'ils partiraient à la conquête d'un nouveau monde sur les caravelles des corsaires. Quand Jéon s'écroula sur sa paire d'as, Gragoire se leva, l'empoigna sous les bras et le traîna avec lui.

— Je vais me coucher. Descends-moi ce macchabée et enterre-le, ordonna-t-il à Kén.

— Ça peut attendre à demain.

— Je ne vais pas me mettre au lit en sachant qu'un magicien que j'ai tué erre peut-être autour de nous. L'air est froid ici. Je le sens jusque dans mes os. Et n'oublie pas d'ensevelir ceux-là aussi, précisa-t-il en pointant le crâne et les deux tibias.

En maugréant, Kén s'empara d'une pelle et sortit de la grange.

— Amira, va t'assurer que Gragoire et Jéon rentrent bien dans la chaumière, la somma sa sœur.

Arilianne suivit Kén puis revint vers Exandre.

— Il creuse derrière la grange, lui confirma-t-elle.

Ils attendirent qu'Amira réapparaisse.

— Ils ronflent déjà, rapporta-t-elle. Un tremblement de terre ne les réveillerait pas.

— Il faut filer d'ici, dit Arilianne à Exandre.

La garçon s'empara du tibia d'Arilianne, plus court que celui du fermier, et fonça vers la sortie. Les animaux s'agitèrent. C'est alors que la porte de la grange s'ouvrit. Kén, la pelle à la main, bloquait la seule issue.

— Qui es-tu, petit vaurien ? Le fils du magicien ?

— Je ne suis personne.

— Et que comptais-tu faire de cet os ?

Sans répondre quoi que ce soit, Exandre se jeta sur le délivreur et le frappa de toutes ses forces avec le tibia. Recevant le coup en plein dans l'estomac, Kén se plia en deux et laissa tomber sa pelle. Exandre en profita pour s'enfuir. Kén ramassa l'outil en rageant et se lança à sa poursuite.

— Il est juste derrière toi ! cria Arilianne à son ami.

L'homme était plutôt rondouillard. Sachant qu'il avait peu de chances de rattraper le garçon à la course, il lui envoya la pelle dans les jambes. Exandre s'affala sur le ventre. Il pivota sur le dos et brandit le tibia d'Arilianne devant son visage. La pelle, que le délivreur avait récupérée, s'abattit sur l'os. D'une main, Kén agrippa le tibia et se mit à tirer dessus en émettant des grognements semblables à ceux des porcs. Exandre sentait que l'os glissait entre ses doigts, mais il s'y cramponnait.

En tournant autour du délivreur, les deux revenantes avaient réussi à matérialiser un nuage de fumée qu'elles voulaient effrayant, mais Kén ne le remarqua même pas.

— Abandonne ! s'affola Arilianne. Lâche l'os et sauve-toi !

Le tibia échappa à Exandre, qui s'effondra sur le dos. Le délivreur projeta la pelle au loin dans un rire gras et saisit l'os des deux mains. Le soulevant au-dessus de sa tête, il visa celle du garçon.

Les loups

Depuis que Joalak, le vieux loup au dos blanc, avait intégré la meute de Desmus, il lui arrivait de rendre visite à Osval dans sa ferme. Jamais il n'avait parlé de ce fermier solitaire à qui il devait la vie.

Personne ne savait que la mère de Joalak avait un jour été attaquée par une bande de renards. Sur le point de mettre bas, la louve s'était traînée jusque dans une vieille grange isolée. Après avoir donné naissance à trois louveteaux, elle était allée mourir dans les bois. Deux de ses petits étaient mort-nés, mais le troisième luttait toujours quand le fermier l'avait découvert. Le prenant pour un chiot, il l'avait chouchouté pendant plusieurs mois. Osval avait fini par deviner à qui il avait affaire, mais il avait attendu que le louveteau soit assez fort et assez mature pour se débrouiller seul avant de le laisser dans la forêt.

Jeune, Joalak retournait parfois à la ferme pour dormir dans la paille, à l'abri du froid ou de la pluie. Mais un loup solitaire lui ayant appris que les hommes et les loups avaient longtemps été en guerre, ne voulant pas causer d'ennuis au brave fermier, il ne s'était jamais montré. Aussi, il se levait avant l'aube et regagnait les bois.

Une fois adulte, Joalak avait rencontré une meute de loups dont le chef venait d'être tué par un ours. Il s'était approprié sans trop de mal la place vacante. Si l'un des loups de cette meute avait connu les origines de Joalak, il n'aurait pas été chef de clan pendant des années. Mais c'est seulement lorsqu'un plus jeune l'avait supplanté que le vieux loup avait repris sa vie de solitaire.

Sa route avait ensuite croisé celle de Malrok et de Miacisse, qui avaient une façon très différente de voir la vie et de traiter leurs semblables. Joalak s'était joint à leur meute hors du commun dont tous les membres, pour des raisons diverses, avaient accepté de défendre les humains contre le clan de Chad. Joalak, lui, avait choisi cette voie en souvenir de l'homme bon qui, par ses soins et sa grandeur d'âme, lui avait permis de vivre.

Cet homme, Joalak venait de le trouver là, suspendu au mur de sa grange, mutilé et couvert de sang. Il était mort. Cette mise en scène macabre ne pouvait être que l'œuvre d'un autre être humain. Les animaux du fermier, des cochons, des moutons, des chèvres, des poules, des chats et des chiens, étaient rassemblés dans la grange, perturbés et bruyants. Une marmotte et un porc-épic s'étaient même mêlés à eux.

En entendant le cri d'une jeune fille, le vieux loup s'élança hors de la grange. Près de la chaumière, des hommes étaient en train de se bagarrer. Deux fillettes couvertes de sang les regardaient avec angoisse. Joalak continua sa course et bondit spontanément sur l'homme qui menaçait d'exploser le crâne de l'autre avec un bâton. Projeté au sol, le délivreur n'eut pas le temps de comprendre ce qui lui arrivait. Après un seul coup de crocs au cou, il avait cessé de bouger. Le loup bifurqua alors vers Exandre, qui avait déjà ramassé le tibia et le pointait bravement vers l'animal. Toujours en position d'attaque, le loup se mit à gronder, découvrant ses dents rougies.

—Joalak, l'appela doucement Arilianne.

Le vieux loup tourna la tête vers la fille. Les idées embrouillées par la rage et la peine, il se demanda comment une petite dans cet état pouvait être en vie. Puis, il la reconnut. C'était Arilianne, une amie d'Aymric et d'Élorane ! L'autre fillette était sa sœur, Amira. Son état semblait plus lamentable encore. Toutes deux avaient dormi quelques jours dans la caverne de Drugo alors que la meute de Malrok et Miacisse veillait sur les elfes.

— Joalak, répéta Arilianne en se plaçant devant lui. Exandre n'a rien à voir avec ce qui s'est passé ici. Tu as tué l'un des responsables, et les deux autres sont dans la chaumière.

La jeune fille avait eu trois ans pour se rendre compte que les loups voyaient eux aussi les revenants. Elle pointa la maison. En apercevant un homme à moitié endormi sortir en titubant sur le pas de la porte, Joalak se rua vers lui et Exandre en profita pour se sauver dans les bois. Fuyant le loup qui fonçait sur lui, Gragoire recula et s'enferma dans la chaumière. Joalak se jeta plusieurs fois contre la porte de bois avant de retourner dans la grange.

Le corps d'Osval avait fini par se décrocher du mur et s'était effondré sur la table au milieu des bouteilles vides, comme si l'homme était ivre mort. Le loup traîna la dépouille de son bienfaiteur à l'extérieur et creusa la terre pour agrandir le trou qu'avait commencé Kén. De la fenêtre de la chaumière, les deux délivreurs encore vivants l'observaient. Joalak fit ensuite basculer le cadavre dans la fosse et le recouvrit de terre. Puis il se dirigea à nouveau vers la maison. Se plaçant devant la fenêtre, il s'assit et jaugea les deux hommes terrifiés. Mais Joalak s'était calmé. Arilianne, Amira et le garçon avaient disparu. Pourtant, les sœurs étaient gravement blessées. « Ai-je rêvé ? » se questionna le loup. Quelques heures plus tard, il s'enfonçait dans la forêt. Une fois certains que l'animal était bel et bien parti, Gragoire et Jéon se risquèrent hors de la chaumière afin d'aller mettre Kén en terre.

Sorg ne cessait de se plaindre auprès de Joïe. Le couple était étendu dans leur tanière à une dizaine de lieues de la chute de Vaskania. Dehors, Desmus surveillait leurs deux rejetons qui se chamaillaient avec leurs jeunes cousins.

— De quel droit Viko et Fani ont-ils mis ces louveteaux au monde ? Seuls les couples alpha ont le droit de s'accoupler ! Et ici, les alpha, c'est nous, ma rousse. Je n'ai plus le choix, je dois provoquer ton frère en duel. Il en va de mon honneur !

Mais comme toujours, Joïe s'amusa de l'air offensé de son compagnon.

— Mon chouchou, si tu te bats en combat singulier contre Viko, tu perdras. Je t'ai expliqué que ma meute était particulière, et tu as quand même accepté de t'unir à moi.

— Je croyais que tu exagérais ! Ou que tu voulais attiser mon côté rebelle.

— Ton côté rebelle ? s'esclaffa Joïe. Chouchou, tu es plus droit et plus rigide qu'un rat mort.

— Nous ne pouvons pas continuer à vivre de cette façon, ma rousse. Ce n'est pas un exemple à donner à nos enfants. Soit Viko et sa famille quittent notre territoire, soit nous devrons nous battre.

Devant l'insistance de Sorg, Joïe retrouva son sérieux.

— Viko est fort et rusé. Il est un bon élément pour la meute. En tant que chef, tu dois en tenir compte. T'en débarrasser serait une erreur. Il a eu des petits d'une femelle inférieure, mais puisque cela s'est passé avant qu'il ne se joigne à notre meute, lui laisser la vie sauve ne ternirait aucunement ton autorité.

— Quelle autorité ? demanda le vieux Desmus en pointant son museau pâle à l'entrée de la tanière.

Sorg fit mine de n'avoir rien entendu.

— Viko et Fani peuvent rester, dit-il à Joïe, mais je les ai à l'œil.

En sortant de la tanière, Sorg dut bondir pour ne pas recevoir un des petits bâtards de Viko dans les pattes.

— Mon oncle, je t'en prie, laisse lui croire qu'il est le chef, chuchota Joïe à l'oreille de Desmus.

De sa démarche prétentieuse, Sorg alla à la rencontre de Fani, Saja et Viko, qui rapportaient deux lièvres et une perdrix de la chasse.

— Quelque chose à déclarer ? s'enquit-il auprès de ceux qu'il considérait comme ses inférieurs.

— Oui, je porte des petits, lui annonça Saja d'un air narquois.

— Quoi ? s'étrangla Sorg. Mais qui a bien pu te mettre dans cet état ?

— L'Ami, répondit la louve grise, insolente.

Cette fois, Sorg ne fut pas le seul à s'offusquer.

— Saja ! jappa Viko. Tu te moques de Sorg, n'est-ce pas ?

— L'Ami et moi sommes unis.

— Unis ? Où est-il, celui-là ? Qu'il vienne, j'ai deux mots à lui dire ! grogna Viko.

— Tu fais la même tête que Sorg, mon pauvre frère. Mais vous aurez le temps de vous habituer à cette idée d'ici le retour de L'Ami. Il est parti pour quelques jours.

— Pourquoi ? enquêta Sorg.

— Est-ce que cela te regarde ?

— Je ne te permets pas de me parler sur ce ton, Saja ! aboya Sorg. Depuis quand un inférieur s'éloigne-t-il de sa meute sans en avertir son chef ?

— Combien de fois faudra-t-il te répéter que tu n'es pas le mâle alpha ? s'impatienta Saja. Notre meute n'a pas de chef. Ici, nous sommes tous égaux, et nous ne rendons des comptes qu'à ceux qui se préoccupent réellement de notre sort.

— Je vous en prie... gémit Joïe en les rejoignant, Desmus sur les talons.

— Mais si tu y tiens, poursuivit Saja, prends cette perdrix et mange les meilleurs morceaux. De toute façon, je n'ai plus faim.

Saja lâcha le fruit de sa chasse devant Sorg puis lui tourna le dos pour s'élancer à travers bois.

— Les enfants, le repas est là ! jappa Viko en abandonnant son lièvre pour suivre sa sœur.

— Je savais bien que Fani et Viko auraient une mauvaise influence sur le reste de la meute ! pavoisa Sorg devant sa partenaire.

Viko courut longtemps derrière Saja, jusqu'à ce qu'elle lui permette enfin de la rattraper.

— L'Ami n'est pas l'Égorgeur, Viko, allégua-t-elle avant qu'il n'ouvre la gueule.

— Malrok n'a jamais eu confiance en lui. Enfin, Saja, tu ne connais même pas son vrai nom !

— Tu ne vas pas t'y mettre toi aussi ! Desmus et Joalak m'ont déjà tenu ce sermon. Je croyais que toi, tu comprendrais.

— Moi ? Et pourquoi ?

— Tu t'es uni à une louve albinos, Viko. On ne peut pas descendre plus bas dans l'échelle sociale.

— Enfin, Saja, Fani n'est pas une meurtrière ! Tu as entendu les rumeurs comme moi. À quoi L'Ami occupe-t-il ses journées ? Il est toujours parti par monts et par vaux.

— Et cela te suffit pour l'accuser d'être un assassin ?

— La tuerie a commencé après qu'il se soit retourné contre nous.

— L'Ami ne nous a pas trahis ! Il a défendu Chad pour éviter que Wess se fasse ensuite massacrer par ses mercenaires ! Après, il a infiltré cette meute pour savoir quels villages notre père planifiait d'attaquer. Et si tu veux tout savoir, L'Ami est sur les traces de l'Égorgeur, lâcha la louve.

— Que L'Ami soit l'Égorgeur ou qu'il veuille lui régler son cas, ça ne change rien. Tes petits n'auront pas de père, aboya Viko avant de faire demi-tour vers sa tanière.

Saja était consciente que la vie que menait son compagnon était des plus risquées. « Ils t'auront, toi, pensa-t-elle en regardant son frère s'éloigner. Comme nous avons oncle Desmus. »

Quand Saja rentra chez elle, la lune était déjà haute. La meute veillait tranquillement devant la demi-douzaine de repaires habités par les différentes familles.

— J'ai bien hâte qu'Aymric vienne nous visiter, déclara Milkio, un des rejetons de la dernière portée qu'avait eue Miacisse.

— S'il tarde trop, je ne serai plus de ce monde quand il se montrera, grommela Desmus.

— Allons, mon oncle, fit Viko, tu as promis à maman de prendre soin de nous.

Le loup poussa un petit grognement enroué.

— Vous savez ce qu'Aymric m'a dit lorsqu'il est parti ? demanda Joïe, tandis que sa sœur s'étendait aux côtés de Desmus. Que le jour où on se reverrait, les loups n'auraient plus rien à craindre des hommes.

Comment aurait-il pu imaginer que c'est un loup, aujourd'hui, qu'on craindrait le plus ?

— Qui est ce Aymric ? l'interrogea Sorg, toujours inquiet à l'idée de se trouver devant un rival.

— Notre frère humain, répondit sa compagne, le plus doucement possible.

Cette fois, Sorg resta sans voix. Un moment que tous savourèrent les yeux fermés.

Joalak venait tout juste de quitter la propriété d'Osval quand l'Égorgeur s'était dressé devant lui. Il avait l'air féroce et sa fourrure hérissée était encore tachée du sang de ses innombrables victimes.

— C'est donc toi, avait eu le temps de japper Joalak.

Le loup au dos blanc était vieux et fatigué, alors que son adversaire était jeune et possédé d'une folie meurtrière. Le combat n'avait duré qu'un instant.

L'Ami renifla le corps de Joalak afin de s'assurer qu'il était bien mort, pour ensuite fuir à la course. Cela prendrait plusieurs jours avant que les cadavres d'un fermier, de trois délivreurs et d'un loup soient découverts sur les terres de cette petite ferme paisible.

Les anges

NE SACHANT PAS s'il devait poursuivre ses tentatives pour enjôler Ancolie, Naraël était venu chercher conseil auprès de Liomel. Il l'avait trouvé près de l'âtre écarlate en compagnie de Laurian, qui ne semblait pas de très bonne humeur.

— Élorane, Aymric, Zaèlie et moi-même repartirons demain, disait-il. Des anges pourront-ils reconduire Trefflé et Ancolie sur Gondwana quand ils seront prêts à nous rejoindre ?

— Bien sûr, Laurian. Nous vous devons beaucoup.

— J'ose espérer que vous ne profiterez pas de mon absence pour les convaincre de s'établir sur Sibéria, enchaîna le professeur en jetant un coup d'œil à Naraël, qui attendait sur le seuil de la porte.

— Si Nowanne est réellement éprise de Trefflé, répliqua l'inspirateur, son départ pourrait la condamner au même sort que Xanaël et la princesse Anawëlle.

— Nowanne n'est pas amoureuse de Trefflé.

Le louangeur fit quelques pas vers eux, puis toussota.

— Oui, Naraël, je suis à toi dans un instant, l'éconduit Liomel, agacé.

— Il y a quelque chose que vous devez savoir, intervint tout de même Naraël. Nowanne a bien séduit l'étranger, mais elle n'agissait pas sous les ordres de Liomel. Lorsque vous nous avez demandé de charmer les Gondwanais, Nowanne s'efforçait encore une fois de quitter la cour. Elle est finalement restée pour continuer à voir Trefflé, mais elle pleure toutes les nuits depuis qu'il la fuit...

— Quelle belle histoire ! ironisa Laurian, certain qu'il assistait à une autre manœuvre pour retenir le guérisseur sur Sibéria. Je vous interdis de répéter cela à Trefflé, vous m'entendez ?

— Que se passe-t-il ici ? s'enquit le roi en entrant dans la pièce.

— Rien de grave, lui répondit son inspirateur, mais nous avons perdu la confiance de nos invités.

Le souverain fit signe à Naraël de disposer.

— Si vous avez besoin de sang neuf à ce point, pourquoi ne pas laisser monter parmi vous les dieux des profondeurs ? lança Laurian à Aménuel.

L'air scandalisé, le roi et son inspirateur demeurèrent bouche bée.

— Vous nous conseillez de nous unir aux dieux déchus ? tonna Liomel. Vous avez perdu la tête !

— Même que les places disponibles dans votre potager devraient être attribuées en priorité aux couples mixtes.

— Enfin, Laurian, les dieux des profondeurs sont des êtres abjects ! se récria Aménuel. Ils sont envieux, agressifs et querelleurs. Nous ne voulons pas de ces tares chez nos enfants !

— Vous préférez avoir des enfants qui meurent dès leur premier chagrin d'amour ?

— Ces créatures ont voulu anéantir les Rodiniens et conquérir le monde !

— Seulement une dizaine d'entre eux, et c'était il y a mille ans ! En quoi tous les autres méritent-ils votre hargne ? Vous ont-ils menacé ? Non ! Ils ont seulement sollicité votre appui pour retourner au ciel, ce que vous leur avez toujours refusé.

— Ils ont voulu précipiter nos âmes dans les flammes pour l'éternité !

— Parce que vous ne leur fournissiez plus la chair des cygnes qui, croyaient-ils, pouvait leur donner des ailes et leur permettre de regagner plus vite le ciel. Aujourd'hui, si vous arrivez à vous entendre, vous pourriez vous aider mutuellement, j'en suis certain.

Le roi ne discuta pas davantage. Les lèvres serrées, il réfléchissait.

De la taille d'un papillon, Élorane s'était glissée dans la poche de la chemise d'Aymric. Avec Laurian, ils venaient de s'envoler pour le vieux continent sur le dos de Zaèlie, transformée en coujara. Le père et le fils avaient reçu des armes angéliques de la part du roi de Sibéria : des arbalètes et des dagues aux manches d'or. Grâce à Ashlar, la fée connaissait maintenant ses origines. Marwïna, qui avait eu l'apparence d'une enfant de dix ans pendant des centaines d'années, ancêtre des sirènes et demi-déesse, était la mère de toutes les fées. Ashlar lui-même était parent avec Élorane.

Aymric tenta d'engager une conversation avec la fée, mais elle ne lui répondait que par monosyllabes. Elle ne parvenait pas à chasser de son esprit la dernière révélation du dieu déchu. Selon une vieille légende divine, la magie, qui était apparue dans le monde des mortels en provoquant une explosion de violence dans le village de Karimel, disparaîtrait de la surface du monde lors d'événements plus tragiques encore…

Trefflé n'avait pas eu le courage de le dire à Laurian, mais il n'était pas certain de rentrer sur Gondwana. « Et si Nowanne m'aimait vraiment ? se répétait-il sans cesse. Si son cœur n'était pas aussi résistant qu'elle le croit ? Si elle mourait à cause de moi ? »

Le guérisseur se dirigeait vers la bibliothèque du château. Il s'était octroyé quelques jours de réflexion supplémentaires avant de prendre sa décision, et il comptait en profiter pour continuer son enquête sur les joyaux d'Éliambre.

« Admettons que je reste sur Sibéria. Monsieur Laurian me pardonnerait peut-être si Ancolie lui rapportait de ma part une information importante qui lui permettrait de retrouver, lui aussi, la femme qu'il aime. »

En pénétrant dans la grande pièce remplie de livres, Trefflé n'y détecta pas la chaleur qui y régnait habituellement. Il y faisait un froid étrange. Le magicien s'approcha d'une étagère qu'il n'avait pas encore fouillée et se mit à lire les titres qui s'alignaient devant lui, cherchant celui qui pourrait l'intéresser. Il sortit un livre des rayons, le feuilleta, puis le remis en place. Il en sélectionna une dizaine, qu'il apporta sur la longue table de fer dorée. Il les parcourut d'une couverture à l'autre. La nuit était là quand il se leva pour aller les remplacer. Son espoir de dénicher de nouveaux indices s'amenuisait. Debout, Trefflé bâillait et ses paupières s'alourdissaient, lorsqu'un bruit sec le fit sursauter. Un livre, plutôt petit et recouvert de cuir rouge, était tombé sur le sol, juste à côté de lui. Il s'apprêtait à le replacer sur l'étagère quand le titre lui sauta aux yeux : *Les Joyaux du monde*.

Fébrile, Trefflé retourna s'asseoir et se plongea dans la lecture du petit livre rouge. Des diamants et des émeraudes de tailles incroyables y étaient décrits, ainsi que l'histoire de leurs propriétaires rodiniens. Quelques pages portaient sur les saphirs et les rubis, puis sur les grenats, les topazes et les tourmalines. En lisant les mots de la toute dernière page, Trefflé ne put empêcher ses mains de trembler.

Le plus précieux trésor répertorié à ce jour appartient aux Laurentiens. Il s'agit des cinq joyaux d'Éliambre, qui seraient d'origine divine. On dit que l'aigue-marine et la perle, qui renferment de puissants pouvoirs, ont été cachées dans des endroits secrets auxquels le commun des mortels n'a pas accès. Pour que ces caches soient révélées, celui qui possède les trois premiers joyaux n'aurait qu'à prononcer la formule suivante : « Scintillez, joyaux. Faites-moi voir vos mille feux. »

Trefflé se leva d'un bond avant de se rasseoir aussitôt. Essayant de garder son calme et de contenir son enthousiasme, il relut le passage plusieurs fois, puis reprit sa lecture depuis le début du livre, afin qu'aucune information ne lui échappe. Au bout de quelques heures, il finit par s'endormir, le visage posé sur ces mots qui l'avaient tenu éveillé une bonne partie de la nuit.

Quand Trefflé ouvrit les yeux, il vit une jeune femme blonde vêtue d'un long châle blanc qui observait l'horizon depuis la fenêtre, dos à lui.

— Ancolie ! s'écria-t-il en repoussant sa chaise. Je sais comment mettre la main sur les joyaux !

La jeune femme se tourna vers lui, un sourire triste sur son visage angélique.

— Tu vas vraiment partir, alors ? demanda-t-elle. Eh bien, je te suivrai !

Il fallut quelques secondes à Trefflé pour arriver à parler.

— Tes ailes, souffla-t-il.

Effaré, il alla vers Nowanne et l'obligea à se remettre dos à lui. Il souleva le vêtement improvisé, découvrant deux horribles plaies longues et profondes.

— Pourquoi t'es-tu mutilée ainsi ?

— Tu m'as dit que tu ne pouvais pas emmener une femme avec des ailes sur Gondwana.

— Mais qui t'a aidé à faire une chose pareille ?

— Mes amies louangeuses. Elles savent à quel point je tiens à toi.

— Nowanne…

— En te jetant dans la mare de lave des profondeurs, tu as sacrifié les nageoires de ton dragon pour mon peuple, lui rappela l'ange en revenant face à lui. J'ai sacrifié mes ailes pour le tien. Tu pars, et je te suis.

— Nowanne, non… Ce dragon… Il existe un endroit magique sur Gondwana où je peux emprunter le corps d'un autre animal si je le souhaite. Mais toi, tes ailes… Tu n'avais pas à aller aussi loin pour me prouver ton amour.

— Oui, il le fallait. À aucun moment je n'ai douté de tes sentiments, alors que toi…

— Tu peux voir de tes yeux ce que j'éprouve pour toi. Mon amour colore l'aura de mon cœur, n'est-ce pas ? Moi, je n'ai pas ce pouvoir.

— Tout le monde a le pouvoir de croire, Trefflé. Mais tu n'as pas eu confiance en moi.

— Nowanne, j'avais décidé de rester…

— Je suis heureuse de l'apprendre. Mais ton peuple a besoin de toi.

— Je ne suis pas le héros que tu imagines.

L'ange posa ses lèvres sur celles de l'humain et le baiser les enflamma comme au premier jour. Trefflé attira Nowanne dans ses bras. Pour lui, leurs corps ne seraient jamais assez près l'un de l'autre. L'ange gémit de douleur. Sans lâcher sa bouche, Trefflé pressa ses mains sur les plaies de son dos. Des flammes jaillirent des paumes du guérisseur puis s'éteignirent. Nowanne s'éloigna.

— Merci, haleta-t-elle.

— Les fées meurent lorsqu'elles perdent leurs ailes, lui fit remarquer Trefflé, anxieux.

— Je ne pourrai plus voler, mais ma vie n'est pas menacée, pas plus que mes pouvoirs magiques. Ne t'inquiète pas.

Trefflé fronça les sourcils et toucha la joue de l'ange d'un doigt encore brûlant.

— Qu'est-ce que c'est ? demanda-t-il. On dirait que des mots sont apparus sur ton visage…

— C'est de l'encre, lui répondit l'ange en souriant. Ton visage en est couvert. Tu t'es endormi sur ces pages que tu venais d'écrire.

Trefflé se dirigea vers la table.

— Vois-tu quelque part un encrier et une plume ? Je n'ai rien écrit du tout. Ce livre était sur une étagère avec les autres.

Il l'ouvrit et pressa un doigt sur le texte de la dernière page. L'encre adhéra à sa peau.

— Ces mots ont été écrits récemment… comprit-il.

— Parfois, lorsque les livres sont très vieux, les érudits les recopient avant que le parchemin ne se dessèche complètement, lui dit Nowanne.

— Et les érudits ont-ils l'habitude de laisser sécher les livres sur les étagères au cas où des imbéciles de mon espèce voudraient les lire ?

L'ange tressaillit au ton sec de l'humain.

— Trefflé ?

— Tu veux me suivre sur Gondwana, Nowanne? Alors, prépare-toi à partir.

Trefflé était bien décidé à faire connaître sa façon de penser au roi de Sibéria. Il marchait vers les appartements royaux quand il croisa son premier conseiller.

— Où allez-vous comme ça? l'interpella Liomel. Le roi...

Le géant attrapa le livre rouge en évitant de justesse de le recevoir au visage.

— *Scintillez, joyaux. Faites-moi voir vos mille feux!* lui récita Trefflé, ulcéré.

— Que dites-vous?

— Ne me prenez pas pour plus bête que je ne le suis! le rabroua Trefflé. Selon les dernières phrases de ce livre ancien, dont l'encre n'a d'ailleurs pas fini de sécher, cette formule magique permettrait de découvrir les deux joyaux que mes amis et moi cherchons en vain depuis plus de trois ans!

Liomel ouvrit le livre à la dernière page.

— Je ne vois pas ce qui vous met en colère, déclara-t-il après l'avoir lue.

— Vous avez semé dans vos livres des informations inventées de toutes pièces, croyant que cela nous encouragerait à demeurer ici pour poursuivre nos investigations. Voilà où je veux en venir! s'emporta le Gondwanais.

— C'est vrai, avoua l'inspirateur, mais pas cette formule-là. Réfléchissez! Puisque c'est exactement celle que vous espériez, vous la fournir vous aurait tous poussés à partir!

— Vous prétendez qu'elle serait authentique?

Liomel regarda ses doigts tachés d'encre.

— Non, c'est sûrement une supercherie. Mais vous avez ma parole, le roi Aménuel et moi n'avons rien à voir avec ce qui est écrit ici.

— Qui voudrait nous éloigner de Sibéria, alors ?

— Je ne vois vraiment pas…

— Peu importe ! soupira Trefflé. Dans une heure, je ne serai plus là.

— Et Nowanne ? Vous n'allez pas me croire, mais elle avait déserté les rangs des louangeurs quand vous avez tous deux été frappés par le coup de foudre. Cette jeune femme vous aime d'un amour sincère.

— Cela va sans doute vous surprendre, dit le Gondwanais, mais oui, je vous crois.

Les hommes

La nuit passait si vite ! De toute évidence, Exandre n'arriverait pas à fermer l'œil. Les os des revenantes avaient tous été rassemblés et Arilianne voulait que le magicien les enterre dès le lendemain. Hors de portée de voix, Amira observait un crapaud en attendant qu'il se change en homme.

— Pourquoi tiens-tu tant à aller dans le domaine des morts ? demanda Exandre à Arilianne. Parce qu'ici je suis le seul à te voir ?

— On ne me remarquait pas beaucoup plus de mon vivant, répondit la revenante.

— Avec cette chevelure rousse, ça me surprendrait, blagua Exandre.

— On me jetait un regard, puis on voyait Amira. Dès lors, je devenais invisible.

— Amira n'est qu'une enfant.

— Ce que je suis et serai à jamais. Et y a-t-il quelque chose de plus insignifiant qu'une enfant laide ?

— Tu n'es pas laide, Arilianne.

— Ça va, Exandre, ne te fatigue pas. Il fut un temps où je pouvais voir mon reflet dans un miroir. J'étais laide bien avant d'avoir un œil qui sorte de ma tête.

— Tu oublies que je vois des choses que les autres ne voient pas…

Exandre arracha enfin un sourire à la jeune fille.

— Pourquoi veux-tu que j'enterre tes os, si tu n'as pas vraiment envie de quitter ce monde ?

— Amira n'est pas comme moi. Là-bas, elle sera plus heureuse.

— Sur Rhéïqua, il n'y aura personne pour l'admirer, riposta son ami.

— Probablement, mais elle n'en souffrira plus.

— Reste, Arilianne, la supplia Exandre en faisant mine d'enlacer ses mains. Tous les jours, je dirai à Amira à quel point elle est belle.

— Alors, c'est moi qui souffrirai !

L'adolescent demeura muet. La revenante rousse avait-elle des sentiments pour lui ?

— Reste avec moi, l'implora-t-il encore. S'il le faut, laisse partir ta sœur.

— Je ne peux pas l'abandonner aux portes d'un monde inconnu ! Et la place des morts est sur Rhéïqua.

Mais Arilianne ne disait pas tout. Même vivante, elle avait détesté être une enfant. Et elle savait que désormais, elle serait une fillette pour l'éternité. « Les chenilles finissent toutes par devenir des papillons », lui disait son père en l'embrassant le soir. Elle avait donc supporté son apparence en espérant qu'une fois grande, elle serait différente. Mais jamais elle ne deviendrait adulte. Et bientôt, Exandre rencontrerait sûrement une jolie fille, une fille bien vivante qu'il pourrait toucher et présenter à d'autres. Et lorsque ce temps viendrait, la revenante ne tenait pas à être là…

— Arilianne…

— Tu vieilliras, Exandre, et tu ne seras pas seul indéfiniment. Quant à moi, je serai toujours une enfant. Une enfant laide et morte.

Quand Arilianne jugea que le trou que creusait Exandre avec une pierre était assez grand, le magicien avait les paumes en sang. Alors qu'il recouvrait de terre les deux squelettes qu'il avait reconstitués et couchés l'un contre l'autre, Arilianne appela sa petite sœur.

Avant de quitter ce monde pour ne plus y revenir, l'enfant était allée faire ses adieux au crapaud avec lequel elle s'était liée d'amitié. De retour auprès de son aînée, elle s'étendit à côté d'elle près de leurs squelettes. Quand Exandre les eut entièrement ensevelis sous la terre, le corps d'Amira pâlit jusqu'à devenir transparent et diffus. Tout aussi rapidement, elle commença à s'enfoncer dans le sol. S'apercevant que le phénomène ne se produisait pas pour elle, Arilianne se redressa.

— Exandre ! Que se passe-t-il ?

— Je ne sais pas…

— Exandre ! geignit Amira à son tour. Déterre mes os ! Déterre-les tout de suite !

L'enfant n'arrivait pas à s'arracher à l'attraction du sous-continent. Ses gémissements devinrent des cris. Exandre se mit à remuer la terre pour en sortir quelques os, mais cela n'inversa pas le phénomène.

— C'est trop tard, s'excusa le magicien.

Amira avait beau se débattre, elle s'enfonçait de plus en plus profondément.

— J'irai te rejoindre bientôt, essaya de la calmer Arilianne.

— Non ! hurla la fillette en pleurs. Je te déteste, Exandre ! Toi aussi, Arilianne, je te déteste !

Une fois Amira engloutie, Arilianne s'effondra, mais ses larmes ne tracèrent aucun sillon sur le sang séché de ses joues. Exandre déterra ses os et observa attentivement le squelette.

— C'est la dernière phalange de ton petit doigt gauche, constata-t-il. Elle n'est pas là.

— Mais nous l'avions ! Où est-elle passée ?

Exandre tendit une main pour essuyer les larmes de la revenante, mais il ne rencontra que le vide. Il eut le vertige.

— Nous trouverons cet os, lui promit-il.

Arilianne ne se serait jamais doutée qu'Exandre était amoureux d'elle. Elle ignorait aussi que c'était ces mêmes sentiments qui avaient poussé Yanni à cacher ses os sous un arbre plutôt qu'à les enterrer. D'ailleurs, si les garçons lui avaient avoué ce qu'elle leur inspirait, elle ne les aurait pas crus.

La chenille n'était pas devenue papillon, mais Arilianne était une des très rares jeunes filles à avoir eu la chance de côtoyer une fée. Elle ne le savait pas, mais cette proximité lui avait permis de recevoir un peu de la magie d'Élorane. Ainsi, ce qu'il y avait de bon et de beau en elle rayonnait. Son intelligence, son authenticité et sa générosité éclipsaient tout le reste.

Exandre remit les os d'Arilianne dans son sac et reprit la route.

— Il faut retourner à l'asile, dit la revenante.

— Oui, approuva le jeune homme.

La direction qu'il avait prise n'était pourtant pas celle qui les mènerait à Esmarok…

Les forains

Dès que les forains s'arrêtèrent devant la grande palissade de Yasdolar, Sachan sortit de sa caravane pour aller rejoindre Charmène.

— Ils n'ont toujours pas baissé leur garde, ceux-là, commenta la gitane.

— Je veux que tu relâches tout de suite ton sortilège, lui dit le dompteur.

— Tu m'as promis ce dernier spectacle, Sachan.

— Et je tiendrai parole. Mais je n'ai aucune confiance en toi. Libère-moi avant.

— Nous installerons les tentes dès que nous serons sur le site. Les rumeurs vont presque aussi vite que nos roulottes, Sachan. On nous pourchasse peut-être déjà. Il faut donner ce spectacle ce soir.

— Très bien, alors réglons ça.

— Tu vas essayer de me tromper. Penses-tu que moi, j'ai confiance en toi ?

— C'est grâce à moi si tu es riche, Charmène. Considère ce que je te demande comme une petite avance sur ce que tu me dois. Accepte ou je n'entrerai même pas dans ce village.

La gitane fronça les sourcils, puis se leva pour aller déverrouiller une armoire dans laquelle s'entassaient plusieurs flacons remplis de liquides colorés. Elle en choisit un, versa son contenu bleuté dans un verre, et le mélangea à de l'eau-de-vie. Puis elle tendit le verre au dompteur.

—Je ne bois plus, lui rappela-t-il.

—Crois-moi, tu ne veux pas goûter cette potion nature.

Le jeune homme scruta le visage de la sorcière, y cherchant la trace d'une ruse, puis avala le breuvage d'une traite. Il retint une grimace de dégoût. Charmène se mit à réciter tout bas des paroles magiques incompréhensibles. Pendant ce temps, les portes s'ouvraient et les caravanes décolorées par le soleil pénétrèrent dans Yasdolar. À leur suite, des enfants du village gambadaient en riant.

—Je ne sens aucun changement, déclara Sachan quand Charmène se tut enfin.

—Normal. Tu me dois encore une représentation. Après, tu te sentiras libre.

—Tu l'auras, ton spectacle, vieille folle, marmotta Sachan en sautant en bas de la roulotte en marche. Et crois-moi, tu en resteras sans voix.

Le dompteur se fit violence pour ne pas chasser les gamins qui couraient à sa rencontre.

Tandis que les forains s'affairaient à monter les tentes, le passager clandestin qui avait voyagé sous la caravane de Sachan depuis Ormanzor se laissa choir sur le sol. Il ne bougea pas d'où il était, attendant patiemment que la nuit tombe et que la foule gonfle afin de s'y mêler. Dans ce décor de carnaval, la figure mutilée de Dénis d'Esmarok passa inaperçue. Il vola un manteau, puis se déplaça nonchalamment jusqu'au boisé le plus près, avant de presser le pas et de se mettre carrément à courir. Lorsque la forêt devint dense, le fugitif ralentit la cadence.

Sachan, lui, entamait alors la première phase de son plan.

— Bonjour, mesdemoiselles ! dit-il avec enthousiasme en s'approchant d'un groupe d'adolescentes qui ricanaient près de sa tente. Me ferez-vous le plaisir d'assister à mon numéro ?

— On aimerait bien, s'empressa de répondre l'une d'entre elles.

— Mais nous n'avons pas de quoi payer, poursuivit une autre.

La mignonne lui faisait les yeux doux, espérant obtenir ainsi un siège tout près de la scène.

— On peut toujours s'arranger, offrit le dompteur.

— Monsieur ! s'insurgea une jeune fille, insultée. Si vous croyez que…

— N'y pense même pas, l'arrêta-t-il. C'est d'un tout autre service dont j'ai besoin.

Sachan expliqua alors aux adolescentes ce qu'il attendait en échange de cinq places sous le chapiteau du meilleur dompteur d'ours de tout le continent.

Cette fois-là, l'ours dut s'y prendre à deux fois pour qu'éclate la poche de faux sang que Sachan portait sous sa chemise. Par contre, une vieille femme ne tarda pas à donner un gros diamant au guérisseur. Alors qu'Admon accomplissait le même rituel que celui auquel il s'était prêté à Karadec et à Ormanzor, une jeune fille se leva pour clamer :

— Le diamant ! Le guérisseur l'a glissé dans la poche du dompteur !

La foule s'agita. Rapidement, une deuxième spectatrice confirma ce que sa voisine venait d'affirmer. Plusieurs Yasdolariens envahirent la scène, furieux d'avoir été bernés.

— Montrez-nous ce que contient la poche du mourant ! exigea un homme.

— Charmène, râla Sachan, étendu dans une flaque d'un rouge trop vif.

— Ça a fonctionné ! s'écria la gitane. Il revient à lui !

Une partie de l'assistance applaudit, mais la plupart des spectateurs étaient persuadés que les forains se moquaient d'eux.

— Sang noir ! grinça Charmène à l'oreille de Sachan. Que fait-on ?

— Il faut ficher le camp d'ici et vite !

— Mais encore, petit malin ?

— Ouvre la cage de l'ours.

— Tu es complètement fou ! Si ce monstre ne massacre qu'un seul de ces villageois, on me brûlera !

Une jeune fille alla droit vers eux, tandis qu'Admon, les poings levés, était déjà prêt à se battre pour défendre Charmène et Sachan.

— Qu'est-ce que vous traficotez ? les interrogea la demoiselle, l'air plus méfiant que jamais.

C'était elle qui avait alerté les autres.

— Qu'est-ce que vous a dit ce soi-disant mourant ? insista-t-elle auprès de la gitane.

La jeune fille s'approcha davantage de Sachan, puis toucha son cou de son index, qu'elle porta à sa bouche.

— Du sirop de fraises ! s'exclama-t-elle en présentant son doigt au public.

— Cet ours m'obéit, Charmène, la pressa Sachan. Suspends le sort qui nous empêche d'ouvrir cette cage !

— La fille-poisson va s'échapper…

— Tu préfères peut-être que cette foule en colère t'envoie dans l'autre monde ?

Charmène comprit alors que Sachan avait tout manigancé. Ces filles qui venaient de dénoncer la supercherie avaient sûrement agi à sa demande. Mais la gitane n'avait plus d'autre choix que de suivre les directives de Sachan. Elle lui tendit la main, paume vers le haut.

D'un sac que le dompteur portait en bandoulière, il sortit le petit flacon de liquide vert dérobé dans l'armoire de Charmène et le lui remit. La sorcière se leva et lança le flacon sur la cage de l'ours. Dès qu'elle eut prononcé une série de mots étranges, l'animal géant fit voler la cage en éclats et fonça sur la scène. Debout sur ses pattes arrière, ses griffes étaient aussi menaçantes que ses longues canines, ce qui suffit amplement à faire reculer la foule. D'un coup de patte, il envoya Charmène au sol. Devant les yeux ahuris des spectateurs, deux fillettes blondes s'avancèrent pour s'accrocher aux pattes de l'ours.

— Venez, Sachan, dit la voix de Clovis, tandis que Saphie étirait son autre menotte vers le dompteur.

En entendant les cris, un forain avait accouru. Voyant que la bête s'était rebellée, il tira aussitôt une flèche qui fendit l'assistance en direction de l'ours.

— Partez ! hurla le dompteur en tentant de repousser Admon et Charmène qui essayaient de s'emparer du diamant.

— Clovis, souffla Ëlanie, il faut y aller…

— Sachan, venez ! répéta le magicien, toujours dans le corps de l'ours.

— Partez ! s'obstina le dompteur. Je me débrouillerai !

Résigné, l'ours ferma les paupières.

— Mon pouvoir ne fonctionne pas ! s'énerva Clovis. Cette potion ne devait-elle pas annuler le mauvais sort ?

Baissant la tête en direction d'Ëlanie, le magicien vit que la flèche avait transpercé son épaule droite. Elle n'avait même pas gémi.

— Ils t'ont blessée, constata Clovis. J'avais promis de te protéger…

La petite sirène vacilla et dut s'appuyer contre l'ours. Une deuxième flèche siffla à l'oreille de l'animal.

— Saphie, il va falloir que tu nous emmènes loin d'ici et tout de suite, l'implora Clovis. Pense à ta maman. Allons la rejoindre.

Ëlanie retira la flèche qui s'était fichée dans sa chair et tendit la main vers sa sœur.

— Vas-y, Saphie, geignit-elle.

— Mais qu'attendez-vous pour fuir ? fulmina Sachan.

Essayant toujours de récupérer le diamant, Admon lui envoya un coup de poing en plein visage, geste auquel le public ne manqua pas de réagir.

— Pense à la cabane dans les bois, dit Clovis à la petite dérobeuse.

L'énorme ours et les deux fillettes se volatilisèrent enfin. Les villageois de Yasdolar en furent paralysés de stupeur. Quand ils comprirent que l'ours ne reviendrait pas, tous se ruèrent sur la scène. Sachan eut juste le temps de faire trébucher Charmène sur Admon et de fuir le chapiteau.

— Le diamant ! Il est encore dans la poche du dompteur ! vociféra un homme.

— Attrapez-le ! rugit Charmène, folle de rage.

Les hommes

Ayant entraîné Ëlanie et Clovis avec elle, Saphie apparut sous le chêne que sa mère avait observé trois hivers durant depuis la fenêtre de la cabane d'Alen. Clovis lâcha la main de la petite dérobeuse et tenta de reprendre son apparence humaine. Mais comme il le craignait, il n'y parvint pas. Poussant un grognement rageur, il se laissa tomber sur ses quatre pattes.

— Sachan, murmura Saphie.

— Ne va pas le chercher, lui lança sa sœur. Il n'aura que ce qu'il mérite. Je le déteste.

La sirène se plia en deux sous la douleur.

— C'est son épaule. Elle a mal, dit Saphie.

Mais Clovis, lui, n'était pas dupe. Il savait qu'en vieillissant, les sirènes devenaient incapables de proférer le moindre mensonge sans souffrir. Quand il avait connu Ëlanie sur Laurentia, elle avait sept ans et racontait des tas d'histoires à dormir debout. Aujourd'hui, à dix ans à peine, elle ne le pouvait déjà plus.

« Les bandits d'Orphérion lui ont volé son enfance, comprit-il. Et c'est moi qui l'ai menée à eux. Ce n'est que justice si la promesse que je n'ai pas su tenir m'a coûté mon pouvoir magique. Mais j'espère au moins que Drugo saura me libérer de ce corps d'ours des cavernes ! »

— Ëlanie a raison, Saphie, dit-il. C'est trop dangereux. Sachan est malin. Crois-moi, il n'a besoin de personne. Et nous devons soigner ta sœur…

Ëlanie alla vers la cabane et ouvrit la porte. Au milieu du désordre, elle vit les corps à moitié dévorés de ses parents étendus sur le dos. La petite sirène demeura immobile. C'est l'ours qui étira une patte et l'agrippa pour la tirer à l'extérieur.

— Prends ta sœur et allez m'attendre là-bas, lui ordonna-t-il en pointant le chêne de son museau.

Pour pouvoir franchir la porte, l'ours se remit à quatre pattes. Pendant quelques secondes, il crut que son postérieur ne passerait jamais sans arracher le chambranle, mais malgré sa lourdeur, il était plutôt souple et parvint à entrer sans rien briser.

« Némossa et Micolas sont morts, constata Clovis, une fois le choc passé. Cela explique pourquoi Saphie n'a pas pu nous conduire ici en visualisant sa mère. » Mais une autre question lui vint à l'esprit. Comment Ëlanie, qui avait dorénavant les pouvoirs des sirènes adultes, avait-elle pu rester indifférente à la vision de ses parents en train de mourir ? Parce qu'elle devait avoir eu une vision…

L'ours contourna les cadavres nauséabonds des sirènes. Il y avait du sable sur le plancher. La machine du père de Trefflé avait été détruite, et Zavier n'était nulle part. Clovis saisit avec ses dents l'épaisse couverture qui traînait par terre et en recouvrit les dépouilles. C'est là qu'il surprit les fillettes devant lui. Ëlanie ne lui avait pas obéi. Main dans la main, toutes deux s'étaient avancées vers les corps mutilés. La petite avait enfoui son visage contre le ventre d'Ëlanie qui, elle, ne montrait aucune émotion.

Soudain, Clovis comprit pourquoi Ëlanie n'avait pas vu ses parents mourir. Les sirènes voyaient les événements douloureux que vivaient les êtres qui leur étaient chers. Or, pour Ëlanie, ses parents ne comptaient plus. L'emprisonnement qu'elle avait vécu durant ces trois années lui avait durci le cœur. D'une certaine façon, la fille de Némossa et Micolas était morte, elle aussi.

— Que fais-tu ici ? demanda Ëlanie.

L'ours regarda dans la même direction que l'enfant, puis se dressa devant les deux sœurs.

Un garçon était tapi dans un coin de la cabane.

— Qui es-tu ? rugit l'ours.

— Exandre ! Exandre de Gwerozen, répondit le jeune homme en se levant.

Il exhiba ses mains pour montrer qu'il n'était pas armé.

— Que s'est-il passé ici, Exandre de Gwerozen ?

— Je suis innocent! Je les ai trouvés comme ça !

— Zavier ? appela Clovis en fouillant la cabane des yeux.

— Il n'y a personne d'autre que nous ici.

Le garçon fit quelques pas vers Saphie et Ëlanie.

— Vous êtes mortes ?

Le magicien ne percevait aucun flou entourant leur corps, ni aucune couleur vibrante. Mais la plus petite des deux avait à peine quatre printemps, alors qu'il n'existait aucun enfant âgé de moins de onze ans sur tout le continent. Le sang qui salissait une partie de la tunique blanche de la plus vieille semblait confirmer ses soupçons.

— C'est moi qui pose les questions ! grogna Clovis, le menaçant de ses crocs.

— Ah, te voilà enfin ! soupira Exandre en essuyant de sa manche la sueur qui perlait à son front.

— Mais à qui parles-tu ? Tu viens de dire qu'il n'y a personne d'autre que nous ici !

— Je ne te veux aucun mal, Clovis, lui assura Exandre, ses mains toujours ouvertes devant lui.

— On se connaît ? fit l'ours, surpris.

— Tu connais Arilianne de Sylvarion, n'est-ce pas ?

— Je sais qui elle est, répondit Clovis en pensant à la jeune fille rousse qui était partie au-devant des loups avec Aymric et Élorane.

— Arilianne t'a vu te changer en ours des cavernes dans la grotte du dragon. Si elle ne m'avait pas déjà parlé de toi, je me serais probablement pissé dessus en te voyant entrer !

— Qui es-tu, bon sang ? s'impatienta l'énorme animal.

— Un magicien, comme toi. Je peux voir les revenants et communiquer avec eux. Arilianne est justement ici, à côté de moi.

— Arilianne serait morte ? Et même si c'était le cas, les revenants n'existent pas ! s'énerva Clovis. Les âmes égarées vont dans le néant, elles ne restent pas ici à nous pourrir la vie !

— Les deux sœurs ont été tuées par un loup. Et là, Arilianne est derrière toi.

— Cesse de…

— Comment saurais-je, sinon, que tu as du pain de collé dans la fourrure de ton dos ?

Ëlanie passa une main dans le pelage de l'ours et lui fit voir les petits morceaux qu'elle venait de récupérer.

Le silence dura plusieurs secondes.

— Arilianne ? osa Clovis.

— Elle te dit bonjour, lui répéta Exandre.

— Et Amira ?

— J'ai enterré son squelette et elle nous a quittés pour Rhëïqua. Mais il me manque un os pour compléter celui d'Arilianne.

— Si tu avais su reconnaître le chemin vers Esmarok, nous l'aurions peut-être déjà récupéré, bougonna la jeune fille.

Cherchant malgré lui la revenante des yeux, Clovis aperçut ce qui semblait être un troisième cadavre enroulé dans une couverture.

— Qui est-ce ? gronda-t-il en remontant sa garde.

— Je ne sais pas, avoua Exandre. Mais en venant ici j'ai croisé des bûcherons qui m'ont interrogé à propos d'un des leurs porté disparu. C'est peut-être lui. En tout cas, il était avec les deux autres cadavres quand je suis arrivé. D'après les traces qu'il y a dehors, ceux-là ont été traînés jusqu'ici depuis la rive d'un petit cours d'eau. Il faut vite les enterrer, leurs âmes ont déjà commencé à se détacher d'eux. Je les vois bouger !

Saphie avait beaucoup pleuré quand on lui avait interdit de soulever la couverture qui lui cachait ses parents. Ébranlée, elle s'était accrochée à la jambe d'Exandre alors qu'il bandait l'épaule de sa sœur. La petite dérobeuse avait ainsi acquis un autre pouvoir. Roulée en boule sur le lit, elle aussi voyait Arilianne, accroupie devant elle, son nez picoté frôlant le sien. Elle était sale et pleine de sang, mais semblait gentille. La berceuse qu'Arilianne lui fredonnait l'aiderait sûrement à s'endormir. Saphie observa les âmes de ses parents qui s'agitaient au-dessus de la couverture et ferma les paupières.

Dehors, Ëlanie regardait Exandre et Clovis creuser la terre derrière la cabane.

— Seul un loup peut être capable de ça, dit Exandre.

— Je crois plutôt que le coupable est le loup-garou qui vit ici, le contredit Clovis.

— Quoi ? blêmit Exandre. Arilianne m'a raconté que ce loup-garou était mort sur le continent des elfes.

— Je te parle de Zavier, un elfe et un ami, lui expliqua Clovis. Il a justement été mordu par Alen, le loup-garou mort sur Baltica. Il s'est installé ici avec sa fiancée et le couple de sirènes que tu as retrouvés morts. Ceux-là étaient les parents d'Ëlanie et de Saphie.

Après une minute de silence, il continua :

— Une fois redevenu lui-même, Zavier a dû ramener leurs corps dans la cabane. Quant à cet inconnu, il a visiblement mis les pieds au mauvais endroit au mauvais moment.

L'ours tira les trois cadavres avec ses crocs et les fit basculer dans la fosse. Puis, par de violents coups de patte, il y jeta la terre qu'Exandre égalisa au niveau du sol.

— Tu vois donc les revenants, dit Clovis, réfléchissant tout haut. Ce sont bien des gens qui sont morts et qui n'ont pas été enterrés ?

— Oui, confirma Exandre, devinant que Clovis avait quelque chose derrière la tête.

— Et il y en a beaucoup ?

— Dans les mines, oui. Dans la forêt et les villages, ils sont plutôt rares.

— Arilianne t'a parlé des autres continents ?

Exandre acquiesça et l'ours se tourna vers Ëlanie.

— Ta sœur doit nous conduire sur Sibéria.

— Comment le pourrait-elle ? demanda la sirène. En visualisant Xanaël ? Elle ne se souvient certainement pas de lui.

— Trefflé aussi est sur Sibéria, répondit Clovis. Saphie l'a vu il y a quelques mois à peine.

Ëlanie était de plus en plus pâle.

— Ça va ? s'enquit Exandre en s'agenouillant auprès d'elle.

— J'ai la tête qui tourne.

Exandre s'attarda plus attentivement à sa blessure.

— Elle perd encore du sang.

Le magicien prit la sirène dans ses bras et la mena dans la cabane. Il fit lever Saphie et coucha Ëlanie à sa place.

— Saphie, reprit Clovis en regardant l'enfant dans les yeux, tu nous conduiras tous sur Sibéria. Tu n'as qu'à penser à Trefflé. Tu te rappelles ce jeune homme aux cheveux blonds qui pouvait se transformer en dragon bleu ?

— Oui…

— Il guérira Ëlanie. Ensuite, tu repartiras avec elle pour Laurentia.

— Laurentia ? répéta la petite en secouant la tête.

— Ton île, Saphie, persista Clovis. Le soleil, le sable, l'océan… Hé, Ëlanie !

La sirène s'était évanouie. Son bandage était imbibé de sang.

— Peut-elle voyager dans cet état ? demanda Exandre.

Saphie posa sa main sur la blessure de sa sœur. Une flamme jaillit.

— Qu'est-ce que… bredouilla Exandre en voulant obliger l'enfant à reculer.

L'ours le retint.

— Saphie s'est aussi approprié le pouvoir de guérison de Trefflé, l'éclaira-t-il. Mais jusqu'ici, elle n'avait jamais réussi à s'en servir.

Quand la plaie d'Ëlanie fut refermée, elle revint à elle et Clovis éloigna Saphie. Sur la main de la dérobeuse, la brûlure se dissipa en quelques secondes.

Accompagnée de Trefflé, Nowanne se rendait à la tour des louangeuses pour y récupérer ses effets personnels lorsqu'un ours énorme, un jeune homme et deux fillettes leur barrèrent la route. Le guérisseur se mit aussitôt devant l'ange pour la protéger.

— C'est moi, le rassura Clovis.

L'ours pencha le museau vers Ëlanie et Saphie.

— Ëlanie, vous devez rentrer auprès de Cyprin. Dis-lui que nous sommes toujours à la recherche de ses joyaux. Et explique bien à Saphie qu'elle ne doit plus jamais utiliser ce pouvoir pour revenir ici ou pour aller sur Gondwana. Ce serait trop risqué.

Ëlanie voulut dire à Clovis qu'il lui manquerait, mais elle s'aperçut vite que ce n'était pas vrai. « Inutile de souffrir », pensa-t-elle en refermant la bouche. Elle était bien décidée à ne plus mentir.

Et les deux fillettes disparurent.

— Clovis, tu as retrouvé Ëlanie ! le félicita Trefflé. Et elle va bien ! Mais pourquoi arrives-tu ici dans cette peau d'ours ? Tu as failli nous faire mourir de peur. Et qui est ce garçon ?

— Et cette humaine ? questionna Clovis à son tour en dévisageant Nowanne. D'où sort-elle ?

Les sirènes

Cyprin était assis dans une chaise tressée suspendue au plafond de sa hutte. Le regard vide, il tournait lentement sur lui-même. Quand les filles de Némossa firent irruption devant lui, il réagit à peine.

— Nos parents sont morts, dit Ëlanie à brûle-pourpoint.

— Je sais, répondit le représentant du roi en échappant un râle.

Puis, il se leva et entoura les fillettes de ses bras musclés. Il les serra très fort avant d'éclater en sanglots. Ëlanie s'arracha à son étreinte et ramena Saphie contre elle. Durant sa captivité, elle s'était persuadée que les larmes étaient non seulement inutiles, mais qu'elles n'apportaient que mépris et moqueries, un lot supplémentaire de souffrances.

— Les humains sont toujours à la recherche de tes joyaux.

Les joyaux… Depuis la mort de Némossa, Cyprin n'avait pas pensé un seul instant aux joyaux d'Éliambre. À vrai dire, il n'était même pas sorti de chez lui. Redoutant où sa colère pourrait le conduire, il avait laissé passer les jours, essayant de se calmer. Mais il savait aujourd'hui que cette colère ne s'apaiserait que si Némossa lui était rendue. Et les joyaux étaient peut-être la solution…

— Ëlanie, conduis ta sœur chez Samora. Elle s'occupera de vous.

Dès que les enfants se furent éloignés, Cyprin quitta sa demeure. Plus il avançait, plus sa rage se décuplait. Lorsqu'il constata que Loristan était encore chez Yazmine à badiner avec elle, il vit rouge. Il fit signe aux deux gardiens à proximité de s'enlever de son chemin et surgit dans la hutte de l'elfe.

— Elle est morte ! cracha-t-il au visage de Loristan.

— Qui ? Ëlanie ?

— Némossa ! Ta cousine a été tuée il y a plusieurs jours de cela et tu n'as même pas été foutu de le voir !

Loristan comprit alors à quel point il avait sous-estimé les sentiments de Cyprin pour Némossa. Le représentant du roi était presque méconnaissable tant la douleur et l'indignation déformaient ses traits.

— Quelqu'un va payer pour ça ! rugit-il en agrippant la reine des elfes par sa ceinture de perles.

— Yazmine n'y est pour rien, s'interposa Loristan.

Cyprin le projeta contre un mur d'un seul coup, pour ensuite attraper la main droite de Yazmine et la brandir sous le nez de son ami.

— Tu vois cette bague ? explosa Cyprin. Elle est gravée d'une feuille. L'assassin de Némossa en avait une pareille ! Il lui a dévoré les entrailles alors qu'elle n'était même pas morte !

« Un soldat de ma garde personnelle ? » s'interrogea Yazmine.

— Aucun elfe n'aurait... commença-t-elle.

Mais Cyprin l'empoigna par ses longs cheveux noirs et la traîna hors de chez elle. Il aurait pu l'envoûter pour l'obliger à le suivre, mais la laisser protester lui donnait plus de plaisir.

— C'est terminé, la prison dorée ! Terminé !

— Où l'emmènes-tu ? cria Loristan, que les deux gardes retenaient sur le seuil de la hutte.

— Toi, ne te mêle pas de ça ! Je t'interdis d'essayer de l'approcher, tu m'entends ?

— Si jamais tu lui fais du mal…

— C'est une menace ? le défia Cyprin en faisant volte-face vers Loristan. Je te rappelle que tu n'as plus aucun pouvoir !

Cyprin se plaqua contre la reine des elfes et passa un bras autour de son cou, comme s'il voulait l'étouffer devant son ami.

— Alors, comment vas-tu m'empêcher d'agir, Loristan ?

Puis Cyprin repoussa Yazmine, qui tomba à genoux dans le sable. Il la releva tout de suite en la tirant par les cheveux. Des larmes de douleur dans les yeux, la reine tentait de garder son calme, mais Loristan voyait à son expression qu'elle était paniquée.

Quand ils furent au bord de la plage, Cyprin propulsa sa prisonnière dans l'océan et la regarda se débattre. Il savourait sa peur de l'eau. Une vague emporta l'elfe au loin, mais une autre la ramena bien vite aux pieds du sirène en colère. Elle toussa et rejeta un peu d'eau salée.

— Cyprin… geignit-elle.

— Silence ! lui ordonna-t-il en la saisissant de nouveau par sa chevelure. Je ne veux pas t'entendre ! Il me faut le trésor ! Crois-moi, si je pouvais m'en passer, tu serais déjà morte, cracha-t-il.

Attirés par les éclats de voix, plusieurs Laurentiens s'étaient rassemblés sur la grève. Du hameau, les supplications de Loristan continuaient, mais Alvin fut le seul à intervenir en sa faveur :

— Cyprin ! Ëlanie est avec Saphie chez Samora, le savais-tu ? Elle nous a été rendue, mais il nous manque encore l'aigue-marine et la perle. Lâche cette pauvre femme.

— Némossa a été assassinée ! gronda le sirène. Les humains nous ont menti ! Les elfes ne sont pas redevenus eux-mêmes. Ils sont toujours des êtres noirs !

Cyprin prit Yazmine dans ses bras. Ceux qui arrivèrent sur ces entrefaites crurent qu'il l'avait sauvée de la noyade. Mais il se tourna plutôt vers Aqua et la jeta une seconde fois dans l'eau.

— Reste là, Alvin, dit-il de sa voix profonde.

Alvin, qui s'apprêtait à sauter pour récupérer la reine des elfes, recula parmi les autres, ensorcelé. Yazmine était une piètre nageuse et sa lourde ceinture l'entraînait vers le fond. Cyprin plongea. Au moment précis où il toucha l'eau, ses jambes se changèrent en une longue queue aux écailles argentées. Il attrapa Yazmine par la taille et s'éloigna en empruntant un long tunnel de pierre submergé. Ils atteignirent bientôt l'endroit où il comptait l'abandonner : une grotte minuscule creusée par le mouvement des vagues, et qui formait un trou d'air sous l'eau.

— Tu ne pourras pas sortir d'ici toute seule, la prévint-il. Inutile d'essayer. Des poissons finissent toujours par s'agglutiner ici. Tu devrais donc être en mesure de survivre assez longtemps. Ah, oui, ne mange pas les poissons blancs qui ont des taches comme celles des léopards. Tu en mourrais.

Sans lui en dire davantage sur le sort qu'il lui réservait, le sirène laissa la reine des elfes seule dans cette enclave à demi remplie d'eau. Yazmine, transie de froid, retint un hurlement. Même si l'aigue-marine et la perle étaient rendues aux sirènes, Cyprin la relâcherait-il ?

Les forains

SACHAN AVAIT rapidement échappé à ses poursuivants. Imaginer la tête que devait faire Charmène avait suffi à lui donner des ailes. Une fois à Dergamont, il était entré dans une auberge. Malgré le jour qui pointait à peine, quelques soûlards y traînaient déjà. Mais Sachan ne buvait plus. Et plus jamais il n'avalerait quelque chose qu'il ne s'était pas servi lui-même.

— Où puis-je trouver la femme qui a mis au monde un enfant-loup ? s'informait-il à la ronde.

Il arriva vite devant la chaumière qu'on lui avait indiquée. Des arbres fruitiers enjolivaient le terrain sur lequel des jouets d'enfants se mêlaient aux arbustes. Sachan marcha jusqu'à la porte et y frappa. Une voix lui cria d'entrer. Quand il ouvrit, il aperçut une femme qui coupait des légumes. Il y en avait suffisamment pour nourrir toute une armée. Elle ne leva pas tout de suite les yeux pour voir qui venait vers elle. Sachan détacha le bandeau qui couvrait ses oreilles mutilées.

— Vous êtes la femme qui fraie avec des loups ? fit-il. On prétend qu'elle vit ici.

Sa propre voix lui sembla étrange, plus aiguë et moins arrogante qu'il l'aurait voulu. Cela le mit en colère.

— Sachan… souffla la femme en reconnaissant son fils au premier regard.

Comme il s'avançait, elle recula d'un pas.

— Sachan, je t'en prie...

« Ai-je l'air si cruel ? » se demanda le jeune homme en s'immobilisant.

— Tu connais mon nom. C'est donc toi qui me l'as donné.

— Clauda ! appela la femme. Emmène ta sœur et ton frère dehors.

Une fille de quinze ou seize ans sortit d'une chambre, suivie de deux enfants.

— Tu n'es pas venue assister à un de mes numéros, maman ?

— Sachan...

— Ce nom que tu répètes, c'est tout ce que j'aurai reçu de toi.

— Sachan !

— Tu t'es remariée, constata-t-il.

— Ton père et moi n'avons jamais été mariés.

— Vas-tu me dire, toi aussi, qu'il était un loup ?

— Sachan, tu dois comprendre. Quand tu es venu au monde, les délivreurs faisaient la loi partout où ils passaient. S'ils t'avaient découvert, ou si quelqu'un leur avait parlé de toi, ils t'auraient tué. C'est pour cela que je t'ai confié à Charmène...

— Confié ? Tu m'as vendu, oui !

— Mais non !

La femme fit quelques pas vers lui, mais elle tenait toujours son couteau à la main.

— J'ai même donné tout ce que j'avais à cette gitane pour qu'elle te protège ! Tant que tu restais enfermé, il ne pouvait rien t'arriver.

— Tu as payé cette folle pour qu'elle me mette en cage ?

— Et je vois aujourd'hui que j'ai agi comme il le fallait. Tu es vivant, et on parle de toi sur tout le continent.

On dit que tu es le dompteur le plus courageux et le plus habile de Gondwana.

— Du côté de Vasmori, on dit aussi que je suis un assassin.

— Charmène a lu l'avenir dans son cristal. Elle m'a confirmé que si elle s'occupait de toi, tu ferais un jour de grandes choses pour le monde.

— Cette menteuse ! éructa le jeune homme en éclatant d'un rire mauvais, dénué de toute joie.

— Mon fils, il faut me pardonner.

— Tu n'auras rien de moi. Pas même mon pardon.

La femme posa une main sur le bras de son garçon, mais la retira aussitôt. Le regard de Sachan l'avait transpercée comme une flèche.

— Tu avais presque un an quand je t'ai laissé à Charmène. Tu m'appelais maman et tu me couvrais de baisers. J'ai déjà reçu beaucoup de toi, Sachan.

Avant que l'envie de lui arracher son couteau et de la poignarder devienne trop forte, Sachan sortit. Mais dehors, il se sentit mal. Il dut s'appuyer contre le mur de la chaumière.

Sachan savait parfaitement de quoi Charmène était capable. Sa mère l'avait peut-être abandonné sous l'influence d'une potion concoctée par la foraine, qui avait vu en lui une belle occasion de se remplir les poches. Mais cette idée ne lui fut d'aucun réconfort. Lorsqu'il leva la tête, sa mère se tenait devant lui, un pli encore cacheté à la main.

— Ton père t'a laissé ça.

— Je croyais qu'il n'était pas au courant, articula péniblement Sachan.

— C'est vrai qu'il est parti avant ta naissance. Mais quand il a entendu parler d'un enfant aux oreilles de loup, il a pris le risque de revenir. J'ai refusé de lui dire où tu étais. Il n'a pas insisté. Il m'a remis ceci et il est reparti. Je n'ai plus jamais eu de ses nouvelles.

La femme lui glissa l'enveloppe entre les doigts. Elle contenait un objet.

— Si vous n'étiez pas mariés, pourquoi les cigognes ont-elles fait de vous des parents ?

— Leurs choix nous paraissaient parfois étranges. L'une d'elles pensait sûrement que tu devais venir au monde.

Contrairement à ce qu'elle affirmait, Charmène ne voyait rien dans son cristal. Mais elle pouvait aisément deviner où Sachan était allé. Il ne devait donc pas s'éterniser à Dergamont.

Une fois descendu de la montagne où vivait sa mère, Sachan échangea le diamant dérobé à Yasdolar contre des émeraudes, des saphirs et des rubis. Il jeta ses loques colorées et s'offrit des vêtements noirs tout neufs. Puis il se mit en route vers la chute aux Murmures, dans l'espoir de retrouver sa seule vraie famille. Dans sa main, l'enveloppe était aussi brûlante qu'une plaie causée par un coup de fouet. Il fit une pause et l'ouvrit.

« Au moins, cette garce de Charmène m'a appris à lire », se dit-il en dépliant le papier froissé.

Mon fils,

Si tu lis cette lettre aujourd'hui, c'est donc que tu es un homme. Je suis parti au loin, sachant que ta mère prendrait soin de toi. Si j'avais pu, je t'aurais emmené chez moi, mais j'ignore comment y retourner. Je ne sais même pas de quelle façon j'ai abouti sur ce continent. Ma vie parmi les miens était plutôt belle, jusqu'à ce que je commence à entendre une voix dans ma tête, qui la remplissait d'idées noires. C'est sous son influence que je me suis introduit dans les appartements royaux et que j'ai volé le pendentif que la reine portait au cou.

Pris de panique, je me suis demandé quels crimes cette voix me persuaderait encore de commettre. Je suis allé jusqu'à l'océan et j'ai sauté. Je craignais d'être happé par des algues monstrueuses et des bêtes des bas-fonds, mais rien de tel n'est arrivé. Dans ma tête, la voix hurlait. Elle voulait que je nage, que je lutte contre le courant, mais je me suis laissé couler. J'ai repris conscience sur une plage de sable d'un continent inconnu. D'abord, l'intensité du soleil m'a effrayé. Puis les hommes qui peuplaient cet endroit m'ont terrifié.

Toutefois, la voix dans ma tête semblait s'être tue. J'ai erré de village en village, ne restant jamais longtemps au même endroit. J'ai rencontré ta mère, et j'ai compris que le bonheur était possible, même si, comme partout ailleurs, il ne dure qu'un temps.

Je te lègue le pendentif d'argent que j'ai pris à la reine Ezmerlia. Mis à part le tendre souvenir de ta mère et la joie d'avoir un fils, je ne possède rien d'autre.

Ton père, Zorey

« La reine Ezmerlia ? » se questionna Sachan. Il y avait pourtant des lustres que Gondwana n'avait pas eu de roi ou de reine. Les gens tels que Zorey, qui entendaient des voix, on les enfermait ! Mais cette Ezmerlia pouvait-elle être la reine des elfes, ces créatures de légendes dont lui avait parlé la fille-poisson ? Cet homme aux oreilles pointues qu'était son père venait-il vraiment d'un continent inconnu ?

Sachan passa le pendentif autour de son cou. La seule pensée que lui-même puisse venir d'un autre monde le réjouissait.

Personne sur le vieux continent n'aurait pu dire ce qu'il était advenu de Zorey. Sur Baltica, certains l'avaient vu se jeter dans Aqua et en avaient conclu qu'il était mort, ce qui avait été confirmé depuis. En effet, son absence de la grotte magique n'avait pas empêché les elfes de revenir à la vie.

Le petit Zédric n'était qu'à moitié elfe lui aussi. Toutefois, ses deux parents étaient magiciens. Sachan, lui, n'avait des elfes que l'apparence. Sa mère était une femme sans magie. Du coup, il n'avait hérité d'aucun pouvoir. Mais ses oreilles pointues et ses yeux bridés avaient fait de lui un étranger parmi les hommes de Gondwana. Appartenant à deux peuples, Sachan n'en était pas moins de nulle part.

Les anges

Clovis et Exandre n'avaient pas eu droit à un aussi bon repas depuis longtemps. Après avoir bien mangé et échangé les dernières nouvelles avec Trefflé et Nowanne, ils se dirigèrent tous vers les appartements royaux pour annoncer leur départ aux souverains. Blême, Exandre se déplaçait bizarrement, comme s'il essayait de se frayer un chemin dans une foule.

— Tous ces anges morts ! s'exclama-t-il en constatant que le couloir qu'ils venaient d'emprunter était aussi peuplé que le précédent. Mais comment peuvent-ils être aussi nombreux ? J'ai du mal à respirer !

— Je suis la seule revenante ici, lui dit une jeune ange.

— Non ! Vous êtes des dizaines, la contredit le magicien.

Nowanne et Trefflé le dévisageaient d'un air curieux.

— Je le savais ! s'écria Clovis. Viens vite, Exandre, il faut parler au roi Aménuel.

— Je ne suis pas seul ? s'enquit un autre revenant.

Ce dernier tendit la main pour toucher Exandre, mais elle passa à travers l'épaule du garçon.

— Clovis ? fit Trefflé. Vas-tu enfin m'expliquer ce que…

— Viens vite ! répéta l'ours en abaissant sa croupe afin qu'Exandre puisse y grimper.

Le garçon sur son dos, l'imposant animal se mit à courir dans le couloir. Les murs tremblaient à chacune de ses enjambées.

— Des revenants ? murmura Nowanne en frissonnant.

— Ne restons pas ici, chuchota Trefflé, soudain mal à l'aise à l'idée de marcher dans une cohue d'êtres invisibles. Rattrapons-les.

Quand le guérisseur et la louangeuse rejoignirent leurs amis, le roi, la reine et leur inspirateur, consternés, tentaient de garder leur calme devant l'apparence terrifiante de Clovis, dont ils ne reconnaissaient que la voix.

— Il faut enterrer les morts, roi Aménuel, insista l'ours. Permettez-leur d'accéder à Rhéïqua. Aucun de vos défunts ne s'est jamais rendu dans l'espace étoilé. Tous errent dans le château et sur la montagne. Tout votre continent doit être hanté.

— C'est impossible, s'entêta le roi.

Nowanne commençait à s'agiter, tournant la tête d'un côté puis de l'autre, comme si elle cherchait quelque chose.

— Il y a un revenant ici même ! affirma Exandre. Il a suivi cette jeune femme.

Les yeux se braquèrent sur Nowanne.

— Il dit s'appeler Bastiëm, poursuivit le magicien.

— Bastiëm était un louangeur, fit Aménuel, surpris. Comment connais-tu son nom ?

— Il vient de me le dire, répéta Exandre. Il est mort après que Nowanne eût refusé sa demande en mariage.

Le roi et la reine questionnèrent l'ancienne louangeuse du regard.

— Je croyais que c'était la culpabilité qui me jouait des tours, avoua-t-elle. C'est donc vrai qu'il me suit sans arrêt ! Je sens souvent son souffle dans mon cou.

— Le baiser des morts, murmura Exandre.

Comme s'il pouvait protéger Nowanne de la créature intangible, Trefflé prit un air menaçant.

— La présence des revenants expliquerait plusieurs phénomènes, laissa tomber Liomel en s'affaissant dans un fauteuil. Les dieux déchus nous ont mystifiés !

— Les dieux déchus ? intervint la reine. Mais pas du tout ! Ce sont les dieux de l'au-delà qui nous ont trompés. Pourquoi n'ont-ils pas accueilli nos âmes dans leur monde tel que promis ?

— J'ai toujours été persuadé que les dieux des profondeurs se servaient de leurs pouvoirs pour nous apeurer et s'amuser à nos dépens, se justifia le roi. Mais Myrliam a raison, il est clair que cette fois, la supercherie vient d'en haut.

— Ceux d'en bas ne sont sans doute pas aussi sournois que vous le pensiez, continua son épouse.

— N'allez pas croire que j'autoriserai Ashlar à sortir de son cachot pour autant ! rétorqua Aménuel.

— Bastiëm, dit Nowanne, qui avait enfin l'occasion de lui parler et d'espérer une réponse. Est-ce toi qui as placé le livre rouge dans la bibliothèque ?

C'est Exandre qui prit la parole :

— Les revenants peuvent manifester leur présence par une sensation de froid, et certains parviennent même à se matérialiser sous forme de fumée ou de vent. Mais ils sont incapables de déplacer les objets ou simplement de les toucher.

— Je fais tout ça, réfuta Bastiëm. Je peux même tracer des mots sur le papier !

— Tu peux écrire ? lâcha Exandre, déboussolé.

— Les mots d'amour… réfléchit Nowanne à mi-voix.

— C'est bien Bastiëm qui les a écrits, confirma Exandre après avoir écouté les explications du revenant. Et c'est lui aussi qui a ajouté une page dans le livre rouge avant de le placer dans la bibliothèque. Il pensait qu'une pareille découverte sur les joyaux inciterait Trefflé à quitter Sibéria sans délai.

— L'encre n'était même pas sèche, précisa Trefflé à l'intention du revenant. J'ai bien vu que c'était une arnaque.

C'est alors que Nowanne leva les mains. Bastiëm venait de les prendre dans les siennes.

— Il me touche ! s'affola-t-elle.

« Et ce n'est pas la première fois », comprit-elle en songeant au jour où elle avait dévalé la montagne après avoir senti une main invisible sur son épaule. Plus tard, elle avait été tirée dans le vide quand elle essayait de voir l'homme qui l'avait sauvée de la noyade…

— Tu as prétendu que c'était impossible, dit le roi à Exandre.

— D'ordinaire. Mais je sais aussi que de puissants magiciens conservent parfois des dons après la mort.

— Bastiëm possédait-il plus de forces magiques que les autres ? demanda Trefflé.

— Les louangeurs ne sont pas choisis au hasard, acquiesça Liomel.

— Mais tout cela n'explique pas pourquoi les dieux de l'au-delà nous auraient menti ! déplora le roi.

— L'espace étoilé existe-t-il vraiment ? s'interrogea la reine, fortement ébranlée.

— Il existe, répondit une voix.

Un long silence se fit. Tous fixaient l'étrange apparition. Nowanne s'accrocha au bras de Trefflé et Exandre recula jusqu'à heurter Clovis, qui n'en eut même pas conscience. Mis à part les souverains, tous dans la pièce, Liomel inclus, se trouvaient pour la première fois devant un dieu de l'au-delà. Une chaude lumière émanait de lui. Il était aussi grand que les anges mâles, mais contrairement aux dieux déchus et aux Sibériens, qui étaient costauds, lui était gracile et semblait plus léger que l'air.

Ses longs cheveux étaient du mauve d'un ciel sans nuage, tandis que sa peau, plus pâle, scintillait de mille feux, comme si elle était piquetée d'étoiles.

— Grand Salvarus ! le salua Aménuel en se prosternant devant l'être qui lévitait face à eux, à quelques pouces du sol. Je vous en conjure, informez-nous de ce qui se passe !

— Vous avez ouvert la porte de flammes des profondeurs pour laisser sortir l'âme de votre fille, ce qui est très bien. Mais ces garçons ont raison. Notre monde est réservé aux dieux.

— Mais où est Anawëlle si elle n'est pas auprès de vous ? s'alarma Myrliam.

— Comme les âmes de tous les anges qui sont morts sur cette terre, elle erre entre les mondes, invisible à vos yeux.

— Vous n'avez pas donné les os de Xanaël aux dieux des profondeurs, n'est-ce pas ? demanda Trefflé aux anges.

— Sa dépouille est toujours dans la chambre des Statues, lui répondit Liomel.

— Si ceux d'en bas nous avaient trompés, je n'aurais eu aucun mal à le concevoir, gronda Aménuel en se relevant devant Salvarus. Mais vous, les dieux de l'au-delà ?

— Quand des dieux ont voulu s'emparer du monde des vivants, nous les avons chassés du ciel, ce qui a eu pour effet de les isoler, d'alimenter leur haine et de favoriser la multiplication de leurs idées sournoises. Ils voulaient rentrer, mais ils n'en avaient pas la force. C'est pourquoi, il y a trois siècles, lorsque vos ancêtres sont arrivés, les dieux déchus y ont vu l'occasion de reprendre de la vigueur. Ils avaient faim ! J'ai moi-même encouragé le chef des magiciens en exil à offrir les corps des défunts à ces créatures.

— Mais pourquoi ? s'indigna le roi des anges.

— Pour que les mortels ne subissent pas leur colère, et pour que les dieux déchus aient la force de regagner le ciel le jour où nous leur pardonnerons. Mais Axoriël a refusé. Il jugeait inconcevable d'abandonner les âmes des défunts entre deux mondes. Un petit mensonge était donc nécessaire… Aussi, quand je leur ai dit qu'un avenir meilleur les attendait au ciel, ils ont fléchi.

— Vous avez consciemment détourné Axoriël et ses descendants de Rhéïqua ? continua de s'horrifier le roi.

— Croyez-moi, nous leur avons évité un destin bien pire. S'ils n'avaient pas collaboré avec les dieux déchus, ces derniers auraient trouvé le moyen de les avoir, corps et âme. Et si Barchelas consent aujourd'hui à vous rendre les os des dépouilles qui leur ont été données depuis l'exil, vous pourrez les mettre en terre et leur permettre de rejoindre Rhéïqua.

— Mais les dieux des profondeurs rejetteront cette demande ! fit remarquer Aménuel. Ils doivent encore se nourrir.

— Ne craignez rien, nous sommes enfin disposés à leur accorder ce qu'ils veulent.

— De quoi parlez-vous, Salvarus ? Les cygnes se sont éteints. Ce sont ces oiseaux qu'ils réclament sans cesse.

— Je vais bientôt leur ouvrir les portes du ciel, Aménuel. Mais pour qu'ils puissent y accéder, vous devez les autoriser à monter chez vous. Puisqu'ils ne se nourriront plus de vos morts, il faut les sortir du cratère avant qu'ils ne perdent leurs forces…

— Mais…

— Les vénérables et moi sommes persuadés que les êtres des profondeurs ont expié leurs fautes et qu'ils sont prêts à retourner au ciel. Mais nous voulons aussi que vous excusiez le petit mensonge qui a été nécessaire à tout cela. Nous ferons donc un pacte avec les dieux déchus. Ils devront s'engager à demeurer quelques années parmi vous pour vous fournir le sang neuf dont vous avez besoin. Ce n'est qu'à cette condition que notre monde leur sera à nouveau accessible.

— Vous êtes donc au courant. Merci, Grand Salvarus, déclara la reine en s'inclinant devant le dieu. Notre peuple vous en sera éternellement reconnaissant.

— Quoi ? lâcha le roi, effaré.

— Pourquoi n'êtes-vous pas intervenu dès que les dieux des profondeurs s'en sont pris à l'âme de la princesse ? demanda Trefflé à Salvarus.

Mais le dieu s'était volatilisé, ne laissant dans l'air que des étincelles bleutées qui s'éteignirent une à une.

— Pour ces immortels, tout n'est que brefs instants, l'excusa la reine des anges.

— Liomel ! tonna le roi. Réunissez le Conseil des inspirateurs sur-le-champ.

Il sortit de la pièce, son premier conseiller à sa suite. C'est alors que la reine Myrliam vit que Nowanne n'avait plus d'ailes. Livide, elle ne put retenir un haut-le-cœur.

— Je pars avec les humains, lui apprit la jeune femme. Il ne me reste qu'à en avertir mon père.

Myrliam s'approcha de sa protégée et la serra dans ses bras. Sur le ton de la confidence, elle lui dit :

— Ne laisse jamais Trefflé se désintéresser de toi.

Puis la reine se tourna vers Exandre.

— Retrouvez ma fille, l'implora-t-elle.

— Elle va bien, madame. Elle est juste là, à vos côtés.

Les bandits d'Orphérion

LORSQUE WELIOT avait remis à Ghéaume la poupée qu'il avait volée, toute la bande s'était moquée de lui. Le chef l'avait traité de tous les noms, et il n'avait pas mâché ses mots.

— Il a cru que c'était un véritable bébé, avait rajouté Yanni en riant.

— Il faut dire, l'avait défendu Lizbelle, que cette poupée est très bien faite. N'importe qui aurait pu s'y tromper.

Mais Ghéaume était furieux.

— C'est pour ce jouet de fillette que tu t'es jeté devant ce carrosse ? avait-il gueulé en balançant la poupée entre deux arbres. Je te l'avais pourtant interdit !

— On a quand même ramassé une petite fortune, avait encore plaidé Lizbelle. Weliot a eu raison de…

— Toi, apprends à rester à ta place !

— Ne lui parlez pas ainsi, s'était offusqué Weliot.

Après avoir dardé sur Weliot un regard méprisant, Ghéaume avait giflé Lizbelle si fort qu'elle était tombée à la renverse. Weliot avait compris le message. Il s'était tu.

— Voilà qui est mieux, avait dit le chef en se massant le poignet. Tu n'es peut-être pas si bête que ça.

En effet, Weliot n'était pas bête. Une fois les autres partis, il avait récupéré la poupée et l'avait cachée non loin du campement. Un jour, elle lui servirait.

Un beau matin, Weliot se rendit auprès de Ghéaume pour lui remettre fièrement une bourse remplie de cinquante émeraudes qu'il avait escroquées à une femme en échange de la poupée volée. Il avait convaincu la naïve que c'était là un véritable nouveau-né. Weliot n'avait pas gardé une seule pierre pour lui, ce que ne manquaient pas de faire Yanni, Lizbelle et Colim. Weliot était sans contredit un bandit, mais il n'était pas un traître. On pouvait avoir confiance en lui.

— Cinquante ? l'interrogea le chef après avoir compté trois fois.

— Tout est là, lui confirma Weliot.

— Décidément, tu n'es qu'un incapable !

— Quoi ? regimba le garçon.

— Un bébé vaut huit diamants ! Huit cents émeraudes ! Et tu ne m'en ramènes que cinquante ?

— Mais, enfin, Ghéaume, ce n'était pas un vrai bébé. Je me suis hâté d'accepter l'offre de cette femme.

— Dégage de ma vue ! Si ton frère ne se montre pas bientôt, je devrai me débarrasser de toi. Tu me coûtes trop cher à nourrir pour ce que tu rapportes.

Weliot s'éloigna. Jusqu'à ce jour, Ghéaume ne lui avait rien donné. Pas même un vulgaire saphir. Et cette fois encore, il n'avait reçu que des insultes et des remontrances. Quoi qu'il fasse, ce n'était jamais assez.

— Ne te tracasse pas, marmonna-t-il. Il viendra, Clovis. Et il te fera la peau !

Cet après-midi-là, Weliot, Yanni, Joffre et Ghéaume jouaient tranquillement aux cartes à l'extérieur de la tente, quand Ghéaume repéra quelqu'un qui marchait vers leur campement. Ce n'était pas Clovis, mais Weliot eut le plaisir de voir le visage du chef se couvrir de craintes.

— Je vous avertis, menaça Ghéaume en s'adressant à chacun de ses hommes. Cambrioler le caveau du général Guychel, c'est mon idée. Je ne veux pas de Sachan sur ce coup-là.

Colim n'ouvrit pas même un œil. Somnolant sur une branche qui surplombait leur abri, il demanda :

— Pourquoi nous parles-tu de Sachan ? Je croyais qu'on ne devait plus prononcer son nom.

Ghéaume ne répondit pas. Moins d'une minute plus tard, une voix fit sursauter Colim.

— Qu'est-ce que c'est que cette planque ?

— Sachan, c'est bien toi ? s'étonna Colim en sautant au sol. Tu en as mis du temps ! On t'avait jeté au cachot ou quoi ?

— On peut dire ça. Les affaires roulent ?

— Plus que jamais ! Depuis le début de la guerre, la forêt était pratiquement déserte. Mais là, des tas de gens sont en route pour la plage.

— La plage ? Qu'est-ce qui leur prend ?

— Apparemment, ils veulent traverser Aqua pour aller reprendre les chouffriers aux magiciens exilés.

— Les magiciens exilés ? répéta Sachan en pensant à ses mystérieuses origines.

— La plupart de ces illuminés sont riches, continua le bandit au crâne rasé, et les voler est plutôt facile.

— Je me réjouis de savoir que vous vous êtes bien débrouillés.

— On commençait à croire qu'on ne te reverrait plus ! le taquina Colim en donnant un coup d'épaule à son ancien chef. Mais où étais-tu ?

— Nulle part. Partout.

— Et tu as intérêt à y retourner bientôt, fulmina le nouveau meneur en se dirigeant vers eux, Joffre sur les talons. On ne prive pas des amis d'un plein sac d'émeraudes, Sachan.

— Des émeraudes ? Tu t'imagines que c'est ce que j'ai reçu en échange de la fille-poisson ?

— Allons, Ghéaume, c'est de l'histoire ancienne, intercéda Colim.

— Toi, je ne t'envoie pas en haut de cet arbre pour roupiller ! Tu devais monter la garde ! Ce mendiant est arrivé jusqu'ici sans même que tu l'entendes.

— Oui, mais bon, c'est Sachan ! Personne ne le voit jamais arriver.

— Il ne peut pas revenir ici et…

— Qu'est-ce que tu as au cou ? demanda soudain Colim au dompteur d'ours.

— Ce n'est qu'un pendentif d'argent, râla Ghéaume. Ça ne vaut pratiquement rien.

Sachan se pencha vers Colim.

— Je comprends pourquoi tu branles la queue comme un gentil chien-chien, lui souffla-t-il à l'oreille.

— Tu nous traitais aussi comme des moins que rien, rétorqua Colim à voix haute. Mais toi, au moins, tu distribuais le butin équitablement.

— C'est une clef, dit Yanni, qui s'était avancé pour mieux voir le pendentif. Où l'as-tu eue ?

— Une clef ? Et qu'est-ce qu'elle est censée ouvrir ? le questionna Joffre en tendant sa grosse main moite vers l'hexagone d'argent qui pendait au cou de Sachan.

— Qu'est-ce que j'en sais ! aboya ce dernier en repoussant l'obèse. On me l'a donnée.

— Bien sûr, ricana Ghéaume.

Ayant longtemps fait les quatre cents coups avec Sachan, Ghéaume était persuadé que tout ce qu'il possédait n'avait pu être obtenu que de façon malhonnête.

—Je vais vous dire, moi, ce qu'ouvre cette clef, clama Yanni, qui avait toujours le sens du spectacle. Le caveau à graines du général Guychel !

Tous les regards bifurquèrent vers Yanni, puis revinrent se poser sur Sachan, que Ghéaume semblait sur le point de frapper.

— Qui c'est, ce pitre ? maugréa Sachan en dévisageant la nouvelle recrue.

— Si tu as rappliqué ici pour me prendre ma place... grinça Ghéaume entre ses dents.

— Si vous saviez vous cacher, je ne vous aurais jamais retrouvés !

— Espèce de sale...

— Pourquoi crois-tu que ce morceau d'argent peut déverrouiller le caveau à graines des Méloriens ? demanda Sachan à Yanni.

— Cet hexagone est une des trois clefs de Nesmérald. Elle ouvrira ce que tu veux.

— Vraiment ? fit Colim.

— À condition que le dernier à avoir utilisé cette clef soit mort, affirma Yanni. Sans quoi, personne d'autre ne pourra s'en servir.

— Alors, Sachan ? l'interrogea Colim. Tu as zigouillé l'homme à qui tu as pris ce bijou ?

Sachan ne savait pas si son père était mort. D'ailleurs, Zorey devait ignorer ce qu'était ce pendentif, sinon il lui aurait parlé de son pouvoir dans sa lettre. Et la reine Ezmerlia, à qui il l'avait pris, était-elle toujours de ce monde ? Sachan ne pourrait peut-être rien ouvrir avec cette clef, mais elle lui permettait au moins de réintégrer sa bande. Si Ghéaume tenait à sa place de chef, il n'allait pas la lui ravir de force. Mais avec un tel objet magique en sa possession, les autres ne tarderaient pas à se liguer derrière lui.

— Si je l'ai zigouillé ? Je n'ai pas eu le choix, il s'y cramponnait comme si sa vie en dépendait, mentit Sachan.

Colim lui sourit de toutes ses dents, l'air de dire : « Ça, c'est bien notre Sachan ! »

— Sachan ! s'écria Vianney, qui revenait d'on ne sait où en compagnie d'une très belle jeune femme.

Le vieux bandit fit une brusque accolade à son ancien chef.

— Content de te voir, Vianney.

— On t'a présenté Yanni et Weliot ? Et voici Lizbelle.

L'œil ravi, la fille le détaillait des pieds à la tête.

« En voilà une que je n'aurai aucune difficulté à mettre dans ma poche », constata Sachan.

— Tu as dit qu'il s'agissait d'une des clefs de Nesmérald. Qui est Nesmérald ? voulut savoir Weliot, qui n'aimait pas la façon dont Lizbelle lorgnait le nouveau venu.

— Nesmérald était une sorcière qui vivait au temps de l'exil des êtres blancs, expliqua Yanni. Quand le premier groupe de magiciens partit à la dérive, elle leur donna une clef de bronze. Le deuxième groupe reçut une clef d'or et le troisième, une d'argent.

— Tu en connais des choses pour ton âge, dit Sachan, méfiant. Tu es magicien ?

— Il est allé à l'école, lui, avança Joffre.

Yanni sourit mystérieusement, puis poursuivit sur sa lancée.

— On prétend que Nesmérald a forgé ces trois clefs dans l'espoir qu'un jour, elles réuniraient enfin les magiciens sur le vieux continent.

— Et comment ?

— Ça, je n'en sais rien ! répondit le jeune homme.

Car Yanni se contentait de répéter ce que lui soufflait la mouche qui bourdonnait autour de lui…

Le dément

DANS LA FORÊT des montagnes du nord, l'homme en fuite courait encore, ricanant comme s'il venait de tromper l'univers tout entier. Plus il approchait de son but, moins Dénis ressentait la fatigue et les courbatures. Dans sa tête, un bourdonnement semblable à un essaim de guêpes en furie le laissait rarement en paix. Son rire se transforma en hurlements déments. Mais en atteignant le sommet de la montagne, Dénis se fit aussi silencieux qu'un lynx. Accroupi, puis se déplaçant à quatre pattes tel un animal, il se vautra dans un trou boueux et macula de fange ce qui lui restait de visage. Il s'en enduisit aussi les cheveux, puis rampa dans les fourrés, ses yeux exaltés scrutant l'horizon.

Dénis attendait le retour des grands félins ailés qu'il avait vus quitter Gondwana trois ans plus tôt. Son séjour à l'asile ne l'avait pas dissuadé que ces animaux étaient des sorciers et il était convaincu qu'ils reviendraient un jour pour anéantir les hommes. Au lieu de le calmer, toutes les potions qu'on l'avait forcé à boire avaient rempli son esprit de nouvelles lubies. Désormais, Dénis d'Esmarok se prenait à lui seul pour une armée. Peu importait leur nombre, il était certain de vaincre les sorciers.

Quelques heures plus tard, toujours à l'affût, Dénis fut témoin de l'arrivée de l'un d'eux sur le continent.

Émergeant des lumières rosées du crépuscule, le coujara, qui portait deux hommes sur son dos, se posa au sommet de la montagne et replia ses grandes ailes de plumes. De rosé, son pelage caméléon devint du même vert foncé que la forêt. L'animal agita sa longue queue de renard et se changea en une très belle femme aux cheveux couleur de nuit. Elle était bien parmi ceux qu'il avait surpris, allongés, dans la grotte du dragon. Seule une sorcière pouvait posséder ce genre de beauté. Ne pouvant s'en empêcher, Dénis se leva d'un bond, se mettant à découvert. Mais personne ne le repéra.

Même dans l'obscurité grandissante, il était évident que les deux hommes qui accompagnaient la sorcière étaient père et fils. Lorsque Dénis vit une minuscule créature déployer ses ailes et sauter de l'épaule du garçon pour prendre la taille d'une fillette, quelque chose se brisa dans sa tête. On aurait dit que son âme s'était ouverte comme une digue, et que les insectes bourdonnants qu'elle contenait sortaient de son être à grande vitesse. Puis, un bien-être qu'il n'avait jamais connu l'enveloppa. Les fées existaient toujours ! Elles ne les avaient pas abandonnés ! Dénis comprenait enfin toute l'étendue de son erreur. Les félins n'étaient pas là pour anéantir l'humanité, mais bien pour la sauver !

La femme aux cheveux noirs semblait épuisée. Elle vacillait sur ses jambes. Le plus âgé des deux hommes s'approcha d'elle, la soutint, puis la souleva dans ses bras pour l'amener un peu plus loin, à l'abri des arbres. Remarquant que cet homme claudiquait, Dénis arqua un sourcil et, intrigué, prit le petit groupe en filature.

Dès que les voyageurs trouvèrent une grotte sur leur chemin, ils s'y installèrent pour la nuit. Encore tapi dans l'obscurité, Dénis s'arrêta à quelques pieds de là. Il ne dormirait pas. Il devait s'assurer que nul ne ferait de mal aux fées. Il était maintenant persuadé que la femme aux cheveux noirs en était une, elle aussi. Elle n'avait des ailes que si elle se transformait, mais ses oreilles pointues étaient bien celles des fées. Ces deux-là étaient fort imprudentes de sillonner la forêt avec, comme seuls protecteurs, un éclopé et un très jeune homme. Par chance, Dénis était tombé sur les deux précieuses créatures avant qu'il ne leur arrive malheur !

Le lendemain, quand le boiteux sortit de la grotte, des cadavres d'animaux jonchaient le sol, cadeaux de Dénis à ses protégées. Un renard, un blaireau, un glouton et un sanglier gisaient parmi de nombreux rats, écureuils et oiseaux. L'homme sonda les environs.

— Il y a quelqu'un ?

Il attendit une réponse pendant un moment, mais Dénis ne bougea pas de sa cachette. Il ne se montrerait aux fées que lorsqu'elles seraient seules. L'homme se pencha et examina le sanglier. L'animal avait la nuque brisée.

— Il faut partir, dit-il. Nous mangerons en chemin.

Les anges

De la plus haute fenêtre de la tour mitoyenne du château, la reine Myrliam observait les anges ouvriers qui creusaient des tombes dans la terre.

— Je me suis entendu avec Barchelas, annonça Aménuel à son épouse en poussant la porte.

Myrliam se tourna vers lui, le regard brillant.

— Les dieux déchus vont nous renvoyer tous les os qui sont dans les profondeurs, poursuivit le roi. Vous n'imaginez pas les proportions qu'a ce charnier… Mais notre fille, Xanaël et plusieurs autres défunts sont déjà partis pour Rhéïqua.

— Vous allez donc laisser les dieux d'en bas sortir du volcan ?

— Puisqu'ils acceptent de travailler pour nous…

— Vous ferez d'eux des esclaves ? s'offusqua la reine.

— Ils gagneront leur ciel en réparant le tort qu'ils ont causé. Et Salvarus tient à ce qu'on lui pardonne sa supercherie.

— Mais il n'a pas dit de les réduire en esclavage ! Salvarus proposait qu'ils nous apportent le sang neuf dont…

— Ça, c'est hors de question ! Je ne veux plus en entendre parler.

— Et combien de temps devront-ils subir votre tyrannie ?

— Salvarus ouvrira les portes du ciel dans vingt ans.

— Vingt ans ? Certains dieux perdront leur immortalité et mourront avant cela !

— C'est un risque à prendre, ma chère.

— Et... Ashlar ? balbutia Myrliam. L'autoriserez-vous à quitter le cachot ?

— Salvarus et les vénérables de l'au-delà seront ici demain. À midi, nous descendrons dans le cratère avec les inspirateurs et les veilleurs. C'est là que je toucherai Barchelas et les siens pour leur permettre de sortir du volcan. Les vénérables s'assureront que la remontée de tous les dieux déchus se déroule sans incident. Pour ce qui est d'Ashlar, je demanderai aux vénérables de l'emmener. Puisqu'il n'était pas de ceux qui voulaient envahir notre monde, Salvarus consentira sûrement à ce qu'il rentre dans l'au-delà dès maintenant.

— Aménuel, je vous en supplie...

— Vous n'avez plus besoin d'Ashlar, Myrliam. Votre infidélité m'a ouvert les yeux. Mes obligations m'ont détourné de vous, mais je vous aime encore. Les pouvoirs d'Ashlar vous ont tourné la tête, mais dès qu'il sera loin, vous vous souviendrez que je suis votre seul et vrai amour.

L'ange en resta bouche bée. Son mari disait vrai. Il l'aimait ! Elle le voyait à l'aura dorée autour de son cœur. Et si Ashlar demeurait parmi les mortels, ses pouvoirs s'estomperaient pour disparaître ensuite, et il en irait de même des sentiments qu'elle avait pour lui. Mais pour l'instant, elle était toujours follement amoureuse de lui.

— Demain, déjà... murmura-t-elle.

— D'ici là, je ne me mêlerai pas de vos adieux. Dès qu'il sera parti, je sais que votre cœur s'enflammera à nouveau pour moi. Ayez confiance. Nous serons unis à jamais pour servir le peuple de Sibéria.

— Si vous le dites…

— Les anges voudront des explications sur ce qui est en train de se passer, et nous devrons les rassurer. J'ai besoin de vous à mes côtés, Myrliam.

— Mais les étrangers ont raison, Aménuel. Les dieux des profondeurs peuvent nous donner le sang neuf dont notre peuple a besoin. Promettez-moi d'y réfléchir.

Le roi se renfrogna.

— Plutôt laisser ma propre race s'éteindre ! Ils seront nos serviteurs et rien d'autre !

— Vous ne changerez pas d'avis ?

— Le Conseil des inspirateurs est unanime. Ce serait inconvenant !

— Soit. Nous nous reverrons demain à midi.

La tête haute, la reine Myrliam descendit au cachot pour faire ses adieux à Ashlar.

Trefflé conduisait Ancolie dans la pièce de l'âtre écarlate, où Clovis se languissait.

— Il est ici depuis quatre jours, dis-tu ? Pourquoi n'a-t-il pas demandé à me voir plus tôt ? voulut savoir la jeune femme en accélérant le pas.

— Il préférait que Xanaël soit enterré.

— Ah… Mais pourquoi tant de mystères ?

— Voilà, c'est ici.

Deux anges veilleurs ouvrirent la porte. Seule Ancolie entra dans la pièce, où elle se retrouva face à un ours immense.

— Clovis ! Pourquoi te caches-tu dans ce corps monstrueux ?

— Ancolie…

L'ours s'avança vers elle et l'attira dans sa fourrure.

— Allez, sors de là.

Sur la pointe des pieds, la jeune femme pressait la face de l'ours entre ses mains, attendant qu'il reprenne son visage humain pour l'embrasser.

— Ëlanie est retournée sur Laurentia, lui annonça-t-il.

— Trefflé me l'a dit, c'est une merveilleuse nouvelle !

— Mais je lui avais promis qu'on ne lui ferait pas de mal.

Ancolie s'arracha à son étreinte.

— Et quelqu'un s'en est pris à elle, conclut-elle.

— Je ne peux plus voyager d'un endroit à l'autre et…

Ancolie recula de quelques pas.

— Et ? le pressa-t-elle.

— … je n'ai plus le pouvoir de me libérer du corps de cet ours.

Au bout d'un temps qui parut interminable à Clovis, Ancolie revint vers lui. Elle caressa les joues de l'ours et les poils rebelles qui entouraient ses yeux noirs. Puis elle se serra contre lui, comme si elle cherchait l'odeur de l'homme sous sa fourrure.

— Je ne sais pas combien d'anges seront nécessaires pour me ramener chez nous, dit Clovis, mais le roi en mettra autant qu'il le faudra à notre disposition. Ils nous attendront à l'aube devant le château.

— Clovis, je ne peux pas…

— Ancolie !

— Il… Il faut que je réfléchisse, j'ai… des choses à régler.

— Je comprends.

Ils s'allongèrent sur le sol près du feu et beaucoup plus tard, lovés l'un contre l'autre, ils s'endormirent.

Au matin, Ancolie put voir par la fenêtre les anges explorateurs s'envoler avec Clovis, Trefflé, Nowanne et Exandre. L'ours avait été installé dans un filet métallique retenu par de grosses tiges de bois que soulevaient de part et d'autre une vingtaine d'anges. D'autres encore portaient des bagages ou suivaient le cortège. Ceux-là prendraient sûrement le relais quand les premiers seraient fatigués. Exandre et Trefflé avaient au dos des arbalètes de métal offertes par le couple royal, ainsi que des dagues aux manches d'or à leurs ceintures.

Lorsqu'un serviteur apporta de quoi manger à Ancolie, elle lui demanda :

— Y a-t-il des sorciers sur Sibéria ?

— Des mages, vous voulez dire ? Il n'y a que le vieux Jaramïl. Mais il a deux apprentis. Vous voulez vous entretenir avec l'un d'eux ?

Dans les profondeurs du château, alors qu'ils étaient à peine réveillés, la reine Myrliam et le dieu Ashlar recommencèrent à s'embrasser. Quand un veilleur vint ouvrir la porte du cachot, une heure avant midi, l'ange dut s'arracher à l'étreinte de son amant. Elle savait que ses bras foncés ne la serreraient plus contre lui avant longtemps. La reine se leva, lissa ses vêtements, remit sa couronne de diamants sur ses cheveux d'or et sortit dignement, sans se retourner. Le veilleur vérifia que les fers d'Ashlar étaient bien fermés, et il sortit à son tour.

Lorsque Myrliam s'envola au bras du roi Aménuel à la rencontre de Salvarus, un léger sourire flottait encore sur ses lèvres.

Le loup-garou

LA PREMIÈRE NEIGE, douce et légère comme une pluie d'akènes de pissenlits, avait surpris les aventuriers peu après leur retour de Sibéria. Ils auraient dû avoir atteint la cabane d'Alen depuis longtemps déjà, mais, curieusement, la forêt fourmillait de voyageurs, ce qui les ralentissait considérablement. Ne voulant pas que soit révélée la présence d'une elfe et d'une fée sur ce continent où l'on n e prisait guère les magiciens, le groupe progressait lentement, redoublant de prudence.

— Il faut y aller, déclara tout à coup Zaèlie, qui venait de préparer une tisane sur un feu de bois. C'est le moment.

— Le moment ? s'étonna Élorane.

Ils avaient pourtant convenu, avant qu'Aymric et Laurian ne s'endorment, qu'ils ne se rendraient pas au refuge cette nuit-là. Pourquoi l'elfe voulait-elle changer leur plan ? Élorane se questionnait, mais elle n'avait pas l'intention de contredire Zaèlie. Elle tira Aymric du sommeil, tandis que l'elfe, qui n'avait pas fermé l'œil de la journée, se penchait vers le professeur dont les songes étaient agités. Elle le secoua.

— Laurian, il faut reprendre la route.

En découvrant devant lui la femme aux yeux bridés et aux longs cheveux noirs, l'homme crut voir Yazmine et l'attira dans ses bras. L'elfe le repoussa.

— Laurian !

— Zaèlie ? Je suis confus, s'excusa-t-il en se frottant le visage. Mon rêve semblait si réel que…

— Levez-vous, le somma-t-elle. La nuit est là. Avalez ceci et partons.

Laurian but la tisane.

— Le soleil n'est pas encore couché, constata-t-il en tentant de remettre de l'ordre dans ses idées.

— C'est la pleine lune, lui rappela l'elfe en lui tendant son sac de voyage.

— La pleine lune ? N'avions-nous pas décidé qu'il valait mieux attendre la nuit prochaine pour arriver à la cabane ? Sinon, nous risquons d'attiser la rage meurtrière de Zavier. Que ferions-nous s'il réussissait à briser les bracelets de la machine ?

— Il faut y aller maintenant, insista Zaèlie d'une voix affable, mais ferme.

— Tu t'inquiètes pour Zavier ? Tu sais que Micolas et Némossa s'occupent de lui. Habituellement, ils l'attachent et vont passer la nuit ailleurs.

— Je vous ai préparé des galettes d'avoine, se contenta de répondre l'elfe. Vous mangerez en chemin.

Laurian et Aymric interrogèrent Élorane du regard. La fée haussa les épaules. Elle aussi ignorait ce qui motivait l'elfe à agir ainsi. Pourtant, elle avait la conviction qu'il fallait la suivre sans discuter.

À la dernière pleine lune, après s'en être pris à Némossa, à Micolas et au bûcheron, le loup-garou avait foncé jusqu'au village le plus proche. Il avait fait deux victimes parmi les Sylvarionniens avant d'être attrapé dans un immense filet de fils de fer. Les rayons de la lune, dont il avait longtemps été privé, avaient tant accru son appétit que la peur d'être capturé ne l'avait pas effleuré. Les deux frères qui l'avaient traîné dans leur grange voulaient le garder en vie pour le vendre aux délivreurs. Mais le prix qu'ils demandaient pour l'être noir était exorbitant, et les jours filaient sans qu'ils ne trouvent preneur.

Même après être redevenu lui-même, Zavier avait toujours des oreilles pointues comme celles des loups. Ce détail ne jouait pas en sa faveur. Les deux frères le nourrissaient à peine et traitaient leurs animaux mieux que lui.

À mesure que l'automne avançait, et sentant la lune gonfler de nouveau, Zavier avait imploré d'être attaché plus solidement dans la grange abandonnée où il était retenu captif. Mais les humains eurent beau multiplier les cordes et ajouter des chaînes, quand la lune se présenta dans toute sa splendeur, le loup-garou s'échappa.

Alors que Zaèlie, Laurian, Aymric et Élorane se mettaient en route, Zavier quittait Sylvarion, passant à toute vitesse près des villageois terrifiés sans même chercher à mordre un seul d'entre eux. Il courait sans s'arrêter. Une odeur irrésistible l'appelait. L'elfe en lui espérait arriver trop tard, mais la bête salivait…

Il neigeait toujours. Les voyageurs allaient bientôt atteindre leur refuge lorsque, dans la clarté de l'aube naissante, Zaèlie accéléra le pas.

— Qu'est-ce qu'elle a en tête ? ronchonna Laurian.

Au détour d'un sentier, il perdit l'elfe de vue.

— Elle préfère se tenir loin de toi, lui répondit Aymric.

— Voyons, Aymric…

— Cessez de vous chamailler ! Il faut la rattraper ! les coupa Élorane en s'envolant.

En apercevant une plume tachetée de blanc tournoyer au milieu des flocons, ils comprirent que Zaèlie avait pris le corps du coujara et les avait sciemment distancés. Laurian et Aymric se mirent à courir tout en chargeant leurs arbalètes. Ces armes angéliques permettaient des tirs plus puissants et plus précis que leurs arcs. Ils trouvèrent bientôt le puma ailé immobile devant la cabane. La porte ouverte battait au vent. L'animal gémissait sourdement.

— Restez où vous êtes, dit le coujara en entendant ses compagnons approcher.

Devant elle, Zaèlie voyait ses pires craintes se concrétiser. Quand elle entra dans le refuge, l'angoisse l'assaillit aussi violemment que l'odeur pestilentielle qui y régnait.

— Restez dehors, insista-t-elle en obligeant Laurian à reculer d'un coup de queue.

— Bon sang ! s'exclama l'humain en découvrant les vestiges du carnage. Où est Zavier ?

Comme s'il répondait à cet appel, le loup-garou sortit en trombe de la forêt, faucha Aymric et Élorane, puis bondit sur Laurian, qui tomba au sol. La bête franchit aussitôt le seuil, sauta par-dessus le coujara et se retourna. Les deux créatures se faisaient face.

— Zavier, non ! l'implora Élorane en se relevant.

Aymric agrippa la fée par l'épaule pour qu'elle demeure hors de la cabane, alors que Laurian se relevait à son tour, un peu sonné.

— Rapetisse et envole-toi ! ordonna-t-il à Élorane. Ne redescends que lorsque la lune aura disparu.

Laurian récupéra son arme. S'il avait eu en main un arc de bois, la bête l'aurait déjà cassé, mais son arbalète n'était pas même abîmée. Père et fils se précipitèrent dans la cabane, laissant Élorane derrière la porte, que

Laurian ferma d'un coup de pied. En levant les yeux au ciel, la fée constata avec soulagement que le lever du soleil n'était plus qu'une question de minutes, et peut-être même de secondes. C'est alors que son cœur manqua un battement. Deux ombres fonçaient droit sur elle !

— N'aie pas peur, Élorane, jappa une voix.

Viko et Saja avaient senti l'odeur du loup-garou non loin de Sylvarion. Ils avaient suivi sa trace.

Élorane entrebâilla la porte de la cabane aux loups et lança un coup d'œil à ce qui se passait à l'intérieur. Le premier projectile d'Aymric avait manqué sa cible. Il rechargeait son arbalète, alors que le loup-garou venait de plier en deux celle de Laurian avec une facilité déconcertante. L'homme s'empara de sa dague, le long et large couteau reçu du roi Aménuel, et en menaça Zavier, qui n'avait encore d'yeux que pour Zaèlie…

Dès que le loup-garou se rua sur le coujara et lui enfonça ses crocs dans le flanc, Viko et Saja se jetèrent sur lui et le forcèrent à lâcher prise. Le loup-garou bascula et se retrouva sur le dos, Viko pesant sur sa poitrine de tout son poids.

— Fuyez ! aboya Saja à l'intention d'Aymric. Le soleil sera là d'un instant à l'autre ! Ses forces diminuent. Nous essayerons de gagner du temps et d'épargner Zavier.

Les premiers rayons du jour se faufilaient déjà dans la pièce. Sous Viko, Zavier, qui ne se débattait plus, redevenait un elfe. Le loup s'éloigna, et le coujara vint s'étendre auprès de l'elfe.

— Mon amour, chuchota Zavier en caressant la bête. Pourras-tu me pardonner ?

La queue du coujara remua mollement, et ses ailes s'affaissèrent. Tandis qu'Élorane pénétrait dans la cabane,

Laurian allait vers la machine brisée et ramassait à terre une poignée de sable, qui fila entre ses doigts.

Le coujara était agité de tremblements. Laurian se pencha vers lui et souleva une de ses ailes, qui cachait la morsure du loup-garou.

— La blessure est vilaine, mais pas mortelle, les rassura le professeur.

Il prit un drap et fit un bandage à l'animal.

— Nous réparerons cette machine, dit-il ensuite aux elfes. Et cette fois, nous y mettrons deux jeux de menottes.

— Vous devriez renoncer à nous aider, répondit Zavier d'une voix éteinte. J'ai tué l'homme qui est entré ici pour me libérer de cette machine. J'ai tué aussi Némossa et Micolas…

— Et Saphie? demanda Élorane, horrifiée à l'idée que l'enfant de quatre ans ait pu elle aussi être sauvagement assassinée par le loup-garou.

— Lors de ma transformation, Saphie n'était déjà plus ici. Elle a disparu il y a un moment déjà. Némossa était persuadée qu'elle avait rejoint Ëlanie. Elle avait même convaincu Micolas de partir à la recherche de leurs filles. Mais je ne leur en ai pas laissé le temps.

La fée posa sa main sur le bras de Zavier, tentant de l'apaiser.

À genoux, Aymric, épuisé, avait enfoui son visage dans la fourrure de Saja. Soudain, la louve poussa un jappement aigu pour attirer l'attention de Viko.

— Nom d'un homme! aboya le loup noir en fixant quelque chose d'invisible. Cette pauvre petite n'a sûrement pas eu une mort paisible.

Viko et Saja voyaient, devant eux et pour la première fois, une revenante.

Alors qu'ils couraient vers la cabane, les deux loups avaient surpris un homme étrange qui rôdait dans le coin. Aymric inspecta donc les alentours avec eux avant de se coucher, mais ils ne repérèrent personne.

Apprendre la mort d'Arilianne et d'Amira juste après avoir été informés de celle de Micolas et Némossa fut particulièrement difficile pour Aymric et Élorane, mais ils finirent tout de même par s'endormir, blottis contre les loups.

Tandis que Laurian remuait et gémissait dans son sommeil, Arilianne écoutait les deux elfes qui discutaient tout bas. Zaèlie était parvenue, malgré la profonde blessure du coujara, à reprendre son corps de jeune femme.

— Tu ne te transformeras pas en loup-garou, lui disait Zavier. Souviens-toi, lorsque le pégase qui vivait en Trefflé a été mordu par un vampire, seul le cheval est devenu un être noir.

— C'est pourquoi je dois rendre l'âme du coujara au néant, répliqua Zaèlie.

— Mais Drugo ne voudra plus de cette âme. Elle est contaminée, précisa Zavier.

— Le coujara n'a pas été mordu par un vampire. Il ne sera dangereux qu'à la pleine lune. Je dois essayer de me débarrasser de son âme avant le mois prochain. Je partirai pour la grotte magique dès la nuit tombée.

— L'antre de Drugo n'est qu'à une demi-lune de marche. Si tu attends que Trefflé soit revenu, il soignera la blessure du coujara et tu pourras t'y rendre en volant.

— Personne ne sait quand reviendra Trefflé. Ni même s'il va revenir. Je dois partir cette nuit, Zavier.

— Pourquoi te montres-tu si obstinée ?

— Tous les elfes voient dans l'obscurité, mais moi, je vois parfois aussi au-delà…

— Au-delà ? Et qu'y a-t-il au-delà ?

— Les événements à venir. Tout comme j'ai su que je serais mordue par toi, je sais que je dois me mettre en route pour cette grotte dès maintenant.

— Quoi ? Tu savais que j'allais te mordre ?

— Avant même de te rencontrer.

— Tu savais donc aussi que je serais mordu par Alen ? Tu aurais pu m'éviter cela !

Zaèlie secoua la tête.

— Je t'aime, Zavier, n'en doute pas. Mais il y a des choses qui doivent arriver.

Pensant être en mesure d'empêcher Zaèlie de mettre son plan à exécution, Zavier était décidé à ne pas laisser le sommeil l'emporter. La pleine lune l'avait toutefois vidé de ses forces, et il s'endormit rapidement. Grâce à son pouvoir particulier, Zaèlie savait qu'elle ne reverrait jamais l'homme qu'elle aimait.

Arilianne, qui ne pouvait pas dormir, vit l'elfe quitter le refuge. Dehors, émergeant de sa cache, Dénis se remit aussitôt à la traquer. Convaincu que cette jolie femme était une fée, il se répétait que lui seul pouvait la protéger.

Lorsque la porte se referma, Élorane ouvrit les yeux. Mais ce n'était pas ce bruit qui l'avait tirée du sommeil. Le petit nez de la fée frémit et elle étira ses ailes, répandant une poignée de brillants roses. Ils se mêlèrent à la poussière qui dansait dans la lumière pâle.

« Ce qui doit arriver arrivera », se dit-elle avant de se rendormir.

Les fées ne vieillissaient pas, mais elles finissaient toujours par mourir en se brisant les ailes ou en tombant malades. Elles s'étaient éteintes l'une après l'autre et, à cause de la cigogne Huk, qui avait voué sa très longue vie à la destruction des clochettes du matin, aucune n'était venue au monde après Élorane. Aujourd'hui, elle seule était encore en vie. Malgré ce que croyaient certains, aucune autre fée ne se cachait sur le continent ou ailleurs. Mais leur magie, la plus puissante de l'univers, poursuivait son œuvre à travers leurs rares élus, au nombre desquels Zaèlie était. Avant même sa naissance, une des dernières fées avait choisi son chou et doté Zaèlie d'un pouvoir exceptionnel. Elle comptait sur l'elfe pour accomplir certaines choses…

Les bandits d'Orphérion

DANS UN RECOIN sauvage de la forêt, sous un arbre aux feuilles rouges, Yanni semblait s'entretenir à voix haute avec lui-même.

— Ça peut réussir, grand-père, j'en suis certain ! On ne va pas attendre indéfiniment que Clovis apparaisse. Il n'est peut-être même plus sur notre continent !

La mouche se posa sur sa joue.

— Si tu te fais attraper…

— Ça n'arrivera pas !

— Yanni, je pourrais participer.

— C'est hors de question, grand-père. Si tu redeviens un homme, en quoi te transformeras-tu la prochaine fois ? Tu es passé d'ours à chien, puis de chat à rat. Et te voilà devenu mouche ! De toute façon, c'est ainsi que tu m'es le plus utile. Tu peux entendre tous les secrets et venir me les bourdonner à l'oreille. Cette histoire de clefs de Nesmérald, par exemple… C'est incroyable que tu connaisses autant de choses !

— Sois prudent, Yanni. Les gars de ta bande qui ne te prennent pas pour un magicien te croient fou.

— Ces idiots ne seraient rien sans moi.

— Mais Sachan est de retour…

Yanni fit mine de chasser la mouche d'une chiquenaude et retourna vers le campement.

— Alors, les esprits t'ont parlé ? lui demanda Ghéaume, moqueur.

— Rassemble tout le monde, répondit Yanni, j'ai un plan.

Quelques jours plus tard, tapis dans les fourrés qui longeaient le périmètre de la Méloria, les bandits guettaient, attendant le moment propice pour intervenir. Dans ses quartiers, le général interrogeait un couple dont le bébé était soupçonné d'être le fruit de la contrebande. Deux protecteurs conduisaient le nouveau-né vers la bicoque qui servait de pouponnière.

— Tu as vu cette frimousse ? Certains crapauds sont plus mignons, affirma l'un d'eux en passant devant le buisson où Sachan et Weliot retenaient leur souffle. On n'en tirera pas plus qu'une poignée de rubis. Autant le laisser à ses parents.

Contre toute logique, Sachan bondit sur ses pieds. À ses côtés, Weliot se sentit défaillir. Sachan allait-il saisir ce protecteur par le collet et le secouer comme un prunier à la vue de tous ? De l'autre côté de la clairière, Vianney se leva aussi en douce et, d'un geste de la main, fit signe à Sachan de reprendre sa place derrière les buissons.

Le vieux bandit était le seul à connaître l'histoire de Sachan. Ils s'étaient rencontrés un jour de pluie sous un grand arbre où tous deux avaient trouvé refuge. Sachan n'en menait pas large. À seize ans, il venait de fuir Vasmori. Entre deux sanglots, il avait tout raconté à Vianney : son enfance en tant que phénomène de foire jusqu'à son crime abominable, le meurtre de Myrlande, l'amour de sa vie. Vianney avait sorti une flasque et lui avait conseillé d'avaler une rasade d'eau-de-vie, qui fut la première d'une longue série. Sachan avait dès lors pris l'habitude de boire, mais jamais plus il n'avait pleuré. Sa douleur s'était transformée en haine.

— Qu'est-ce qu'il fait, ce crétin ? s'énerva Ghéaume en obligeant Vianney à se baisser. Il est encore complètement soûl ! Il va tous nous faire tuer !

— Je n'ai pas vu Sachan boire une goutte d'alcool depuis son retour, remarqua Joffre.

Sachan finit aussi par se pencher. Les Méloriens, qui marchaient d'un bon pas, l'air préoccupé, ne s'étaient aperçus de rien. Quelques minutes plus tard, deux soldats amenèrent le couple de force hors de la cabane du général.

Les deux gardes à l'entrée seraient bientôt relayés. Guychel jetait un œil par sa fenêtre pour vérifier que la rotation s'effectuait sans encombre, quand il vit venir trois hommes qui ne portaient pas les uniformes des Méloriens. Deux d'entre eux traînaient le troisième contre son gré. Le prisonnier, qui avait les mains attachées dans le dos, était un maigrichon au crâne mal rasé. Guychel reconnut aussitôt le traître, et sortit sur le pas de sa porte.

— Tiens donc, qui voilà ?

— Un voleur de cigognes, lui répondit Ghéaume en poussant Colim devant lui.

— Emparez-vous de ce malandrin ! éructa le général à ses gardes, en se dirigeant vers les bandits.

Du même coup, il s'éloignait de son précieux caveau.

— C'est sur mon territoire que ce brigand a été intercepté, général, déclara Ghéaume.

— Votre territoire ? ricana Guychel, méprisant, en jaugeant l'homme. Qui êtes-vous, au juste ?

Le général s'attarda aux vêtements noirs usés et aux longs cheveux emmêlés de celui qu'il avait devant lui.

Son compagnon était plus vieux, mais son allure tout aussi négligée.

— Vous n'êtes que de vulgaires bandits d'Orphérion, n'est-ce pas ? Vous ne possédez aucun territoire.

— Nous n'avons surtout aucun honneur. C'est pourquoi nous vous livrons celui-ci en espérant une belle récompense. Pouvons-nous vous parler une ou deux minutes en privé ? lui demanda Ghéaume, imperturbable, en gratifiant la cabane d'un regard sans équivoque. Je suis certain que nous arriverons à nous entendre.

Jusque-là, le plan se déroulait comme prévu. Mais Guychel ne bougeait pas. Réticent, il semblait sur le point de les chasser de la Méloria. Lorsque Colim se mit à rouspéter, Ghéaume le frappa au ventre. Plié en deux, le bandit tomba à genoux, crachant des insultes. Guychel sourit, l'air mauvais, et fit signe aux deux gardes qui s'étaient avancés vers lui de retourner surveiller sa porte.

— Général, nous devrions être en train de faire une ronde autour de vos quartiers.

— Où sont ceux qui devaient vous remplacer ? vociféra Guychel, scrutant des yeux les alentours de la Méloria.

Les gardes haussèrent les épaules. Bien sûr, ils ne savaient pas que leurs collègues, la gorge tranchée par Lizbelle, gisaient dans les buissons où Joffre les avait traînés.

— Ne bougez pas de là, ordonna Guychel. Je n'en ai pas pour longtemps.

Le commandant entraîna les trois bandits vers un arbre où pendait une corde, non loin des broussailles dans lesquelles Sachan et Weliot étaient embusqués.

— Vous connaissez le sort que nous réservons aux voleurs, dit Guychel à Ghéaume et Vianney. Vous exécuterez vous-mêmes ce petit truand. Ensuite, nous discuterons de la récompense qui vous revient pour sa capture.

Le général tendit la corde à Vianney. Le vieux bandit hésita un instant, mais Weliot, au fond de sa cachette, fut le seul à pâlir devant la tournure que prenaient les événements. Il remarqua alors ce que Yanni avait vu avant lui sur la face de rat du général : la cruauté.

Quand Ghéaume arracha la corde des mains de Vianney, Colim lui cracha au visage. Et quand son chef lui enroula la corde autour du cou, le jeune bandit se mit à se débattre tel un chat sauvage. Après plusieurs tentatives, il parvint à cogner la tête de Ghéaume avec la sienne.

« Il ne simule pas, constata Weliot, effaré. Il a vraiment peur. Il sait que Ghéaume n'hésitera pas à le sacrifier s'il le faut. »

Assommé, le chef de la bande s'écrasa au sol comme un vulgaire sac de pommes de terre. Profitant du spectacle qui retenait l'attention des Méloriens autour d'eux, Sachan se faufila entre les buissons et fila à l'arrière de la cabane de Guychel. La fenêtre était fermée de l'intérieur, mais il s'y attendait. Pour entrer par ce côté laissé sans surveillance, il lui faudrait casser un carreau. Les mains autour de la bouche, il poussa un cri d'oiseau. C'était le signal. Yanni, dissimulé près des cages, projeta une poignée de cailloux sur les cigognes. Pendant que s'élevaient les caquètements effarouchés des volatiles, Sachan fracassa la vitre d'un coup de coude. Ainsi fut camouflé le bruit du verre brisé.

Cherchant ce qui avait effrayé les échassiers, les Méloriens se tournèrent vers Yanni, qui était heureusement invisible dans la végétation d'automne. Weliot en profita pour sortir de sa cachette et courir jusqu'à la cabane. Il se plaça sous la fenêtre, son cœur battant à tout rompre. Sachan était déjà à l'intérieur.

Un autre cri d'oiseau retentit. Là aussi, c'était un signal de Yanni. Mais l'imitation était si parfaite que Weliot pensa une seconde qu'il s'agissait du cri d'un véritable oiseau. Puis il entendit la voix de Sachan prononcer ces mots :

« Avec cette clef, Nesmérald, je désire ouvrir la porte de fer du caveau du général Guychel. »

Sur le terrain, les protecteurs s'activaient, cherchant encore ce qui agitait les cigognes. Lizbelle, vêtue de l'uniforme des protecteurs qu'avait porté Colim, s'était alors approchée des deux gardiens toujours en poste devant la porte de la cabane de Guychel. Elle venait se présenter à eux.

— Depuis quand engage-t-on des femmes à la Méloria ? demanda l'un d'eux.

— Seriez-vous en train de vous en plaindre ? répondit la belle rousse avec un sourire coquin.

Weliot se tenait prêt. Enfin, venant de la cabane, un grincement se fit entendre. Le bruit s'était mêlé aux cris des cigognes. Le général Guychel, qui jusqu'alors riait aux éclats devant les ruades de Colim, se tut subitement. Il avait reconnu le grincement de la porte du caveau. Découvrant qu'une femme avait attiré ses soldats à la lisière des bois, il vit rouge.

Tout à coup, une lumière argentée fusa d'entre chaque planche des murs de la cabane. Weliot ferma les yeux.

Les deux gardes qui discutaient avec Lizbelle n'eurent pas le temps de comprendre ce qui leur arrivait qu'ils tombèrent au sol, la gorge ouverte par un coutelas. Quant à Guychel, il fut envoyé dans les pommes par un coup judicieusement porté à la tempe par Vianney. Le vieux bandit s'empara de Ghéaume, inconscient lui aussi, et l'installa sur ses épaules comme s'il s'agissait d'un daim mort.

— Dégage d'ici ! conseilla-t-il à Colim, qui avait encore les mains attachées.

Lorsque deux protecteurs déboulèrent dans la cabane, Sachan n'avait rempli qu'un sac. Le caveau débordait de graines. Le bandit extirpa un second sac de sous sa chemise, mais il s'en servit pour l'enfoncer sur la tête d'un des Mélориens, auquel il fit aussi un croc-en-jambe pour qu'il trébuche sur son acolyte. Sachan s'appropria leurs couteaux, puis se précipita à la fenêtre. Il catapulta dehors le sac de jute bien gonflé.

— Déguerpis ! ordonna-t-il à Weliot, alors que le garçon bondissait pour attraper le sac.

Un des hommes de Guychel saisit Sachan par la jambe et le tira vers lui. Une bagarre s'ensuivit, mais les deux protecteurs furent rapidement mis hors d'état de nuire, puis cloués au plancher par leurs propres armes.

Dans les bois, Colim et Vianney, qui traînait Ghéaume sur ses épaules, étaient poursuivis. Selon le plan, les trois hommes auraient dû prêter main-forte à Yanni, Lizbelle et Joffre, mais ceux-là ne devraient désormais compter que sur eux-mêmes.

Jusque-là, ils avaient tout de même réussi, en jouant de leurs poings et de leurs coutelas, à empêcher d'autres Mélориens de pénétrer dans la cabane. Mais ne sachant pas ce qui se passait dehors, Sachan oublia l'idée de remplir un autre sac de graines.

Il enjambait la fenêtre quand on le visa d'une flèche. La pointe de métal se nicha dans son épaule. Sous l'impact, le coutelas que Sachan venait de prendre à sa ceinture faillit lui glisser des mains, et en culbutant dans l'herbe, il se blessa sur les éclats de verre. Oubliant sa douleur, il s'élança sur les traces de Weliot, qui avait disparu entre les arbres, le sac de graines sur l'épaule.

Voyant Sachan décamper, Yanni et Lizbelle s'enfoncèrent eux aussi dans la forêt, suivis de près par trois soldats. Joffre, qui n'avait pu éviter une flèche, fut abandonné derrière, étendu dans une flaque de sang.

Alors que Weliot se croyait hors de danger, un soldat surgit d'un arbre et atterrit devant lui. En se retournant pour revenir sur ses pas, le garçon vit Lizbelle égorger un protecteur. Le sang gicla. Des gouttelettes se mêlèrent aux taches de rousseur sur le visage de la belle. Les mains à son cou, l'homme tomba à genoux. Un étrange gargouillis sortait de sa gorge pendant que sa vie lui échappait.

Weliot fit demi-tour une fois encore. Le soldat qui lui barrait la route n'était muni que d'un arc qu'il n'avait pas eu le temps d'armer. Weliot le menaça de son couteau, l'obligeant à le laisser passer. Il aurait facilement pu tuer le soldat, mais ne le fit pas. Il avait reconnu cet homme originaire d'Isdoram, avec qui il avait effectué le trajet jusqu'à la Méloria. Weliot reprit sa course.

Émergeant d'un buisson, un deuxième Mélorien se mit en travers de son chemin et tendit la main vers le sac de graines. L'homme était beaucoup plus grand et plus fort que Weliot, qui fut vite immobilisé. Et le butin changea de main. Mais Sachan, que personne n'avait vu approcher, trancha le poignet du Mélorien d'un coup sec. Il s'empara du sac auquel la main était toujours accrochée, et détala comme un lièvre.

À quelques foulées de là, le soldat que Weliot avait eu la bêtise d'épargner s'en était pris à Yanni. Lizbelle se chargea donc sans hésitation de lui trouer la peau. Après quoi, Yanni et Lizbelle rallièrent Weliot dans sa course. Mais la jeune femme dérapa sur quelque chose de spongieux. Elle s'étala de tout son long et les deux garçons voulurent l'aider à se relever. Le temps qu'ils la rejoignent, ils étaient entourés de toutes parts, et des dizaines d'arcs les visaient de leurs flèches.

Le général Guychel, un sourire victorieux aux lèvres, fendit le cercle et s'avança. Mais aucun des trois bandits n'avait le sac de graines. Sur un lit de feuilles gluantes ne se trouvait que la main coupée par Sachan. Elle avait causé la chute de Lizbelle et faisait maintenant un doigt d'honneur au général Guychel.

Les hommes

NOMBREUX ÉTAIENT les anges qui avaient participé à l'expédition pour ramener l'ours des cavernes, Trefflé, Nowanne et Exandre sur Gondwana. Les Sibériens les avaient finalement déposés au sommet des montagnes, où ils s'étaient reposés quelques heures avant de repartir pour Sibéria.

En arrivant à la cabane d'Alen, les aventuriers y trouvèrent Laurian, Aymric et Élorane. Le refuge avait été nettoyé et rangé.

Laurian accueillit Trefflé avec soulagement. Il souhaita aussi la bienvenue à l'ange qui avait sacrifié ses ailes. Comprenant enfin que leur amour était bel et bien réciproque, il s'excusa même d'en avoir douté. Au cœur de cette agitation, Exandre souriait à Arilianne, qui était assise sur le lit à côté d'Aymric.

— Tout va bien ? lui demanda le magicien.

— Qui est ce bouffon ? se renseigna Aymric, amusé par ce garçon qui conversait tout seul.

— Si tu savais ce que j'ai vu sur Sibéria ! s'exclama Exandre.

— Si c'est à moi que tu t'adresses, il faudrait regarder un peu plus sur la droite, fit Aymric.

Détachant enfin ses yeux de la revenante, Exandre demeura sans voix devant Élorane.

— Qui es-tu ? s'impatienta Aymric.

— Une fée ! s'extasia l'inconnu.

— Tu n'es sûrement pas une fée, continua de le narguer Aymric.

— Je t'ai pourtant déjà parlé d'Élorane ! fit remarquer la revenante à son ami. Tu ne m'as pas crue ?

— Exandre est un magicien qui a le pouvoir de voir les revenants, expliqua Clovis.

— Arilianne est encore ici ? le questionna Élorane.

— Oui, l'informa Exandre. Mais comment sais-tu que...

— Les loups me l'ont dit, répondit Aymric. Eux aussi peuvent voir les revenants.

— C'est donc toi le garçon qui parle avec les loups ! fit Exandre.

— Où est Zaèlie ? s'inquiéta Trefflé.

— À la dernière pleine lune, Zavier a brisé la machine d'Alen. Il a mordu Zaèlie alors qu'elle était dans le corps du coujara, résuma Laurian. Depuis, tous deux sont partis. Je suppose qu'ils ne voulaient pas nous causer davantage d'ennuis.

— Partis ? Mais où ? s'enquit Clovis.

— Pour la grotte de Drugo, poursuivit Exandre. Arilianne a entendu les elfes discuter. Zaèlie voulait s'y rendre seule, mais Zavier s'est lancé sur ses traces.

— Et pourquoi veut-elle aller chez Drugo ? demanda Laurian à son tour.

— Zaèlie croit que si elle arrive à la grotte avant la prochaine pleine lune, le maître des lieux reprendra l'âme du coujara, révéla Exandre. Mais dis-moi, Arilianne, n'est-ce pas près de cette grotte que nous nous sommes rencontrés ?

La revenante acquiesça.

— Ah ! Mais elle s'est effondrée ! leur annonça le magicien. Le dragon s'est mis dans une très grande colère et l'a démolie.

— Quoi ? s'écria Clovis, qui espérait que Drugo puisse le libérer du corps de l'ours. Après ce qui est arrivé aux sirènes, les catastrophes s'enchaînent...

Laurian fixa l'ours d'un air sévère.

— Tu étais sur Laurentia pendant tout ce temps ? crut-il comprendre.

— Pas de tout. Je faisais allusion à la mort de Némossa et de Micolas...

— Comment sais-tu ce qui s'est produit ici ? l'interrogea de nouveau le professeur, outré. C'est donc là que tu te cachais ! Et bien sûr, tu n'as jamais pensé à venir nous prévenir !

— Beaucoup de choses se sont passées depuis notre dernière rencontre, monsieur Laurian.

Trefflé s'empressa de mentionner que Clovis avait d'abord retrouvé Ëlanie. Puis, il avait eu l'idée d'emmener Exandre sur Sibéria, et c'était ce garçon qui avait vu les revenants qui hantaient ce continent. Désormais, toutes les âmes des anges avaient enfin rejoint Rhéïqua.

Laurian était confus.

— Pardon, j'ai vite sauté aux conclusions, s'excusa-t-il à Clovis. Il ne nous reste donc plus qu'à dénicher les joyaux manquants. Dire que notre ami Xanaël a failli errer entre deux mondes pour l'éternité. Allez, Clovis ! Prends forme humaine, que je te serre dans mes bras !

— Je ne peux pas, monsieur Laurian.

— Tu... quoi ?

— J'ai fait une promesse à Ëlanie que je n'ai pas pu tenir et j'ai perdu mes pouvoirs. Je ne parviens plus à quitter le corps de cet ours.

— Tu as perdu tes pouvoirs ! répéta Laurian, consterné.

Et la grotte de Drugo qui s'était effondrée...

Tout ce que Laurian avait reproché à Clovis, à tort ou à raison, lui remonta à la gorge.

— Ëlanie est saine et sauve, et toi aussi, finit-il par dire, la gorge nouée. C'est ce qui compte.

— Mais pourquoi Ancolie n'est-elle pas revenue avec vous ? intervint Élorane.

— Elle avait besoin de temps, expliqua Clovis. Le départ de Xanaël n'a pas été facile pour elle. Puis elle m'a vu…

— Et où était Ëlanie pendant tout ce temps ? voulut savoir Aymric.

— Elle était prisonnière d'une troupe de forains ambulants, lui répondit Clovis. Mais là, elle est retournée sur Laurentia avec sa petite sœur.

— Saphie est vivante ! se réjouit Élorane, soulagée.

Tous s'installèrent plus confortablement pour continuer leur discussion. Ils avaient tant à se dire ! L'ours leur relata en détail sa mésaventure chez les gitans, puis Trefflé fit le récit des derniers événements qui avaient secoué Sibéria.

Les loups

Ce jour-là, l'Égorgeur décida qu'il était temps d'en finir avec ceux qu'il jugeait responsables de son malheur. Au matin, Viko, ses frères et Sorg étaient partis pour une journée de chasse. À leur retour, une scène effroyable les attendait. Leurs mâchoires lâchèrent leurs proies, qui tombèrent et s'ajoutèrent aux cadavres déjà au sol.

D'abord, ils reconnurent Fani. Une traînée de sang montrait qu'après avoir été blessée, elle avait rampé jusqu'à ses trois petits, qui semblaient dormir contre son flanc. Frappés d'horreur, Viko, Milkio, Wilm et Sorg étaient aussi muets et immobiles que les corps qu'ils observaient.

Quand Viko s'arracha à la contemplation macabre de Fani et des louveteaux, il chercha ses sœurs jumelles. Joïe était étendue non loin de Desmus, mais il ne trouva pas ses deux petits. Puis Viko aperçut Saja à proximité de L'Ami, dont les yeux étaient restés ouverts.

Tous avaient la jugulaire tranchée. Mais Fani et Saja semblaient avoir été tuées avec une violence plus terrible encore. Massacrées, elles baignaient dans de véritables mares de sang. L'Égorgeur s'était acharné sur elles, et sans doute bien après qu'elles eurent rejoint le néant.

— Non… gémit Milkio.

La plainte de son frère secoua Viko. Sorti de sa torpeur, il vit le regard de L'Ami fixé sur lui. Ses flancs se soulevaient lentement... Il était vivant!

— Tu te caches parmi tes victimes! rugit Viko en bondissant sur lui.

L'Ami et sa sœur Cajia étaient des inférieurs de la plus basse extraction. Quand Cajia avait été surprise avec Gord, le mâle alpha de leur meute, deux choix s'étaient offerts aux fautifs. Gord pouvait soit répudier sa femelle alpha et s'unir à Cajia, soit rejeter la faute sur la louve et la punir par la mort. Gord avait choisi cette deuxième option. Mais L'Ami avait défié le mâle dominant en combat singulier.

— Si je l'emporte, avait-il dit, je serai chef.

— Bien sûr, avait répondit Gord, qui ne craignait pas son adversaire. Mais Cajia devra de toute façon être mise à mort.

— Pas si elle devient femelle alpha, avait répliqué L'Ami.

Même si L'Ami n'avait jamais envisagé un tel scénario avant, il savait que l'union entre un frère et une sœur était tolérée dans les meutes. De plus, il s'exerçait depuis longtemps au combat avec des chacals, des blaireaux, des gloutons et même des ours. À la grande surprise de tous, non seulement L'Ami remporta le combat, mais il tua Gord. La meute se révolta aussitôt. Il était inconcevable qu'un inférieur de cette engeance ravisse le titre de mâle alpha! L'Ami et Cajia avaient dû fuir.

Le lendemain, L'Ami s'était réveillé seul dans la tanière abandonnée où sa sœur et lui s'étaient réfugiés.

À l'extérieur, trois loups l'attendaient. Devant eux, Cajia gisait, morte.

—Ne remets plus jamais les pattes sur notre territoire et tu auras peut-être la vie sauve, avait jappé le plus trapu.

L'Ami aurait pu leur faire la peau en quelques coups de crocs, mais il s'était plutôt éloigné sans se retourner. Cependant, il n'oublierait pas les assassins de sa sœur.

On avait toujours pris L'Ami pour le loup qu'il n'était pas. Dès sa naissance, on l'avait obligé à se soumettre, alors qu'il avait l'étoffe d'un guerrier ou d'un chasseur émérite. Puis, une rumeur voulant qu'il ait tué sa propre sœur avait fini par lui valoir aux yeux des autres une réputation de meurtrier.

L'Ami avait ensuite commencé une nouvelle vie dans une meute de hors-la-loi. Mais bientôt, eux aussi le suspectèrent du pire après qu'il eut infiltré le clan de Chad afin de découvrir où ces mercenaires comptaient attaquer. À Gwerozen, au plus fort de la bataille contre la plante meurtrière, il avait essayé de prévenir Bass que le village de Vasmori était la prochaine cible de Chad. Mais voyant en lui un traître, Bass ne l'avait pas écouté.

Parce qu'il était un combattant exceptionnel, L'Ami avait survécu à la folie meurtrière de la plante. Il s'était relevé et était parti à la recherche des assassins de sa sœur Cajia. Les tuer lui aurait procuré un soulagement indescriptible. Mais les trois étaient déjà tombés entre les griffes de l'Égorgeur, comme plusieurs autres loups d'ailleurs.

L'Ami aurait pu deviner qui était l'Égorgeur. Mais il ne le comprit que ce jour-là, quand il arriva sur le territoire de la meute de Desmus. En trouvant le corps sans vie de Saja, il sentit le sol se dérober sous ses pattes. Il sut ce qu'avait éprouvé Wess en perdant Yoa, sa bien-aimée, lors d'un combat contre les mercenaires de

Chad. La pauvre avait été piétinée par une vache effarouchée. L'Ami fut alors certain que le grand loup sombre était devenu complètement fou et que depuis, il ne souhaitait plus qu'une chose : la mort de tous les loups qui croisaient sa route.

Wess était l'Égorgeur, mais ça n'avait plus aucune importance pour L'Ami. Il était trop tard.

Quand Viko accusa L'Ami d'être l'auteur de tous les crimes affreux commis par l'Égorgeur, le loup ne réagit pas. Il ne se cachait pas parmi les victimes, il se sentait aussi mort qu'elles.

Tapi sous un conifère, Wess observait la scène qu'il avait orchestrée. Il savait que L'Ami était sur ses traces. Ce fouineur avait découvert le corps de Joalak à peine quelques minutes après qu'il lui eut ouvert la gorge. L'Ami serait sûrement le premier à mettre les pattes sur les lieux de son prochain crime.

L'Égorgeur avait d'abord tué Desmus, tandis que Fani, Joïe et Saja couraient dans tous les sens pour rassembler les cinq louveteaux et les mettre à l'abri. Éliminer les femelles avait été un jeu d'enfant. Deux des petits avaient pris la fuite, mais Wess ne s'était pas lancé à leur poursuite, sachant que L'Ami ne tarderait plus à surgir.

Le faciès révulsé des quatre loups revenus de la chasse valait la peine d'être vu. Mais l'Égorgeur fut ensuite un peu déçu. Il aurait préféré que L'Ami se défende au lieu de laisser Viko le mettre à mort sans réagir. Mais après une courte réflexion, Wess se dit que c'était aussi bien ainsi. Mort, Viko aurait moins souffert.

En état de choc, Milkio allait et venait entre les dépouilles de ses sœurs Joïe et Saja, des trois petits de

Fani et de son oncle Desmus. Heureusement, Wilm ramena vite les deux louveteaux encore vivants qui s'étaient dissimulés dans les fourrés.

— Viko ! aboya Wilm.

Le loup noir lâcha la gorge de L'Ami en voyant qu'un des louveteaux qui suivait son frère était sa fille Mia. Il jeta un œil aux petits qui reposaient contre le corps de Fani. Aucun ne s'était relevé... Il remarqua alors que l'un des trois était plus gros que les autres. C'était l'un des deux rejetons de Joïe !

Mia courait déjà vers lui. Quant au fils de Joïe qui avait survécu, il s'était assis et ne bougeait plus. En constatant qu'un de ses louveteaux était toujours en vie, Sorg, son père, avait tourné les talons et s'était enfui sous ses yeux.

Viko donna un coup de langue sur le museau de sa fille. Ensemble, ils se mirent à lécher le sang qui souillait la belle fourrure de Fani.

— C'est sa faute ! hurla Sorg du fond des bois. La louve blanche a attiré le malheur sur notre meute !

Le dément

La nuit, Zavier agitait les oreilles. Sa magie forçait les arbres à abaisser leurs branches pour l'élever ensuite dans les airs et le propulser vers d'autres arbres. Mais dès les premières lueurs du jour, l'elfe regagnait le sol. Les humains étaient plutôt rares dans cette région de la forêt, mais Zavier ne voulait pas prendre le risque d'être vu en train de voltiger entre les feuilles d'automne.

L'après-midi s'obscurcissait. L'elfe marchait depuis le lever du soleil. Il avait mal aux jambes, mais sa conscience le torturait plus encore. Son désir de rattraper Zaèlie l'avait gardé debout jusque-là, mais il devenait urgent qu'il s'arrête dans un endroit où dormir quelques heures.

Zavier espérait que Zaèlie était aussi prudente que lui. Pourvu qu'elle n'utilise pas la force des arbres pour se déplacer en plein jour ! Le coujara étant blessé, il était peu probable qu'elle ait pris le corps de cette bête, même la nuit. Elle ne devait donc pas avoir tant d'avance sur lui… Zavier pensait atteindre la nuit prochaine la grotte de Drugo, où Zaèlie comptait se débarrasser de l'âme du puma aux dents de sabre. Peu lui importait la mission dont elle se croyait investie, il ne la laisserait pas seule.

L'elfe trouva tout à coup que la forêt était étrangement calme. À part les branches nues des arbres qui frémissaient doucement, il ne percevait que le bruit de ses propres pas dans les feuilles mortes. Et pourtant, à l'instar de tous les elfes, Zavier avait une ouïe très fine. « C'est comme si les animaux retenaient leur souffle », se dit-il avant d'être surpris par un grand cri.

— Rojer ! retentit une voix masculine. J'ai enfin eu un de ces maudits animaux !

« Des chasseurs », eut le temps de deviner Zavier. Une flèche fendit l'air juste au-dessus de sa tête et se planta dans un tronc derrière lui. L'elfe plongea à travers les buissons.

— L'autre est ici ! s'exclama un deuxième homme en pointant la cachette de Zavier.

L'instant qui suivit, trois chasseurs surgirent de derrière les arbres et l'encerclèrent, braquant leurs arcs sur lui.

— Allez, mon gros cochon, sors de là ! grogna l'un d'eux.

— On décoche en même temps, ordonna un autre. Attendez mon signal.

Pendant une seconde, Zavier songea à utiliser les branches d'un arbre pour qu'elles s'entortillent autour des chasseurs et les retiennent le temps qu'il s'esquive. Mais dès qu'il se serait éloigné de quelques pas, sa magie aurait cessé d'agir et ils se seraient lancés à sa poursuite.

— Non ! Ne tirez pas ! glapit-il en se montrant.

— Sang noir ! soupira l'un des humains, une fois le choc passé. Qu'est-ce que tu fabriques là, toi ?

— Un peu plus et on te trouait la peau, dit celui qui donnait les ordres après avoir récupéré sa flèche.

— Pauvre gars ! s'esclaffa le tireur. Je t'ai pris pour un sanglier !

— Tu aurais pu le tuer, Rojer ! Combien de fois t'a-t-on répété de ne pas viser tout ce qui bouge ?

— J'y suis pour rien, Ontoni. Quand tu m'as crié que tu avais eu la bête, la flèche est partie. C'est l'émotion !

— Es-tu en train de me dire que tu as failli me tuer, moi aussi ?

— Ça suffit, les gars, trancha le troisième. Je m'appelle Ertrand, et voici Rojer et Ontoni. Tu parles drôlement, le jeune. Tu viens du sud ?

Zavier portait des vêtements gondwanais et un bonnet camouflait ses oreilles pointues. Ses traits étaient quelque peu particuliers, mais pas assez pour soulever des questions. Par contre, il ne parvenait pas à masquer complètement son accent.

Il acquiesça.

— J'ai une cousine dans le sud, affirma Rojer. De quel village es-tu ?

L'elfe tenta de se souvenir du nom du village qu'évoquait souvent Laurian, mais il lui échappait.

— D'un peu partout...

— Ah ! Un voyageur ! apprécia Ontoni. J'aurais bien aimé parcourir le continent, un baluchon sur l'épaule !

— Venez, dit Ertrand. Le soleil va bientôt se coucher. Nous avons eu au moins une bête. Allons la dépecer. Tu mangeras avec nous, le jeune. On te donnera un jarret et un peu de lard.

— Ce n'est pas nécessaire...

— C'est la moindre des choses, insista Rojer. J'ai bien failli te saigner.

— En effet, maugréa Ontoni. Sauf que si on distribue des jarrets à chaque personne que tu manques de tuer, on rentrera chez nous plus pauvres qu'à notre départ.

— De toute façon, j'ai déjà mangé, s'objecta mollement Zavier en les suivant.

Mais une fois au campement des chasseurs, l'elfe ne put empêcher son ventre d'émettre des gargouillis à la vue de l'énorme sanglier. Les sept humains du groupe étaient tous sales et fourbus, mais l'un d'eux était particulièrement mal en point, comme s'il s'était battu avec tout un groupe de bêtes féroces. Il avait les cheveux hirsutes, les yeux fous qui louchaient, et sous la boue, le sang et les autres immondices qui couvraient son visage, il paraissait défiguré.

— Je vais aller ramasser du bois, suggéra Zavier.

L'homme inquiétant l'observait d'un œil qui tressautait. Dès que Zavier crut être hors de vue, il entendit un souffle derrière lui. L'homme l'avait talonné.

— Un coup de main ? lui offrit-il, le visage dénué d'expression.

Comprenant qu'il ne pourrait pas se sauver, l'elfe rassembla quelques bouts de bois et revint vers le campement.

Rojer et Ontoni s'affairaient à écorcher et à dépecer l'animal, tandis que les autres avaient extirpé de leur paquetage des instruments de musique et des bouteilles d'alcool. Zavier alluma le feu. Pendant qu'il entretenait les flammes, il examinait les chasseurs. La plupart étaient gras et vulgaires. L'elfe pensa avec mélancolie à son peuple et à son île.

— Nous sommes tous de Yasdolar, lui dit Rojer en venant s'asseoir près de lui.

Il lui désigna l'homme au regard fou.

— Sauf ce Dénis d'Esmarok, poursuivit le chasseur. Il est arrivé il y a quelques jours. Je te conseille de l'éviter. Il est étrange.

Ce ne fut qu'à la fin de la nuit que Zavier réussit enfin à fausser compagnie à ses hôtes. Emportant une portion de viande, il s'éloigna sans troubler les ronflements des chasseurs et reprit sa route.

Le sol était recouvert de givre et le soleil semblait aussi froid que la terre. Chaque fois que l'elfe croisait une grotte, un tronc creux ou tout autre endroit où Zaèlie aurait été susceptible de se terrer, il vérifiait si elle y était. Il passa néanmoins à côté de la cavité souterraine où dormait sa bien-aimée, sans même soupçonner sa présence.

Quelques heures plus tard, le hasard voulut que les chasseurs auxquels Zavier avait fait faux bond tombent sur Zaèlie. Le vent s'était levé et le soleil s'entêtait à se cacher derrière d'épais nuages. Découvrant l'entrée d'une caverne souterraine creusée par d'anciens torrents, les hommes y entrèrent pour se réchauffer. C'est alors qu'ils aperçurent une jolie jeune femme étendue sur le sol froid. Ses longs cheveux noirs étaient déposés à la façon d'un châle sur ses épaules. Elle était seule.

— Regardez ce que nous avons là, souffla un des chasseurs.

— Elle est beaucoup trop belle pour toi, Wartur, dit un autre dans un rire gras. Oublie-la !

— Tu te crois mieux que moi, peut-être ?

Zaèlie ouvrit les yeux et se redressa, serrant les pans de son manteau de laine sur sa poitrine.

— Qui... Qui êtes-vous ? fit-elle.

— Tes nouveaux amis, ma mignonne, lui répondit Wartur en se penchant au-dessus d'elle pour mieux la reluquer.

Sans autre préambule, il l'empoigna par les cheveux et lui colla un baiser mouillé sur les lèvres. L'elfe voulut s'écarter, mais il la tenait fermement. Les autres sifflaient et ricanaient.

— Alors, Wartur, c'était comment ? demanda le plus jeune d'entre eux.

Malgré ses vingt ans, il avait encore l'air d'un gamin, et avait probablement beaucoup de choses à prouver…

— Vois toi-même, Édam, lui proposa Wartur en poussant la jeune femme vers lui.

Le jeunot ne se fit pas prier.

— Mets-toi à l'aise, ma belle, lui susurra-t-il à l'oreille. Commence par retirer ton manteau.

Devant l'air terrifié de l'inconnue, il éclata de rire.

— Je sais, lui accorda-t-il, c'est un peu frisquet. Mais ne t'inquiète pas, je vais bien te réchauffer.

Tout autour de Zaèlie, l'écho amplifiait les éclats de voix des chasseurs. Un autre se détacha du groupe et vint lui retirer son chapeau. Découvrant ses oreilles qui pointaient à travers ses cheveux comme celles d'un loup aux abois, il s'arrêta.

— Qu'est-ce que c'est que ça ? s'affola Édam en reculant.

Wartur saisit Zaèlie par le collet pour examiner ce qui avait tant choqué son compagnon.

— Quoi ? maugréa-t-il.

— Ses oreilles ! indiqua le jeune.

— Elles sont étranges, c'est vrai, mais ce n'est rien en comparaison du nez que se trimbale ta fiancée ! conclut le chasseur en renfonçant le chapeau sur la tête de l'inconnue. Mais voilà, elle est plus belle ainsi !

L'homme au regard fou qui, jusque-là, était demeuré derrière comme s'il faisait le guet, s'avança.

— Laisse-moi voir, dit-il en arrachant Zaèlie aux bras de Wartur.

La crasse dont il s'était enduit la figure commençait à se dissiper, dévoilant une repoussante bouillie de chair. Après avoir bien observé Zaèlie, il s'en éloigna vivement.

— Cette femme est une sorcière ! déclara-t-il.

Les yeux de l'illuminé allèrent d'un chasseur à un autre, puis revinrent sur l'elfe.

— C'est une femme-loup ! clama-t-il. Si vous vous y frottez, vous prendrez feu !

— C'était bien mon intention, grogna Ertrand.

— Il faut fuir cette grotte avant que ses semblables ne rappliquent ! décréta Dénis.

— Plus tard, répliqua Ertrand, qui avait l'air aussi dément que l'échappé de l'asile.

— Cette sorcière fera de toi un esclave !

— Sortez ce bouffon d'ici ! ordonna Ertrand. Et déshabillez-moi cette sauvageonne !

Personne n'osa s'approcher du fou, mais Ontoni agrippa l'elfe et la remit debout.

— Enlève gentiment tout ça, ma jolie.

— Et en dansant ! ajouta le jeune Édam, ce qui provoqua d'autres rires et une série de remarques de plus en plus obscènes.

Si elle avait été dehors au milieu des arbres, Zaèlie aurait pu se servir des branches comme armes. Mais dans cette caverne, il n'y avait pas le moindre bout de bois qui aurait pu lui obéir. Le coujara avait été blessé par le loup-garou, mais l'elfe n'avait aucune chance d'échapper à cette affreuse situation sans son aide.

Malgré la folie qu'elle voyait dans les yeux des hommes, Zaèlie cessa d'avoir peur. Des hurlements retentirent et presque tous quittèrent la grotte aussi vite qu'ils le purent. Devant la bête, Ontoni était paralysé. D'un simple battement d'ailes, le coujara le poussa par terre. L'animal ouvrit la gueule sur deux rangées de dents terrifiantes et, avant de se laisser tomber sur ses pattes, il émit un rugissement qui fit trembler le roc. Ontoni prit ses jambes à son cou en lâchant quelques jurons. Le redoutable animal sortit de la grotte à son tour. Seul Dénis demeura derrière lui, dans l'enclave souterraine.

Mais dehors, on guettait le coujara. Dès qu'il prit son envol, des flèches traversèrent ses ailes, le forçant à se poser. Les humains se ruèrent sur lui, le frappant à coup de couteaux et de haches. Déjà mal en point, l'animal émit un cri déchirant. Il parvint à infliger plusieurs griffures et morsures à ses adversaires. Toutefois, il était clair pour Zaèlie que le coujara ne remporterait pas ce combat.

C'est alors que Dénis se manifesta, son arc tendu droit devant lui.

— Qu'attends-tu pour abattre ce monstre ? gueula Ertrand.

Le chasseur reçut la flèche en pleine gorge.

— C'est fait, lui répondit Dénis en le regardant s'effondrer.

Wartur et un autre chasseur abandonnèrent aussitôt le coujara pour fondre sur le traître. Dénis, qui n'en était pas à sa première bagarre, eut raison d'eux en quelques coups de poing. Il ouvrit la gorge de Wartur de six mouvements de lame bien précis, et fit de même avec l'autre homme. On aurait pu croire qu'une patte aux griffes effilées les avait tués. Dénis réserva ce sort au cadavre d'Ertrand également.

— J'ai combattu un loup à mains nues et je suis toujours vivant ! tonna-t-il. Dénis d'Esmarok est vivant !

Les trois survivants déguerpirent sur-le-champ, mais le dément rattrapa Ontoni, qu'il roua de coups. Une fois qu'il lui eut aussi entaillé la gorge, il traqua les deux derniers telle une bête sauvage poursuivant ses proies. Dénis débusqua vite Édam, qui mourut à son tour. Mais à la nuit tombée, il dut se rendre à l'évidence : Rojer lui avait échappé. L'aliéné revint devant la grotte où le coujara gisait, couvert de sang. Zaèlie aurait voulu reprendre son corps, mais l'animal était si grièvement blessé qu'il restait là, quasi inerte. Dénis se pencha vers le puma ailé et posa une main sur son front, qu'il caressa comme il aurait flatté un chaton.

— Vous n'avez plus rien à craindre, lui dit-il à l'oreille.

C'était contre leur gré que les chasseurs avaient accepté Dénis dans leur groupe. L'expression du dément leur donnait froid dans le dos, mais ils n'avaient pas osé le renvoyer. Pourtant, Dénis n'intimidait pas Zaèlie.

— Il ne fallait pas les tuer, lui souffla-t-elle. Je ne suis pas venue ici pour provoquer un bain de sang.

Même parler la faisait souffrir.

— Et pourquoi êtes-vous venue ?

Dénis se rapprocha davantage pour entendre sa réponse.

— Pour trouver celui qui pourra m'aider…

Les lèvres du dément se retroussèrent dans un rictus hideux. Ses yeux s'agitèrent, comme bousculés par de trop nombreuses pensées.

— Vous l'avez trouvé, Maîtresse.

Les hommes

Il avait fallu deux jours à Trefflé, Laurian et Clovis pour rafistoler la machine d'Alen. Ils pouvaient maintenant partir sur les traces de Zavier et Zaèlie.

— Vous croyez qu'elle sera aussi solide ? demanda Laurian, tandis qu'Exandre entrait en coup de vent dans la cabane.

— Vous êtes bien Laurian d'Ormanzor ?

Pendant qu'Exandre discutait à l'extérieur avec Aymric et Élorane, il avait entendu ce nom qui ne lui était pas étranger.

Laurian leva un sourcil, intrigué.

— Je suis bien né à Ormanzor.

— J'ai rencontré votre père il y a deux ou trois ans, déclara le jeune magicien.

— Tu te trompes. Mon père est mort bien avant que tu ne viennes au monde.

— Je sais.

— Veux-tu insinuer qu'il erre encore sur Gondwana ?

— Ceux qui l'ont tué ne l'ont pas enterré.

— Quoi ? se troubla Laurian.

— Vous n'êtes au courant de rien ?

— Mes frères et sœurs étaient peu loquaces. Ils m'ont dit que nos parents étaient morts d'une maladie contagieuse.

Aymric et Élorane entrèrent à leur tour dans la cabane avec un panier rempli de champignons. Ils arrivaient à temps pour entendre ce qu'Exandre avait à raconter.

— Vos parents étaient des loups-garous.

— Foutaise ! s'impatienta Laurian. Que sais-tu exactement ? Parle !

— Vous n'étiez pas né quand votre famille a été attaquée par un loup enragé. Vos parents ont réussi à protéger leurs quatre enfants, mais tous deux ont été mordus. Par la suite, les jours qui précédaient les nuits de pleine lune, ils descendaient la montagne jusqu'à la plage. Ils sautaient dans l'océan et nageaient en s'éloignant jusqu'à ce qu'ils soient entièrement transformés. Une fois devenus loups-garous, ils avaient la force de regagner la plage, mais n'avaient plus le temps de courir jusqu'au village le plus proche. Ça a duré des années. Un jour qu'ils devaient se rejoindre devant Aqua, votre mère a été retardée par un gardien de l'ordre qui interrogeait les habitants d'Ormanzor à propos d'un vol de pierres précieuses. Votre père a nagé au large comme à l'habitude, mais lorsque la pleine lune s'est montrée, votre mère était encore tout près de la berge. Et elle savait où trouver une proie sans défense… C'est votre sœur aînée qui lui a planté un couteau dans le dos alors qu'elle se penchait au-dessus de votre berceau.

Un long silence suivit ce récit, puis Laurian se renseigna sur ce qui était arrivé à son père.

— Après la disparition inexpliquée de sa femme, il fut soupçonné de l'avoir assassinée. Les gardiens de l'ordre l'ont emprisonné, le temps d'amasser des preuves pour justifier sa condamnation à mort. Le mois suivant, au premier signe de transformation, ils lui ont tranché la tête.

— Mais pourquoi ne l'ont-ils pas enterré ? s'exclama Laurian.

Exandre haussa les épaules et Trefflé répondit à sa place.

— Je suppose qu'il n'était pas question d'envoyer l'âme d'un loup-garou se mêler à celle de Rhéïqua.

— Bon sang, grommela Aymric, quelle histoire !

— Et tu sais où est l'âme de mon père ?

Exandre secoua la tête.

— Votre père est resté quelque temps auprès de ses enfants. Il est au courant que vos frères et sœurs ont décidé de vous cacher la vérité. Quand j'ai croisé son âme, elle était dans les environs de Gwerozen. Le village venait d'être détruit. Après avoir compris que je pouvais le voir et l'entendre, votre père m'a confié son histoire en espérant qu'un jour, je puisse vous la répéter.

— Ton don est vraiment unique et précieux, fit observer Trefflé à Exandre. Accepterais-tu de te joindre à nous ? Nous cherchons deux joyaux qui appartiennent aux Laurentiens.

— Et ensuite, il nous faudra libérer les cigognes de la Méloria sans mettre l'humanité en péril, rappela Aymric.

— Nous devons d'ailleurs repartir au plus vite, dit Clovis. Certains sirènes ont sûrement vu mourir Micolas et Némossa. Qui sait s'ils ne sont pas déjà en route pour se venger ?

Laurian serra les dents en pensant à ce qui risquait d'arriver à la reine Yazmine s'ils ne leur ramenaient pas les joyaux.

— Exandre ? fit Élorane, alors que tous attendaient la réponse du jeune magicien.

— Bien sûr ! Je serais heureux de vous aider. Et à ce propos, je connais une vieille magicienne enfermée à l'asile d'Esmarok qui pourrait nous être utile. Elle a le pouvoir de retracer n'importe quel objet.

— Nous partirons donc pour Esmarok dès demain! trancha Laurian.

— Parfait, dit Arilianne à Exandre. Et tu en profiteras pour demander à Sortima où est l'os de mon petit doigt?

— Oui, bien sûr, acquiesça Exandre à mi-voix.

— Ce sera peut-être le pouvoir de monsieur Laurian qui nous permettra de débusquer Armand et sa bague d'aigue-marine, rajouta Clovis.

— Voyons, Clovis! s'énerva Laurian. Tu crois encore que je suis un magicien?

— Enfin, réfléchissez! Si vos deux parents se sont transformés en loups-garous plutôt que de mourir de la rage, c'est qu'ils étaient des êtres blancs. Forcément, vous l'êtes aussi. C'est bien ce que vous nous avez appris, non?

— Oui, mais...

— L'été où votre femme est partie pour le domaine des morts, c'est bien vous que j'ai vu sur votre terrain!

— C'est... C'est vrai que je rêvais souvent que j'y étais, balbutia Laurian.

— Et vous y étiez! affirma Trefflé. C'est pour cela que vous saviez, au fond de vous-même, que Miranie ne vous y attendait plus. Votre don est remarquable, monsieur Laurian!

— Vous voyagez en dormant! fit Clovis.

— Je ne suis pas un magicien, s'obstina Laurian, et j'en ai la preuve: une chauve-souris vampire m'a mordu, et je ne me suis pas métamorphosé.

— Mais vous avez été engendré par des êtres noirs! Il se peut que vous soyez immunisé contre la rage, spécula Trefflé.

— Un instant! se buta Laurian. C'est impossible! Les êtres noirs sont incapables de se reproduire.

— Les vampires, non, s'en mêla Aymric, mais la transformation des loups-garous ne dure qu'une nuit par mois. Cela n'empêche sans doute pas un chou de pousser dans leur potager.

— Et quelle cigogne aurait cru bon de donner une graine à un couple de loups-garous?

— Peut-être avaient-elles déjà, à l'époque, l'intention de nous anéantir? Qu'importe! s'impatienta Clovis. Vous avez un don, monsieur Laurian, pourquoi vous entêter à ne pas y croire?

— Même si tu as raison, concéda enfin le professeur, je ne maîtrise aucunement ce phénomène.

— Vous apprendrez à vous servir de votre pouvoir, continua Clovis. Et je vous conseille d'y mettre un peu d'ardeur si vous voulez revoir votre reine des elfes en vie.

— Ce soir, songez à Armand en vous mettant au lit, lui suggéra Trefflé. Concentrez-vous sur votre désir de le revoir.

— Si c'était aussi simple, j'irais rejoindre Yazmine toutes les nuits.

— Tu essayes sûrement, présuma Aymric. Ton sommeil est très agité. Mais puisque tu ne contrôles pas ton pouvoir, ça pourrait être dangereux. Si tu apparais auprès de Yazmine et que les sirènes te voient…

— Je ferai attention. Mais ce sera dur de ne pas penser à elle en m'endormant.

— Je suis certain que vous deviendrez vite habile, le rassura Trefflé.

— Ne placez pas trop d'espoir en moi, soupira Laurian. Si Clovis n'arrivait pas à retracer Armand, je ne vois pas comment je réussirais.

— Tous les pouvoirs sont différents, l'encouragea Trefflé. Et ils n'ont pas tous la même puissance. Peut-être que la barrière magique derrière laquelle se cache votre ami n'a pas été conçue pour empêcher l'esprit d'un être assoupi d'y passer.

— Papa ? demanda Aymric en sautant du coq à l'âne. As-tu été chassé d'Ormanzor parce que tu étais le fils d'un loup-garou ?

— Non, fiston. Je suis parti de mon plein gré. Mais je comprends la réaction de ma sœur aînée devant ce loup qu'avait capturé mon frère. Je ne l'avais jamais vue aussi terrifiée.

— Pourquoi as-tu quitté ton village, alors ?

Le visage de l'homme s'illumina.

— J'ai rêvé de Miranie, se rappela Laurian.

« Même la reine des elfes ne lui arrache pas un tel sourire », se dit Aymric.

— Elle semblait si réelle que je n'ai pas résisté à l'envie de marcher jusqu'à Isdoram pour la rencontrer. Je ne savais pas si cette femme existait vraiment. Mais je voulais y croire. Lorsqu'elle m'a vu approcher sur la place du marché, mon baluchon à l'épaule et trois mouflons sur les talons, elle est tout de suite venue vers moi et m'a proposé de l'eau, comme si elle m'attendait. C'était peut-être bien le cas…

— Quelle histoire merveilleuse ! souffla Élorane. Dis-moi, Aymric, n'es-tu pas heureux à l'idée d'être un magicien ?

Tous tournèrent vers la fée des visages ahuris.

Les bandits d'Orphérion

DEPUIS QU'ILS avaient été capturés par les Méloriens, Yanni, Weliot et Lizbelle étaient enfermés dans des cages. Puisque Weliot avait été renvoyé de l'armée, il était condamné à la pendaison, tout comme Yanni et Lizbelle. Quant à Sachan, arrêté lui aussi, le général Guychel ignorait encore quel sort il lui réserverait. Sa cage de fer était suspendue à la branche d'un arbre, à une vingtaine de pieds du sol. Les longues jambes du bandit pendaient dans le vide, son visage tuméfié était écrasé contre les barreaux et ses yeux bridés, gonflés par les coups, fixaient le vide.

Les journées passaient et, de la fenêtre de ses quartiers, Guychel dardait sur Sachan son regard dur comme l'acier. Plusieurs fois par jour, il demandait qu'on le descende de son perchoir et l'interrogeait avec acharnement. Le général avait des comptes à rendre au propriétaire de la volière, Naxime d'Isdoram. Il voulait savoir où étaient les graines qu'on lui avait volées, mais il tenait aussi à connaître la façon dont ce gueux, qui ne possédait pas la clef du caveau, avait pu en ouvrir la porte sans en forcer le cadenas. La réponse lui pendait sous le nez. Chaque fois qu'il frappait Sachan dans l'estomac, l'hexagone d'argent émettait un bruit sourd en retombant contre la poitrine du brigand. Ce dernier ne poussait jamais aucun cri, ni même un gémissement.

Il ne pouvait s'agir que d'un magicien, et Guychel en tirerait un bon prix. Mais pour cela, il avait tout son temps. À en juger par toutes les cicatrices qui couvraient son corps et par l'état de ses oreilles, son prisonnier en avait vu d'autres. Effectivement, il était coriace. Chaque fois, le général n'interrompait sa torture que lorsqu'il craignait que Sachan ne meure. Pour les délivreurs, qui prenaient plaisir à tuer les magiciens eux-mêmes, un mort n'avait aucune valeur.

Sachan avait des os brisés et plusieurs plaies à vif, mais il ne ressentait pas la douleur. Quand on avait voulu l'enfermer, une peur panique s'était emparée de lui. Il s'était déchaîné, blessant plusieurs soldats. Ils avaient dû se mettre à six pour le forcer à entrer dans sa cage. Pendant des heures, Sachan avait essayé d'en tordre les barreaux, s'époumonant, fulminant, injuriant les Méloriens et l'univers au grand complet.

Mais ce jour-là, lorsqu'on ramena le bandit dans sa prison après son «entretien» avec le général Guychel, il ne manifesta ni surprise ni émotion en voyant qu'on traînait ses trois complices vers la cabane du commandant. Avant que sa cage ne soit hissée dans l'arbre, un protecteur s'avança et lui offrit une gourde d'eau, qu'il accepta. L'homme était petit et rondelet. Comme s'il avait reçu une gifle cuisante, son visage était presque entièrement recouvert d'une large tache rougeâtre. Il monologuait, répondant lui-même à ses propres questions. Il parlait de la pluie et du beau temps, de la récolte de fraises qui avait été fameuse cette année, et de la difficulté qu'avaient les protecteurs à dompter les cigognes. Puis, il se tut. Il se rapprocha du prisonnier et tendit une main vers lui. Le bandit lui saisit le poignet.

— Si tu me touches, souffla Sachan, je te casse les os.

Malgré la menace, l'homme étira le bras. Il repoussa une mèche des cheveux noirs et crasseux de Sachan et vit un «M» encore sanguinolent gravé sur le front du bandit d'Orphérion.

— Te voilà un magicien fiché, constata le protecteur. Le général s'est assuré que même si tu sortais vivant de cette cage, tu n'échapperais pas à la mort assez longtemps pour voir toutes tes blessures se cicatriser.

L'homme souleva ensuite les cheveux qui cachaient les oreilles du brigand.

— C'est bien toi. J'en étais sûr.

— Je ne t'ai pas oublié non plus, Irnest d'Helirok.

Sachan ne l'avait pas relâché. Un seul mouvement aurait suffi pour lui rompre les os.

— Le jour où la foire est arrivée dans notre village, les enfants étaient surexcités, commença Irnest. Mais personne n'était aussi content que moi. À dix ans, c'était la première fois que je n'étais plus le souffre-douleur de tous les petits vauriens.

— C'est toi qui m'as lancé la première pierre, lui rappela Sachan.

— Tout le temps où tu es resté à Helirok, moi, je n'en ai pas reçu une seule. J'ai pleuré en te regardant partir, Sachan.

— Tu as jeté un seau d'eau glacée à travers les barreaux de ma cage, tu y as introduit un putois et tu as essayé de mettre le feu à mes cheveux, énuméra le prisonnier.

— J'ai moi-même subi tout cela.

— Que me veux-tu, Irnest d'Helirok?

— Me racheter, Sachan. Lâche mon bras.

Sachan n'ayant rien avoué, le général Guychel fit torturer ses trois complices. Tous jurèrent ignorer où étaient cachées les graines. Aucune cruauté ne fut épargnée à Lizbelle sous prétexte qu'elle était une femme, bien au contraire ! Croyant qu'elle était la plus susceptible de cracher le morceau, les Méloriens concentrèrent leurs efforts sur elle.

Peu après, une grande expédition fut organisée pour que les cigognes déterrent les graines qui remplaceraient celles qui avaient été volées. En s'éloignant avec les protecteurs et les cigognes en laisse, Guychel avait exigé qu'on se débarrasse avant son retour des trois prisonniers, qu'ils aient parlé ou non. Et Lizbelle serait exécutée la première.

Les pendaisons se préparaient. Les cages de Lizbelle, Weliot et Yanni, toutes trois séparées par une trentaine de pieds, furent descendues au sol. On venait à peine de sortir Lizbelle de la sienne quand un soldat reçut un coup de pied en plein visage. La furie se libéra de la poigne de son geôlier et courut vers la cage de Weliot. Passant les bras entre les barreaux, elle agrippa le garçon par les cheveux. Mais un garde la saisissait déjà par la taille et la tirait vers lui. Lizbelle s'accrochait pourtant. Le visage écrasé contre les barreaux de fer, Weliot fermait les paupières sous la douleur.

— Regarde-moi, Weliot ! Regarde-moi dans les yeux !

Il manquait plusieurs dents à la jeune femme et sa voix était sifflante.

— Je te regarde, Lizbelle.

Weliot se cramponna à ses bras pour la retenir contre lui. Voir de si près ce que ces monstres lui avaient infligé lui était presque insupportable. Lizbelle donnait des coups de pieds par-derrière. Elle ne lâchait pas prise.

— Regarde-moi bien, Weliot ! Que vois-tu ?

— Rien du tout.

— Allez, ma jolie, ça suffit, grinça le garde, que la scène amusait de moins en moins.

— Weliot, regarde bien au fond de mes yeux ! insista Lizbelle, tout bas. Mon village. Le vois-tu ? Si tu sors d'ici vivant, vas-y. Tu dois récupérer le sac de graines et le rapporter chez moi.

— Lizbelle, je ne comprends rien à ce que tu racontes.

— Regarde, Weliot, et n'oublie rien ! Tu dois trouver ce village !

— Je suis désolé, mais je ne vois rien d'autre dans tes yeux que mon propre reflet.

— Seul un magicien peut le trouver, Weliot.

Une des mains de la jeune femme perdit sa prise.

— Je n'ai pas menti, sanglota le garçon. Je ne suis pas magicien. Je ne vois rien. Il fait complètement noir dans tes yeux, Lizbelle !

Le garde les sépara, et Weliot vit une poignée de cheveux s'échapper des mains de la condamnée.

— C'est impossible ! hurla-t-elle. Il y a tout un monde dans mes yeux, Weliot ! Tout un monde !

Le soldat que Lizbelle avait frappé cracha l'une de ses dents. Il la gifla à la volée pour la calmer. Un peu plus loin, les paupières closes, Yanni murmurait des mots inaudibles, comme s'il implorait des êtres invisibles de l'épargner.

— Non, grand-père. C'est trop tard. Si tu te transformes, ils te tueront ou te marqueront au fer rouge pour te vendre aux délivreurs. Tu ne peux plus rien pour moi. Envole-toi.

La mouche fit quelques pas sur la joue du garçon et vola jusqu'à Lizbelle, qui se débattait toujours. Le soldat attacha une corde à l'arbre qui se dressait devant lui et la passa autour du cou de la jeune femme. La mouche fouilla son regard, mais en vain. Elle n'y vit rien d'autre que la peur.

— Dis-moi son nom, exigea une voix à l'oreille de Lizbelle.

La jeune femme chercha d'où venait cette voix. D'un mouvement sec, elle fut soulevée dans les airs comme si elle s'envolait.

— Hasmordra, prononça-t-elle en agitant désespérément les pieds.

La corde se relâcha d'un coup et le corps chuta. Il se balança un moment au bout de la corde avant de s'immobiliser, les yeux grands ouverts.

— Hasmordra, répéta la mouche une fois revenue près de l'oreille de son petit-fils. Il y a si longtemps que je ne n'ai pas entendu le nom de ce village !

Les quelques Méloriens présents s'étaient approchés pour assister à l'exécution et y allaient de leurs commentaires sur Lizbelle.

— Quel gâchis, déplora un protecteur en se retournant, écœuré.

C'est alors qu'il vit que les deux autres cages étaient désertes. Il courut à l'autre bout de la Méloria, pour constater que Sachan aussi s'était enfui.

Les loups

LA PLANTE DE GWEROZEN s'était chargée d'une portion du boulot, mais n'avait pas tué tous les loups responsables de la mort de Yoa. Wess avait dû lui-même régler leur compte aux survivants de la meute de Chad. Il avait aussi tué les compagnons de Malrok pour avoir défié Chad et provoqué ainsi la mort de Yoa. Puis Wess avait égorgé tous les loups qui avaient croisé sa route. Il était maintenant temps pour lui de rendre une petite visite à Bogav, son ancien chef, celui qui, autrefois, les avait bannis, Yoa et lui, pour avoir mis au monde trois adorables louveteaux.

Quand l'Égorgeur se présenta devant lui, Bogav, en roi et maître, était seul à manger. Comme les limaces qu'ils étaient, les autres attendaient patiemment qu'il leur concède ses restes.

— Bogav ! l'apostropha le grand loup gris.

Le mâle alpha se leva et mit un moment à identifier l'importun qui perturbait son repas. Le poil hirsute et encroûté, il avait les oreilles en lambeaux et un de ses yeux était voilé de rouge.

— Wess ? Tu ne devais pas remettre les pattes sur mon territoire…

— Je suis ici pour reprendre mes louveteaux.

— Tes louveteaux ? ricana le vieux Bogav. Tu te fiches de moi ? Toujours aussi fanfaron, à ce que je vois.

Tu sais quoi ? Tu me manques ! Si tu es prêt à admettre tes erreurs, on pourrait oublier le passé. Tu veux goûter ce cerf ?

— Où sont-ils ?

Wess était sérieux. Bogav avala de travers.

— Les enfants ! Dites bonjour à votre père.

Trois bêtes imposantes s'avancèrent prudemment vers Wess.

— Ce ne sont pas mes louveteaux ! gronda l'Égorgeur.

— Tu as déserté la meute il y a plus de quatre ans, Wess. Tes louveteaux ont grandi. Mais ne t'inquiète pas, je leur ai appris les bonnes manières. Tous savent comment garder la place qui leur revient dans une meute.

« Yoa est morte quelques mois après que nous soyons partis... Ça ne peut pas faire si longtemps », songea Wess.

L'Égorgeur montra les dents et hurla vers le ciel. Mais la lune n'était pas là pour l'entendre. Il n'épargna aucun membre de la meute, pas même ses enfants que, dans sa démence, il n'avait pas reconnus. Lorsque Wess quitta le territoire de Bogav, le sol était couvert d'une telle quantité de sang qu'il ne suffisait pas à l'absorber.

Les anges

Le roi Aménuel et la reine Myrliam avaient renouvelé leurs vœux de mariage. Ils vivaient à nouveau comme le jeune couple amoureux qu'ils avaient été autrefois. Pour une raison que Liomel ne s'expliquait pas, Aménuel s'était rendu aux arguments de sa femme, acceptant que les dieux des profondeurs se mêlent aux anges plutôt que de devenir leurs esclaves. Pour s'assurer que tout se déroulerait sans incident, le roi avait mis sur pied une escouade dans laquelle s'étaient enrôlés des anges et des dieux, sous le commandement de Gaël, un ange superviseur, et d'Irmar, un dieu à la peau rouge. Tous les citoyens de Sibéria seraient traités sur un pied d'égalité. Barchelas, le maître des profondeurs, avait été nommé inspirateur royal, et vingt dieux déchus avaient aussi été choisis pour être louangeurs, intégrant ainsi la cour. Les autres, près d'une centaine, s'étaient installés dans la montagne, parmi le peuple.

Une grande cérémonie de bienvenue avait commencé et promettait de durer toute la journée et toute la nuit. Près d'Aménuel, Liomel et Barchelas se lançaient des regards mauvais.

— Ces deux-là ne s'entendront jamais, constata Jiolaine en les observant tirailler le roi.

— Aménuel verra toujours les deux côtés de la médaille, dit Hübel. Ce n'est sans doute pas une mauvaise chose.

Malgré leurs habits festifs et leurs nombreux bijoux, Ancolie et les parents de Xanaël portaient leurs cheveux blonds remontés en chignons serrés sur le haut de leur tête, en signe de deuil.

— Et Ashlar ? s'enquit Jiolaine. Quelqu'un sait-il ce qu'il est devenu ?

— Le roi n'allait tout de même pas abriter plus longtemps l'amant de sa femme sous son propre toit, fit Hübel.

— Salvarus et les vénérables ont accordé à Ashlar le privilège de retourner là-haut avec eux, leur apprit un serviteur en leur offrant des coupes de vin sur un plateau d'or.

— Je n'ose penser à ce qu'a pu ressentir notre fils en constatant que l'espace étoilé ne lui était pas accessible, soupira Jiolaine dès que le serviteur se fut éloigné avec trois verres en moins.

— Vous oubliez que Xanaël a grandi sur Baltica, leur rappela Ancolie. Il a toujours cru qu'à sa mort, son âme se mêlerait à celle de Rhéïqua.

La mère hocha la tête.

— Vous ne savez pas comment Xanaël s'est retrouvé sur Baltica ? demanda Ancolie.

— Notre fils ne se souvenait de rien, commença Hübel. Mais le jour de sa disparition, Evrïl, un enfant des dieux des profondeurs, a lui aussi disparu de son monde.

Ancolie observait les dieux déchus dans leurs armures de fer.

— Ils ont le pouvoir de s'introduire dans vos corps et de guider vos gestes, non ?

— Oui. Nous croyons que c'est ce qui est arrivé à Xanaël.

— Mais l'un d'eux pourrait récidiver ! Cela ne vous inquiète pas ?

— Si un dieu des profondeurs utilise un de ses pouvoirs contre nous et que cela est rapporté à Salvarus, les vénérables ne laisseront pas ce dieu monter au ciel.

— Mais vous pourriez ne jamais vous en apercevoir !

— Nous le saurions d'une façon ou d'une autre... Un dieu disparaîtrait et la personnalité d'un ange changerait radicalement.

S'étant écarté du couple royal, Liomel écoutait d'une oreille distraite la conversation que Jiolaine et Hübel entretenaient avec l'humaine. Mais l'inspirateur scrutait Aménuel et Myrliam, qui riaient et se dévoraient des yeux, visiblement amoureux comme au premier jour...

« Le seul qui peut témoigner qu'Ashlar est bel et bien parti pour le ciel, c'est le roi Aménuel », se disait le premier conseiller. Ce roi, qui avait cédé aux désirs de sa reine... Aménuel avait pourtant promis à Liomel que jamais les dieux déchus ne deviendraient leurs égaux...

Les hommes

QUAND UN DÉFUNT BLANC quittait l'endroit où il était apparu, il rejoignait le sous-continent à jamais. Si Jamélie, Weliot et Naëtan l'avaient su, ils ne se seraient pas imaginé que Miranie hantait son jardin pour récupérer sa bague. En effet, elle n'aurait pu revenir du domaine des morts une deuxième fois.

Dix ans après son décès, la sorcière d'Isdoram avait été arrachée de chez elle par les villageois en colère et s'était volatilisée au milieu des flammes d'un bûcher. Alors âgés de onze ans, Jamélie, Weliot et Naëtan avaient ensuite tenté une incantation pour convoquer son fantôme, et une forme humaine et vaporeuse s'était manifestée à plusieurs reprises tout près de la chaumière de la sorcière. Les enfants avaient aussi perçu des bruits étranges. Toutefois, ces sons n'avaient rien à voir avec l'apparition qui allait et venait sur le terrain de la défunte. Ceux-là provenaient du cerisier auquel Miranie avait été attachée, et qu'on avait brûlé. Il sifflait comme une flûte de Pan lorsque le vent s'infiltrait dans les trous de l'écorce.

Ce qu'avait prétendu Clovis s'avérait juste. Celui qu'on appelait le fantôme d'Isdoram était bel et bien Laurian d'Ormanzor. Une fois assoupi, le professeur avait souvent essayé de retrouver sa femme.

Après avoir été tuée par une cigogne, Miranie s'était réincarnée dans leur chaumière. Une fois le choc passé, Laurian avait voulu transcrire dans son livre ce qu'elle lui racontait à propos du sous-continent. Mais l'âme de Rhéïqua tenait à son mystère. Aussi, les mots s'étaient effacés d'eux-mêmes à mesure que la plume glissait sur le papier.

Jamélie, Weliot et Naëtan, en jouant les nécromanciens, étaient persuadés d'avoir noté dans leur grimoire de précieuses informations sur le domaine des morts, mais celles-ci n'étaient véridiques en rien.

Et quand Ancolie apprendrait que Laurian pouvait se déplacer en rêves, elle comprendrait aussitôt que c'était lui, l'intrus qui s'était penché au-dessus de Yazmine dans la grotte magique où les elfes dormaient.

Laurian et Aymric étaient eux aussi magiciens. Voilà pourquoi Clovis pouvait les conduire d'un endroit à un autre...

Dans le domaine des morts, la dame bleue leva devant ses yeux la perle blanche que retenait sa chaînette rouillée. Elle pensa à son fils Aymric, et la perle le lui montra immédiatement. Couché contre son amie Élorane, il dormait à poings fermés dans la cabane de bois rond. Miranie le regarda pendant de longues minutes. Puis elle décida qu'il était temps pour elle d'aller voir ce qui arrivait aux trois autres enfants qu'elle avait mis au monde.

Une seconde suffit pour que s'impose l'image de Saphie. Sur Laurentia, elle dormait dans un hamac aux côtés d'une fillette d'une dizaine d'années. La dame bleue sourit à la vue de l'adorable enfant. Elle ressentit un grand soulagement à savoir sa seule fille en vie. Peu

Achevé d'imprimer en septembre 2011
sur les presses de Transcontinental-Gagné
Louiseville, Québec